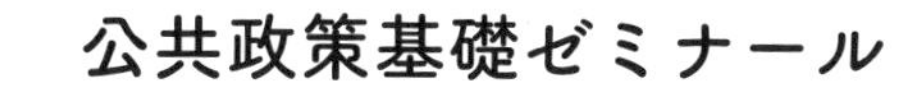

公共政策基礎ゼミナール

はじめに

仏教精神を建学の理念に置く大正大学は、かつて東日本大震災からの復興のために全学を挙げて南三陸町をはじめ東北地方の支援を行なった。それが本学の掲げる「地域人主義」のひとつのきっかけとなり、全国の地域を研究活動の対象とする地域構想研究所の設立につながっている。続いて2016年には新規に地域創生学部を設置しているが、これは経済学や経営学を基礎として新しい価値の創造による地域活性化を志向するものだ。さらに2020年には人間学部を改組して社会共生学部を設置し、これらに表現学部を加えた３学部を社会創造系学部群と位置付けた。

この時に社会共生学部に新設された公共政策学科は地域創生学科と比べられることが多いが、こちらはさまざまな学問領域の知識を総合化し、政策を足がかりとして公共的課題の解決を志向している。両学科にそのような基本スタンスの違いはあるものの、社会創造系学部群という大きな括りのもとでは「より良い地域を目指すための担い手（地域戦略人材）教育」という大目的を共有していると言えよう。

今回、その公共政策学科が本書を刊行する運びとなった。

第１章でも述べるように、公共政策学は政策科学を源流とする比較的新しい学問領域である。その特徴として、多くの政策分野を横断的に捉えて政策過程の各段階を掘り下げ分析する側面があると同時に、福祉政策とか観光政策とかの個別分野ごとの政策研究を包含する広がりをも持つために、一つの学問領域としての全体像を掴みにくいという印象があるかもしれない。そのため、本書では多彩な専門分野で活躍してきた各著者がそれぞれの分野における状況や基礎的な政策などについて各章を分担して執筆し、全体として公共政策学を概観できるものになっている。

この『公共政策基礎ゼミナール』が、公共政策学科の学生諸君をはじめ、読者諸氏の学修の道標となれば幸いである。

ところで、2020年の秋に、「民主主義　少数派に」という見出しの記事が日本経済新聞の１面に掲載されたことをご存知だろうか。

スウェーデンのヨーテボリ大学に本部を置くV-Dem研究所によると、独裁政権など、世界の非民主主義国家（および地域）の数が実に18年ぶりに民主主義のそれを上回ったというのだ。新型コロナウイルスによる混乱がそれに拍車をかけているという分析もある。

1991年にソ連が崩壊し、東西冷戦が終結したことによって世界が一気に民主化へと向かったのは必然かつ不可逆的な流れで、最終的には世界中の全ての国々が民主化されるはずだと、私たちの多くは無邪気に思い込んでいたのだろうと思う。

確かに、民主主義に転換したが経済運営などがうまくいかずに非民主主義に後戻りする国があったり、先進民主主義国においても富の集中が進み格差拡大に不満を抱く人々が増えて社会が不安定化したりする現実が報道されてきてはいたのだが、民主主義といういわば絶対的規範の後退を数字で見せつけられたことは衝撃であった。

我が国において、国や地方自治体の公共政策は民主主義を礎としているのであって、その根幹を揺るがしかねない潮流が世界を襲っている。香港の変わりゆく姿やトランプ前大統領はその象徴であろう。

公共政策のあり方を展望するにつけても、こうした歴史観と世界観を視座とすれば、なんとかけがえのない仕組みを私たちは当たり前のように享受してきていたのかと気づかされる。そして、そのような仕組みが失われてしまうことが決してないように、民主主義に根ざす公共政策を発展させ成功させていかねばならない。それが、私たちの国と地域の未来を明るくする道であると信ずる。

大正大学副学長

（公共政策学科教授）

首藤正治

目　次

第①章 これからの地域社会における公共政策

1．公共政策学とは何か

1－1．課題解決のための学問

公共政策学は比較的新しい学問である。まず最初に、この公共政策学がどのようにして生まれたかという話から始めよう。

高度に専門分化し精緻化した既存の伝統的学問（経済学、政治学等）は、その学問領域を深く掘り下げることによって事象を理解したり解明したりするのに役立つ。しかしながら、そうした学問分野の枠組みを越えて複雑に諸要素が絡み合う実社会の課題について現実的な解決策を導き出すという目的にはうまく対応できない面がある。

こうした指摘はすでに第二次世界大戦前からなされていた。そこでハロルド・ラスウェルが新しい学問として提唱したのが「政策科学」である。そしてこの「政策科学」を、「社会における政策作成過程を解明し、政策問題についての合理的判断の作成に必要な資料を提供する科学」と定義づけた（H・D・ラスウェル、永井陽之助訳、1954、p.147）。この「政策科学」こそが現在の「公共政策学」の原型と言われているから、公共政策学は現実課題の解決を目指す極めて実践的な学問として誕生したということができる。

複雑な要素が絡み合う現実の課題に対してひとつの分野の知見だけでは対応が困難であるということについては、世界的課題として突如浮上した新型コロナウイルス問題を例に挙げれば、その理由がよくわかるだろう。隔離などによって感染拡大防止を図ろうとする医療政策と、人々の活動の抑制が大不況を招いてしまうのを避けようとする経済政策とはトレードオフの関係[1]にあるのだから、このことだけを取っても現実の政策判断の難しさを実感することができる。

そうした各分野の領域を超えて公共政策学が扱う「公共政策」とは、教科書

1）「あちらを立てればこちらが立たず」というような、相反する関係のこと。

図表1　政策の体系

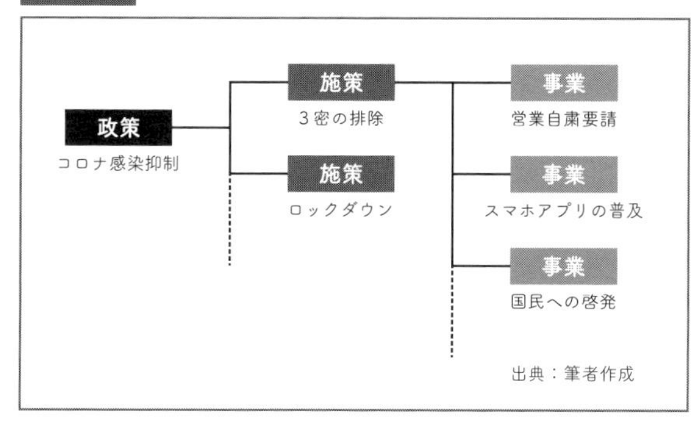

的には、「公共的問題を解決するための、解決の方向性と具体的手段」（秋吉・伊藤・北山、2015、p.26）とされている。であれば、公共政策学で研究領域とされる「inの知識」と「ofの知識」の考え方[2)]も踏まえ、「公共政策学」とは、「公共的問題を解決するための、解決の方向性と具体的手段を導き出し実施する過程、およびその公共的問題に関する諸要素を取り扱う科学」であると規定することができよう。

1－2．政策の体系と政策過程

前項で述べたこととも重なるが、例えば「経済政策」を取り上げればそれ自体が単独で体系を持つし、環境政策、福祉政策なども同様である。そして、分野にかかわらず普遍的に全体像を捉えれば、公共政策の政策体系は、「政策」、「施策」、「事業」という３段階の階層構造を持っていることがわかる。（図表１参照）

先の定義に沿って説明すれば、「政策」は公共的問題を解決するための解決の方向性や基本方針であって、新型コロナウイルス問題を例にとると、「感染経路を遮断することで感染抑制を図る」というような方針がこれにあたる。

そして「施策」はそれを実現するための具体的方針のことで、例えば、「３つの密の排除」や「都市のロックダウン」などという形で提起されることとなる。

2）当該政策分野における知見やその分析にかかる知見など、政策決定のために利用される知識を「inの知識」といい、政策推進のプロセスやメカニズムに関する知識を「ofの知識」という。

さらに、「事業」はこの施策を実行するために実際に何をすれば良いか、さらに具体的な取り組みを構想したものであり、必要な人員や予算などを盛り込んだものという位置づけになる。すなわち、「密が予想される業態の事業者に自粛を要請し、協力金を予算化する」とか、「濃厚接触を通知するスマホアプリを普及させる」というような事業を複合的に展開することで施策を推進しようとするわけである。

ところで、こうした公共政策の進め方についてはPDCAサイクルで説明されることがある。いったん課題が設定されれば、政策立案・決定(Plan)、実施(Do)、効果の評価(Check)、政策の改善(Action)というPDCAサイクルを回すことで公共政策は推進されると考えるのである。

ただ実際には、国でも地方自治体でも、当局が政策立案や予算案作成を行ったのちに議会で議決に至るまでのプロセスについても重視する必要があるため、「Plan」を二段階に分けて考えたほうが整理しやすい。品質管理の手法として生まれたPDCAサイクルはこうした点で現実の制度にそぐわない面もあることなどから、一般的には公共政策を ①課題設定、②政策立案、③政策決定、④政策実施、⑤評価の５段階の過程として捉えており、これらを「政策過程」という。

１－３．恣意的でない政策判断のために

ラスウェルによって提唱された政策科学を突き詰めていけば、政策決定システムにおいて「自動化の選好」が可能ではないかと考えられ、実際にそれに向けた試みが行われた歴史がある。「自動化の選好」とは、対象としている問題に関して定式化された手順や計算方法でデータを分析処理することによって、その局面での最適な政策が合理性を持って自動的に決定できるような仕組みへの志向を指す。機械的に最善の政策判断ができるとなれば、恣意的な政治の関与が排除できるわけだが、残念ながら大きな成功には至っていない。

このほかにも、恣意的な判断を排除した客観的な政策判断を実現するために、これまでさまざまな工夫がなされてきた。最少の経費で最大の効果を上げる政策を導き出すために費用便益分析などの手法も考案されてきているが、B/C(Benefit〔便益〕をCost〔費用〕で割って得られる値)で政策を評価する方法

が全てに適用できるわけではない。費用便益分析そのものに多大な手間とコストがかかることや、経済合理性以外の要素が時には社会において重要視されることなどがその理由である。また、人間は立場や経験などによっても人それぞれ違う価値観を持つものであり、主観を超えた客観的価値としてBenefitを数値化することが難しい場合もある。ましてや、どの価値観が優先されるべきかというような判断は極めて困難である。

こうしたことに関しては、例としてカジノを含んだIR（統合型リゾート）についての意見の対立に注目してみると良い。経済発展という価値と、住環境の安心感という価値とはまたしてもトレードオフの様相を呈する。

こうした価値観のトレードオフを超えて下される判断はいきおい極めて政治的であり、時には経済合理性を欠くこともある。逆説的に言えばまさにこのような場面こそ政治が力を発揮すべき局面であり、その際には、最終決断に至るまでのプロセスに民主主義が根付いていなければならないと言えよう。

また、膠着状況の中で首長などが政治的決断を行うような場合であっても、可能な限り合理的な根拠に基づくことが望ましいのはいうまでもないことであり、当然ながら説明責任を伴う。

１－４．EBPM（証拠に基づく政策立案）

現代社会においては、政策判断の客観的合理性を担保する手法としてEBPM（Evidence Based Policy Making＝証拠に基づく政策立案）が重要視されていることを特筆しておきたい。これは、個々の政策がどれだけの効果を持つかをできるだけ客観的なデータで検証して、効果が高いと思われる政策を優先的に実施すべきだという考え方であって、令和２年度内閣府取組方針では、「EBPMとは、政策の企画をその場限りのエピソードに頼るのではなく、政策目的を明確化したうえで合理的根拠（エビデンス）に基づくものとすること」とされている。政策の実施前に、その効果を「エビデンス」が科学的・論理的に担保してくれるわけだ。

そこで焦点となる「効果」を正確に捉えるためには、成果の表現としての「アウトプット」、「アウトカム」、「インパクト」という概念を明確にしておく必要がある。（図表２参照）

図表2　政策の成果

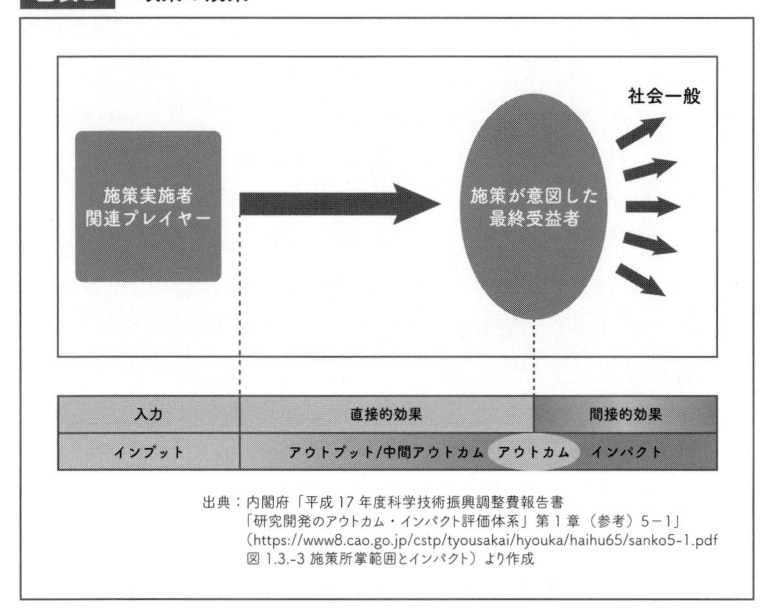

出典：内閣府「平成17年度科学技術振興調整費報告書
「研究開発のアウトカム・インパクト評価体系」第1章（参考）5－1」
（https://www8.cao.go.jp/cstp/tyousakai/hyouka/haihu65/sanko5-1.pdf
図1.3.-3 施策所掌範囲とインパクト）より作成

まず「アウトプット」とは、その政策を実施することによってもたらされた直接的な結果のことであり、例として（新型コロナ関連で言えば）PCR検査実施数とかワクチン接種数などを挙げることができる。

次に「アウトカム」とは、その政策がアウトプットを通してサービスの受益者にもたらした成果のことであり、例として新規感染者数の減少などを挙げることができる。

そして「インパクト」とは、アウトカムを経て地域に生み出された主に長期的・間接的な変化を言い、平均寿命の伸びというような効果がこれにあたる。

立案から評価までの政策過程において、実務的にはこの中でアウトカムを常に意識して取り組むようにすることが求められる。これは当たり前のことのようだが、実際の現場ではアウトプットを事業の成果と思い込んでいるケースも多いのが実情だ。

では、政策の効果を担保するためのエビデンスにはどんなものが考えられるだろうか。かねてこうしたエビデンスの考え方が体系的に培われてきた医療分

図表3　エビデンスのレベル

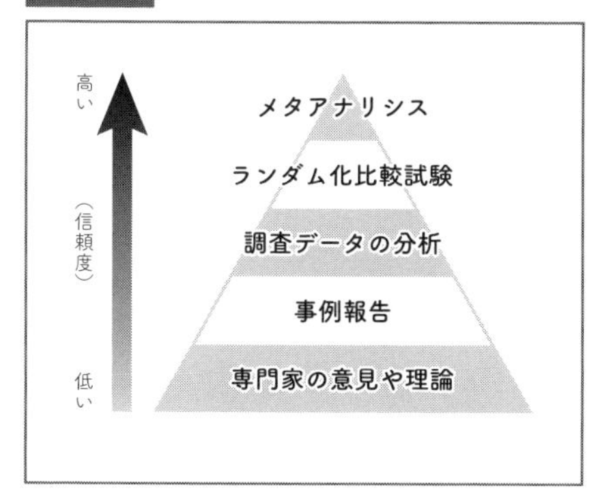

野では6～9段階の区分のピラミッド図で表現されることが多いが、ここではシンプルに5段階でエビデンスレベルを示しておく。（図表3参照）

専門家の意見も一応のエビデンスではあるが、それはこのピラミッドでは最も低位のレベルであって、科学的データとして扱えるのは「調査データの分析」以上のレベルだと考えておくべきである。

なお、「ランダム化比較試験」とはランダムにグループ分けされた複数の集団ごとに異なるインプットを与えた時にどんな差が出るかを分析する実験方法であり、「メタアナリシス」とは複数の研究の結果を統合した高次の分析のことをいう。

2．地方自治体の政策過程

2－1．課題設定

前述のように、政策過程の初めに課題設定がある。では、地方自治体において、どのように課題は認識され設定されるのだろうか。

一般的には、日常の仕事の中で担当の行政職員がその課題の存在を認識するケースが多い。その他にも、首長のマニフェストなどで提示されるケース、首長や議員が陳情等を受けて検討に至るケース、マスメディアによって課題がクローズアップされるケースなど、きっかけはさまざまである。

地域には常に多岐にわたる大小さまざまの課題があるのだから、こうして組上に上った複数の課題は庁内の協議などで優先度や緊急度が判断され、重要度に応じた階層での意思決定を経て、政策立案の段階を迎えることになる。

付言すれば、この時重要なのは首長のリーダーシップであり、それによって自治体が公共政策によって何を目指すかが決まる。法的に言っても日本の地方自治体の首長は独任制の執行機関（ひとりだけで構成する執行機関）であり職員はその補助機関であるから、究極的には首長の価値観によって優先順位などが決まると言っても過言ではない。

首長のリーダーシップは良くも悪くも重いものであって、極端なことをいえば、自身の支援者の陳情案件ばかりを優先するようでは公共政策の健全性が損なわれてしまう。

2－2．政策立案・決定

地域全体の産業・福祉・教育など各般にわたる総合的な政策の骨格は、基本構想や基本計画によって構成される「総合計画」として定期的にアウトラインがまとめられる。これが一般的にはその後10年間あるいは5年間の道標となる最上位の計画であり、さらにはより短い３年ほどのスパンで具体的な施策や事業をまとめた実施計画が策定される。

また、比較的重要な個別分野における政策については、「中心市街地活性化基本計画」とか「一般廃棄物処理基本計画」等として個別の計画書が作られることが多い。

基本的にはこうした各種計画に基づいて、政策を進めるための毎年度の事業が決定され予算化されるのである。

もちろん、予期せぬ課題が突如として浮上する場合も多い。新型コロナ問題や、自然災害の被災からの復興などはその典型だ。事故の多発する市道を改良してほしいとか近所の公園にトイレを設置してほしいなどといった請願や陳情についても、緊急性があるとなれば早期に事業化されることとなる。

また、市民各層が委員として参加する各種審議会への諮問やパブリックコメント(意見公募)によって意見を聴取した上で、政策の方針を定めることもある。

いずれにしても、毎年度の事業を実施するための予算は新年度当初予算案として前年度中にまとめられる。通常は議会の予算審査委員会でそれが審査され、審査結果が本会議で報告されたのち議決という運びとなる。審査の過程では、予算額が妥当かということばかりでなく、なぜその事業が必要であるか、またその事業の効果がどう見込まれるかなど幅広く質疑が行われる。

年度途中で、当初予算に含まれていないが急いで実施すべきという判断に至った事業については、直近の定例議会あるいは臨時議会に補正予算案が提出され、同様に補正予算審査委員会での審査を経て本会議で議決される。

このように、二元代表制[3)]である地方自治体では、この議会の議決があって初めて正式に事業の実施が決定されるのである。

ただし、緊急を要する場合には例外的に首長の専決処分で事業を実施することもある。この場合、次の議会で報告をして承認を受ける。

2－3．政策実施

政策そのものは自治体の活動計画に過ぎないのだから、それが実際に実行されなければ何の意味もない。そして次節で述べるように、最近では公共政策の実施主体は行政ばかりとは限らず、企業や各種団体への委託や協働も増えてきている。

こうした実施主体の多様化も背景として、政策の事業化手法は多岐にわたるが、どんな手法による場合でも、事業実施にあたっては基本的にいくつかの制約要因あるいは留意しておくべき点がある。

まず適法性である。

法律や条例などに則って執行することが第一に求められる。ここで、ルール遵守を意識するということは、公平性の面で問題はないかということも含んでいる。他の事例と比べて不公平でないか、過去の事案の扱いと整合性があるか、もし違いがあれば合理的な説明ができるか、などを確認しながら進められねばならない。

ところで、法律や規則、あるいは前例などの規範を総称して「ルール」と呼ぶとすれば、このルールに沿った仕事の仕方を「ルールドライブ」の仕事ということができる。またその対語として「ミッションドライブ」が挙げられるが、

3）国では国民が選んだ国会議員が内閣総理大臣を選出する議院内閣制だが、地方自治体では住民は首長と議会議員を別々にともに直接選挙で選ぶという二元代表制をとっている。

その意味するところは、使命や目的を明確に意識してその達成のために柔軟に対処しようとする姿勢である。

両者とも大切なものであるが、行政ではともすれば前者一辺倒になりがちなので注意が必要であることを指摘しておきたい。

次に予算である。

一般的にはどの自治体でも社会保障関係費急増などで財政が逼迫してきており、各事業に十分な予算額が確保されているとは言い難い。

そのため､事業実施にあたっては経費を節約するための工夫も必要であるが、時にこうした予算的制約への対応策としての位置付けで市民協働（次節参照）が語られることがある。

通常なら業者に発注する仕事を市民協働で行うことで費用が節約できるという考え方があながち間違いとは言わないが、予算上の問題を市民側にしわ寄せしようとするのが行政側のそもそもの発想であるならば、それは本来の市民協働のあり方ではなく、持続性にも欠ける。行政側の担当職員には、地域発展のため汗を流そうとする市民に負けない強い熱意と努力が必要だ。市民協働においては行政と市民が対等に心を合わせて協働することが第一で、それに伴った結果として事業経費が節約できる場合があるということに過ぎない。

３番目に利害調整と合意形成である。

事業に関係する団体や関係者の間で利害が対立することは多く、それを論理や合理性のみで調整することは難しい。行政側の価値観に基づき合理的と考える判断がさまざまな立場のステークホルダー（利害関係者）にどう受け止められるかを予測する想像力が重要であり、またその際に、それぞれの立場の人たちの利害ばかりでなく気持ちまでも理解することが大切である。もちろんきちんとした論理の組み立てのもとで政策は進められねばならないが、合意形成のプロセスは論理のプロセスである以上に、人間の感情に特に配慮すべきプロセスでもあるのだ。

一般的に、政策は全体の利益のために組み立てられるから、市民の大多数は政策に一応賛成であるか、もしくはあまり関心を示さないことが多い。だが、利益が相反する一部の人々からは強烈な反対の声が上がるというのはよくあることだ。この一部の人々の声をどう実務的に受け止め対処するかが政策の成否

図表４　評価の類型

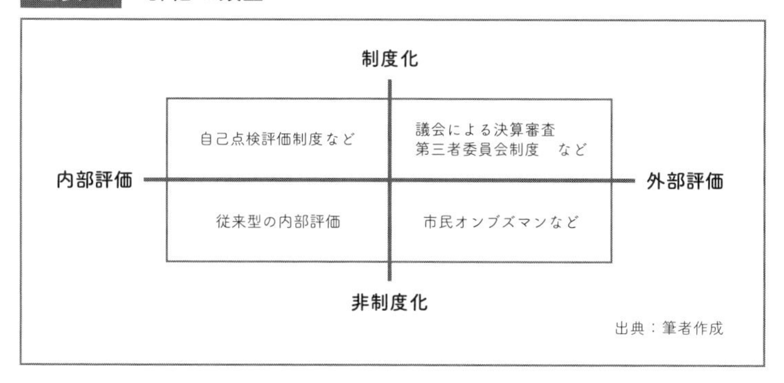

出典：筆者作成

を分けることも多く、その状況によって臨機応変の努力と工夫が必要である。

２－４．評価

政策を決定する過程においても政策の事前評価が行われるが、ここでは実施後の事後評価について述べる。

「EBPM」の項でアウトプット、アウトカム 、インパクトということについて述べたが、そうした観点から政策の効果がどうであったかをできるだけ客観的に測定して政策評価を行うことが大切である。

ちなみに、一部の自治体において、業務委託したコンサルティング会社から提出された報告書などを庁内で「成果物」と呼ぶことが一般的な慣習となっていたが、それは当然ながら単なるアウトプットであって、アウトカムとしての成果ではない。

以前は地方自治体での政策実施後の評価はほとんどなされていなかったのだが、現在では多くの自治体で政策評価が制度化されている。ただ、一般的に言えば、「誰が」「どういう基準で」「どんな方法で」評価するのかといった観点で客観的・体系的な評価手法が確立されているとはまだまだ言い難い。

政策評価の基本的位置づけとして、評価主体が行政組織内部であるのかそれとも外部であるのか、またその評価が制度化されているのか否かを区分することによって評価の類型化ができる。（図表４参照）

かつて第三者委員会による「事業仕分け」と称する取り組みが全国的に流行

した時期もあったが、今後の政策評価のあり方としても、評価の透明化や外部化は最も求められることのひとつである。そういう意味でさらに言えば、評価結果を公表するのか、あるいはどう公表するのかという点も重要である。

ただ、こうした文脈からは「事業仕分け」などが絶対的善であるように受け止められてしまうかもしれないが、何でもかんでも第三者委員会で評価して事業実施の適否を決するということにはまた別の問題があることも指摘しておかねばならない。

自治体の意思決定については、住民の直接選挙で選ばれた首長に大きな権限と責任が与えられ、同時に二元代表の他方である議会にそのチェック権限が与えられていることを大前提として認識しておく必要がある。第三者といえども物事の判断には常に個人の価値観に基づいた主観が働くわけであり、その判断が市民全体にとって最善なのか保証されるものではない。第三者委員会等に実質的に事業の可否を委ねるような場合にはその権限の根拠への疑義も想定されるし、首長の責任の丸投げと言われかねないケースもあろう。

3．地方自治体の公共政策における潮流

3－1．地方分権の進展と市町村合併

戦後の日本の高度経済成長は国民全体の努力が結実したものではあるが、その基本的な戦略は国主導で推進されたと言えるだろう。昭和37年に策定された全国総合開発計画や新産業都市構想などを軸としながら全国的な施策展開が図られた歴史もある。

ところがそのころに機能した中央集権システムは環境の変化とともにいつしか非効率なものとなり、地方分権が唱えられるようになった。中央集権型行政システムの制度疲労に対応し、東京一極集中を是正して均衡ある国土の発展を目指すには、地方分権に舵を切ることが望ましいというのは、至極まっとうな論理展開であった。

折しも国の財政が悪化して行財政改革が進められたことも背景にあって、国の内政における役割と負荷を軽減するための地方分権という側面もあったと考えられる。

その結果、平成５～11年の第１次地方分権改革において地方分権一括法が成立して、国と地方が「上下、主従」の関係から「対等、協力」の関係に変わり、機関委任事務[4]が廃止された。また、平成18年に始まった第２次地方分権改革においては国から地方への事務・権限の移譲がさらに進み、地方への義務づけの見直しなどが行われた。

また一方では、こうした変化のためには、地方自治体自身が自治能力を底上げすること、そしてそのための自治体規模の拡大が歴史上の必然であったと考えられる。

時を大きく遡れば、近代日本の地方制度は明治22年の市制・町村制施行で大きな転換点を迎えた。この時に政府によって一気に進められた基礎自治体の合併を「明治の大合併」[5]といい、その後も「昭和の大合併」、「平成の大合併」と２度の大きな合併の波を経て現在に至っている。

平成11年から18年にかけて進められたこの「平成の大合併」は各地で賛成反対の論争を巻き起こした。そして、全体的な流れとしては、平成12年に施行された地方分権一括法に基づいて合併特例債をはじめとした合併支援措置が拡充されたことが合併を後押しし、市町村数は3,232から1,821に減少した。

三位一体の改革[6]により地方交付税が大幅に削減され財政難が昂じたことも、多くの地域が合併を選択した背景であった。

合併の結果としては小規模町村の減少が著しく、市の数はむしろ増えている。こうして基礎自治体である市町村は次第にその規模を大きくすることで自治能力を高めてきており、分権の受け皿として機能することが期待されている。

これまで述べたような流れの中にあって、地方自治体における公共政策は国からの下請け的なあり方を脱し、自律的な、より自由度の高いものへと進化す

4）地方自治体を国の機関として委任して行わせる仕事のことで、国と地方の上下関係の象徴であった。
5）【明治の大合併】（M.21 ～ 22）……市町村数が約７万から１万６千に減少。
江戸時代までに自然発生した地縁共同体としての町村が明治維新以降も存続していたが、明治政府は効率的な地方行政のため郡区町村編制法を制定して再編を進めた。
【昭和の大合併】（S.28 ～ 36）……市町村数が約1万から3,472に減少。
戦後、新たな地方行政の枠組みが施行され市町村の仕事が大幅に増加したことに伴って規模拡大が必要となり、昭和28年、31年に相次いで町村合併促進法、新市町村建設促進法が施行された。
6）国庫補助負担金の廃止・削減、税財源の移譲、地方交付税の削減という三者を一体的に見直す改革だが、地方にとっては実質的には圧倒的に削減額が大きかった。

ることを求められているのである。

3－2．NPM（新公共経営）

第二次世界大戦以後、東西冷戦の中での共産主義への対抗もあって、西側先進諸国では福祉国家を目指す傾向が強まった。「ゆりかごから墓場まで」という英国労働党の当時のスローガンはまさにその象徴と言うことができる。これは大きな政府を志向したものであり、公的部門の肥大化と非効率な財政運営につながったため、この「政府の失敗」[7]に対して新自由主義的な思想で対処しようとする試みが1979年に誕生した英国サッチャー政権によって始められた。この改革手法はNPM（New Public Management＝新公共経営）と呼ばれ、1990年代には日本も含めて世界中に広がり影響を与えた。

NPMは基本的には、民間の市場原理を公的部門にも持ち込んで活力を注入し、民営化や規制緩和などを進めて小さな政府へと移行することなどによって、財政危機からの脱却と経済活性化を図ろうとしたものである。民営化、民間委託、規制緩和、PFI、市場化テストほか、実に多様な改革手法を含むものであるが、そのエッセンスは、顧客志向、成果志向、市場原理、分権化に要約できるとされている。

NPMは世界に広がったが、それと併行してソビエト連邦の崩壊による冷戦終結、その後の経済のグローバル化などが進み、さまざまな面で格差の拡大が次第に深刻な課題と認識されるようにもなっていった。こうした状況の中で、公的部門が本来的に根差している公平・公正という価値観とは相容れないほどに、NPMが格差拡大を助長しているとの見方も生まれてきている。

このように、時代とともに振り子が振れるようなトレンドの変化があるにせよ、現代日本社会においても多くの分野でNPMの手法が有効であることは疑いがない。現代の社会状況に即した適切な応用が求められる。

3－3．市民協働

旧来の行政と市民の関係を揶揄して「由らしむべし、知らしむべからず」[8]

7）政府の裁量的な経済政策や不適切な市場介入がいい結果につながらず、経済運営が非効率になること。「市場の失敗」と対比される。

という台詞がよく引き合いに出される。これはかつて行政側が「人民は行政の決めた法律に従わせれば良い。その意義や道理を理解させる必要はない」という立ち位置であったことを意味している。それほどまでに昔は役所の「お上」意識が強かったということの表れだろう。

同様に市民側の問題として「おまかせ民主主義」という言葉もあって、これは「せっかく民主主義制度が確立されているのに、市民が社会のあり方に当事者としての関心を持たず、政治家や公務員など自分以外の人々がちゃんとやってくれるだろうと任せっきりにしてしまっている状態」のことだ。先ほどの「お上」意識とこの市民の「おまかせ民主主義」はコインの裏表と言える。

今でもそうした意識が根強く残ってはいるものの、前述したとおり地方自治体の状況が大きく様変わりしてきたことにも伴って、市民が地域社会づくりの主役として重要な役割を担うべき時代になった。

こうした文脈ですでに一般的に使われるようになったのが「市民協働」という用語であるが、これは市民、自治会などの地域団体やボランティアなどの市民団体、企業、そして行政等が、地域課題の解決や公共の利益の創出のため、対等の立場で連携・協力することをいう。ただ、この言葉が使われ始めたのは昭和の時代のことでもあり、当時と今では社会の有りようもずいぶん変化してきている。

また、こうした民主主義社会の成熟に伴って、あるいはそれをさらに深化させるために、市民の側に主権者としての自覚と政治的教養がより強く求められるのは当然のことと言えよう。市民権というカテゴリーも含めてシチズンシップの涵養が不可欠であり、市民教育の重要性は高まっている。

3－4．市民協働から市民共創へ

公共政策の担い手は行政だけではない。公的事業を実施するにあたって行政（第1セクター）と民間（第2セクター）のそれぞれ優れている点を同時に活かすべく、かつては第3セクター方式[9]での法人設立が相次いだこともあるし、

8）「論語」の言葉。本来は、「人民を法に従わせることはできるが、その法の道理を理解させるのは難しい」の意であったが、転じて解されるようになった。

9）自治体と民間の共同出資による事業体のことで、略して「3セク」と呼ばれる。世界的には第3セクターはNPOなどの民間の非営利組織のことを指す。

近年ではNPOやNGOによる事業も日常的に目にするようになった。さらには2015年に国連サミットで採択されたSDGs（持続可能な開発目標）に沿っての活動が世界で本格化する中で、あるいは、ESG投資（環境、社会、ガバナンスを考慮した投資）残高が拡大していくことなども背景として、企業活動も公共的価値を意識したものに大きく舵を切ろうとしている。

そして、企業にとって、公共に対する貢献はもはや事業の制約要因としての社会的責任というレベルのものではなく、企業の存続発展のための重要な価値創造活動なのだという認識が広がってきている。

こうした時代においては市民の立ち位置も変化してくるのは当然であって、かつての「おまかせ民主主義」の時代を超え、また「市民協働」の時代も超えて、「市民共創」の時代を迎えたというべきであろう。

ただし、それは洋々たる船出というには程遠く、人口減少社会という大変困難な前提のもとでの地域の存続をかけた市民あげての格闘だという覚悟を持っておく必要もある。

ちなみに協働（co-operation）は活動や作業を協力して行うという意味だが、共創（co-creation）は力を合わせて新たな価値を生み出すという意味であり、価値創出というアウトカムに明確に焦点を当てたものと言える。

このような時代認識に立って地域の将来像を模索し、新しい枠組みで公共政策を展開することが求められる。

4．市民共創時代の公共政策

4－1．ビジョン実現のための公共政策

公共政策とは「公共的問題を解決するための、解決の方向性と具体的手段」であると述べた。であれば、解決すべき問題が提起されなければそもそも公共政策は成立しないということになる。しかし「交通渋滞」などといった明確な課題ならまだしも、「地域の停滞」とか「街の活力の低下」といった漠然とした課題を想定した場合、それはひとつの課題というよりも実は多くの要因が複合的に作用した結果としての現象であるといえる。そう考えれば、その要因を分析して個別の具体的な課題にブレイクダウンして再設定する必要があるのだ

が、そうしたアプローチではなかなか効果的な解決策の立案につなげることが難しい場合が多い。

そんな状況において、首長あるいは他の誰かによって地域の目指すべき姿が掲げられ、それが地域全体の意思として共有されることで地域活性化に向けた取り組みが進められるケースがある。

すなわち、地域のコンセプトなりビジョンが先行的に提示されることで、その実現のための公共政策が発想しやすくなるわけだ。

別の言い方をすれば、「地域の新たな価値創出」をひとつの課題であると位置付けることで、これまでとは少し趣の異なる公共政策の姿が浮かび上がってくるということである。これは課題解決のための公共政策というより、ビジョン実現のための公共政策と呼ぶことができよう。

こうした取り組みが過去において実践されたひとつの例として、現在は日本を代表する温泉地のひとつとして名高い由布院温泉をあげることができる。

かつては寂れた小さな山間の温泉街だった由布院において、日本の「公園の父」と言われる本多静六博士が大正13年に「由布院温泉発展策」なる講演を行い、ドイツのバーデンバーデンを引き合いに出し自然を大切にした温泉地としてのビジョンを語った。

その後、地域の低迷が続く中、巨額の投資を呼び込むことのできるダム建設計画やゴルフ場開発計画などが実現寸前のところまで行ったが、本多博士のビジョンに共鳴していた地元の若手リーダーたちの反対運動で頓挫。その後の紆余曲折を経て、最終的には住民と行政が一丸となってさまざまな努力を重ねたことで現在の由布院温泉の活況がもたらされたのだ。

もしも過去において経済対策としてダム建設などの公共政策を選択していれば、温泉地としての由布院の発展はなかった。眼前の課題に対応する公共政策と、地域のビジョンを掲げ実現するための公共政策という観点で対比しても、学ぶべき点が多い。

４－２．シビックプライドとソーシャルキャピタル

市民共創の時代における公共政策は、従前とはまた違った要素が求められることになる。

これまでは行政がプロフェッショナルとして地域の課題を的確に認識して公共政策を立案し実施することに集中していればよかったが、今後、地域が自立した個性的なまちづくりを進めていくために市民との共創が必要だということはすでに述べた。そしてそうした共創が効果的に機能するためには、素地として二つの要素が醸成されていることが重要だ。

まず、一つめは「シビックプライド」であり、次のように説明される。

「市民が都市に対してもつ誇りや愛着をシビックプライドと言うが、日本語の郷土愛とは少々ニュアンスが異なり、自分はこの都市を構成する一員でここをより良い場所にするために関わっているという意識を伴う。つまり、ある種の当事者意識に基づく自負心と言える」（伊藤香織ほか、2008、P164）

どんな自治体であっても、行政サービスとの関わりやまちづくりなどに積極的な市民とそうでない市民が混在している。シビックプライドの高い市民はそのようなさまざまな活動に関わる率が高いだろうから、そうした市民が多いほど、地域は活性化するであろう。シビックプライドを持つ市民の存在は市民共創のまちづくりに欠かせない。

まちづくりのプロとしての行政とまちづくりの主役である市民が相通じ合うシビックプライドを持って協働することが、新たな価値を生み出す共創の姿である。

次に、二つめは「ソーシャルキャピタル」である。

ソーシャルキャピタルは一般的には「社会関係資本」と訳され、1900年頃からいくつかの著作において用いられ始めた用語である。この「資本」という語義は、それが元手となって社会に新たな価値を生むことを示唆している。言葉の意味は時代とともに変化しながら約1世紀を経て、アメリカの政治学者ロバート・パットナムにより「協調的行動を容易にすることにより社会の効率を改善しうる信頼・（互酬性の）規範・ネットワークなどの社会的仕組みの特徴」と定義され、これがその後の研究のベースとなっている。

つまり、ある地域におけるソーシャルキャピタルは、住民同士の信頼関係の深さや、「お互い様」とか「持ちつ持たれつ」といった意識のもとでの暗黙の規範、そしてそうした関係で住民を結ぶ絆としてのネットワークといった特徴として認識され、地域社会に新たな価値をもたらす基礎となるものとされる。

パットナムによると、イタリアの北部と南部では州政府の公共政策の効率が明らかに違っていたという。その要因を分析したところ、（新聞講読率、市民団体への参加率、選挙や国民投票への投票率などを組み合わせた）市民共同体指数が高い地域の政策効率は概して高いという結論を得ている。この時の指標の妥当性については議論があるだろうが、現代においても、こうした信頼・規範・ネットワークというソーシャルキャピタルの醸成されている地域は、一般的に政策効率が高いと言われている。

また、そのような政策効率面での効果にとどまらず、ソーシャルキャピタルは地域社会の経済活動、地域の安定、福祉・健康、教育など多くの分野で好影響をもたらしているとされ、まさしく新たな価値を生んでいる。

ただし、ソーシャルキャピタルには次のような負の側面も指摘されていることを同時に知っておくべきである。

すなわち、ソーシャルキャピタルを強く共有する人々に外部への閉鎖性が生じて排外的になる懸念があること、また、「しがらみ」のような類のものが生じることで同調圧力が高まり反対意見が言いにくくなったり、個人の自由が抑圧されるような精神的ストレスが生じるというようなこと、さらには、「コネ」の悪用の懸念などである。

なお、民主主義的な考え方がさまざまな面で浸透した社会はこうした負の側面の危険性を低減できるとされる。

さて、シビックプライドとソーシャルキャピタルは従来それぞれ別個に研究され議論されてきているのだが、前者を「市民個人の地域への思い」、後者を「地域社会のコミュニティの質の高さ」と表現すれば相互の関連と相乗効果が想起される。

公共政策の効率という議論にとどまらず、市民共創のまちづくりがエネルギッシュに進められ大きな成功を収めるためには、この両者が堅固な基礎をなしていることが重要である。（図表５参照）

そう考えてくると、シビックプライドを高めたりソーシャルキャピタルを高めたりする効果を意図した公共政策、あるいは事業実施手法を工夫することも必要なのではないかということに思い至る。

これは、これからの行政のあるべき姿のひとつの側面として、市民活動のエ

図表5　シビックプライドとソーシャルキャピタル

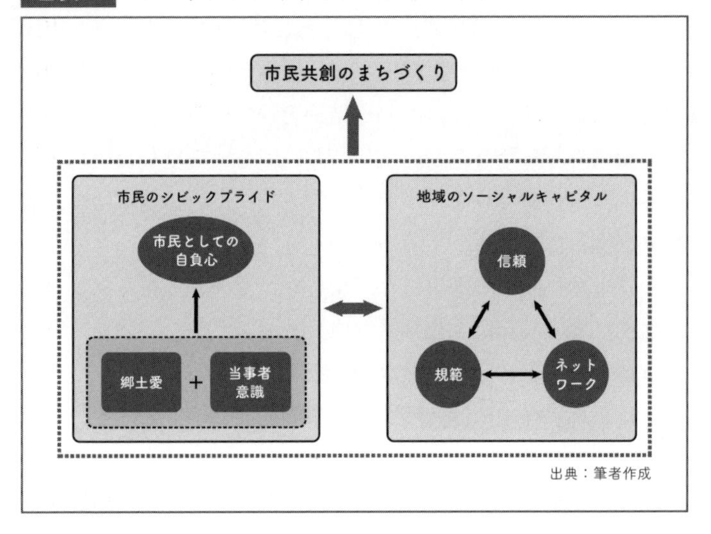

ンカレッジ（勇気づけること）、またエンパワーメント（権限移譲）が時に強調されることに通底している。

ただし、ソーシャルキャピタルの負の側面を見てもわかるように、こうしたことを市民全体に押し付けるような空気にしてはならない。多様性の価値を認めつつ、そのうえであくまでも個人の自由意志の範囲で意識を高めるべきものである。

5．最後に

本稿では一般的な公共政策学の解説に加えて、市民や地域にはシビックプライドやソーシャルキャピタルが求められるということも述べた。その切り口での全体のバランスを取るために、公共政策の本来の実施主体である国や地方自治体には組織風土の弛まざる改革が求められることを最後に指摘しておきたい。これは行財政改革という文脈から触れられることが多いが、とりわけ意識改革が組織風土改革の核心となろう。

本論とは一線を画す要素であるからこれはまた別の機会に譲るが、知識やノウハウ的な事柄にとどまらず、組織風土改革で公務マインドを高めることも、効果的・効率的な公共政策を実現するためには避けて通れないのである。

（首藤正治）

参考文献

- H・D・ラスウェル、永井陽之助 訳（1954）『権力と人間』（創元新社）
〔Lasswell, Harold D（1948）Power and Personality, W. W. Norton and Co.〕
- 秋吉貴雄（2017）『入門公共政策学』（中公新書）
- 秋吉貴雄、伊藤修一郎、北山俊哉（2015）『公共政策学の基礎』（有斐閣ブックス）
- 伊藤香織、紫牟田伸子（2008）『シビックプライド』（宣伝会議）
- 稲葉陽二（2011）『ソーシャル・キャピタル入門』（中公新書）
- 稲葉陽二、大守隆、近藤克則、宮田加久子、矢野聡、吉野諒三（2011）『ソーシャルキャピタルのフロンティア』（ミネルヴァ書房）
- 岩崎忠（2013）『自治体の公共政策』（学陽書房）
- 大山耕輔、笠原英彦、桑原英明（2013）『公共政策の歴史と理論』（ミネルヴァ書房）
- 木谷文弘（2004）『由布院の小さな奇跡』（新潮新書）
- 坪郷實（2015）『ソーシャル・キャピタル』（ミネルヴァ書房）
- 西尾勝（1993）『行政学』（有斐閣）
- 橋本行史（2010）『現代地方自治論』（ミネルヴァ書房）

第②章 行政機構と公務員制度

1．はじめに

公共政策の策定、実施に当たっては、国・地方公共団体の議会や政府部門、経済・商工団体、NPO、民間企業、地域の地縁団体等、様々なアクターが参画するが、その中で中心となるのは、国・地方公共団体の政府部門（行政部門）である。そこで、本章では国・地方公共団体において行政を担う組織（行政機構）及びそこに勤務する公務員を規律する仕組み（公務員制度）について紹介することとしたい。

2．統治機構に関する基本原理

国家が国土と国民を守り、治めるためには、統治のための組織、すなわち統治機構が必要である。そこで、我が国の統治機構がどのような理念の下に構築されているか、見てみよう。

2－1．権力分立

統治の作用としては、立法、行政、司法があるが、近代国家においては、これらの作用を異なる機関に担わせ、相互の抑制と均衡を図るというシステムが採用されている。これを権力分立あるいは三権分立といい、我が国においても、その理念に沿って日本国憲法に基づき次のような仕組みが導入されている。

まず、立法権（法規範を制定する作用）は、国会が担っている。次に、司法権（裁判を通じて法的紛争を裁定する作用）は、最高裁判所以下の裁判所に委ねられている。さらに、行政権（国家の統治作用のうち、立法権と司法権を除いたもの）は、内閣が担当している。

次いで、憲法は、これらの三者の均衡を図るため、相互抑制の関係を導入している。まず、国会と内閣の関係についてみると、国会は、内閣に対して、内閣総理大臣の指名権、内閣不信任の決議権（ただし、衆議院のみに付与）、国政調査権などを有している。他方、内閣は、国会に対して、衆議院の解散権を有している。

次に、内閣と裁判所の関係については、内閣は、裁判所に対して、最高裁判所の長たる裁判官の指名権、その他の裁判官の任命権（ただし、最高裁判所の作成した名簿に基づき任命）を有している。これに対し、裁判所は、内閣に対して、行政作用に対する裁判権（憲法違反に関する審査権を含む）を有している。

最後に、国会と裁判所の関係については、国会は、裁判所に対して、裁判官の罷免裁判（弾劾裁判）を行う権限を有しており、裁判所は、国会に対して、法律の憲法違反を審査する権限を有している。

２－２．議院内閣制

権力分立制を採用している諸外国について、行政を担う政府と立法を担う議会との関係をみると、議院内閣制と大統領制に大別される。議院内閣制は、行政府（内閣）が議会を基礎として組織され、その存続が議会の信任に左右される仕組みをいう。その発祥国はイギリスである。他方、大統領制は、立法府と行政府を厳格に分離し、同等の立場で機能する仕組みであり、その代表国はアメリカである。

日本は、内閣と国会の関係について議院内閣制を導入している。このことは、憲法の定める次のような仕組みに現れている。

①内閣総理大臣は、国会議員の中から国会の議決で選ばれること。
②国務大臣の過半数は国会議員でなければならないこと。
③内閣は行政権の行使について、国会に対し連帯して責任を負うこと。
④衆議院において内閣不信任決議案が可決された場合、衆議院を解散しないときは、内閣は総辞職すること。

３．国の行政機構

さて、権力分立制の下、我が国において行政を担う体制はどのように構築されているか眺めてみよう。

3－1．内閣

憲法は、「行政権は内閣に属する」とし（65条）、行政権を内閣に委ねている。

内閣は、内閣総理大臣及びその他の国務大臣で構成される合議体であり、内閣法（昭和22年法律5号）により国務大臣は17人以内とされている[1)]。

国務大臣には、行政事務を分担管理する大臣（各省大臣）と行政事務を分担管理しない大臣（特命担当大臣）の２種類があるほか、内閣官房長官及び国家公安委員長も国務大臣が就任することになっている。

特命担当大臣は内閣府に所属しており、その所掌事務は内閣によって異なるが、現・菅内閣の下では、①規制改革担当、②デジタル改革担当、③経済再生担当など４人の特命担当大臣が設けられている（それ以外に各省大臣が特命担当を兼務することもある。なお、特命担当大臣の正式名称は、「内閣府特命担当大臣」）。

内閣の任務としては、まず、国会が制定した法律を誠実に執行することがある。法律に基づいて許認可を行ったり、補助金を交付したり、違反行為を取り締まったりすることが該当する。次に、外交関係の処理があり、これには条約（文書による国際合意）の締結も含まれる。さらに国の予算案の作成も内閣の重要任務である。このほか、法律を実施するために政令（内閣が定める法規範）を制定したり、恩赦（刑罰の消滅・軽減）を決定したりすることなども内閣の職務とされている（憲法73条）。

このほか、内閣は、天皇の国事行為に助言と承認を与える、国会の召集を決定する、衆議院を解散するなどの権限を有している。

3－2．行政組織

内閣は、総理大臣及び国務大臣を構成員とする20名ほどの合議体であり、内閣だけで国の行政を処理することは不可能である。そこで、内閣の下で行政を担当する組織が設置されている。

1）このほか、現在、臨時的に復興大臣、東京オリンピック・パラリンピック競技担当大臣及び2025年日本国際博覧会担当大臣が置かれ、国務大臣の上限人数は20人となっている。

(1) 内閣に直属する組織

内閣に直属し、内閣を補佐する機関として内閣官房が設けられている。

内閣官房は、内閣の重要政策の企画立案・調整、内閣の重要政策に関する情報の収集調査などを所管しており、内閣官房長官、同副長官、同副長官補、内閣危機管理監、内閣広報官、内閣総理大臣補佐官（５人以内）などが所属している。

このほか、内閣に直属する機関として、内閣法制局が設置されており、法律問題に関する内閣への意見提示、内閣提出の法律案・政令案の審査を所管している。

なお、人事院も内閣に属しているが、独立的な地位を有している。他方、会計検査院は、設置そのものも内閣から独立している。

(2) 内閣の統括の下に置かれる行政機関

内閣の指揮下にある機関として、内閣府と各省が設置されている。内閣官房が合議体である内閣を直接補佐するのとは異なり、内閣府及び各省は、それぞれの大臣の下で国の行政事務を分担している。

①内閣府

内閣府設置法（平成11年法律89号）に基づき設置されている。任務として、内閣の重要政策に関する内閣の事務の補助のほか、男女共同参画社会の推進、沖縄の振興・開発、栄典に関する事務などを所管している。

内閣府の長は内閣総理大臣であるが、内閣官房長官が内閣総理大臣の命を受けて内閣府を統括している。なお、内閣府の長たる内閣総理大臣は、ここでは内閣の首長という立場ではなく、各省大臣と同じ立場に立っている。

内閣府には、特命担当大臣４人のほか、副大臣３人、大臣政務官３人が所属している。さらに、大臣補佐官６人以内の設置が可能とされている。

また、内閣府には特別の機関である宮内庁のほか、外局として、公正取引委員会、国家公安委員会（警察庁）、個人情報保護委員会、カジノ管理委員会、金融庁、消費者庁が設けられている（内閣府の人数は、宮内庁や

図表1

省名	担当分野	人数（外局等を含む）※
総務省	行政の基本制度、地方自治制度、情報通信・郵政サービスなど	4,639人
法務省	司法・法務に関する法令、検察、犯罪者の矯正、出入国管理など	52,386人
外務省	外交、発展途上国支援、在外の日本人保護など	6,064人
財務省	予算編成、税制、国債管理など	70,471人 （うち国税庁54,587人）
文部科学省	教育、学術、文化、スポーツの振興・普及	2,115人
厚生労働省	社会福祉、社会保障、公衆衛生、労働環境、職業安定の推進など	31,555人
農林水産省	農畜産物の生産振興、森林資源の有効活用、水産物の安定供給など	19,445人
経済産業省	産業・通商政策、中小企業政策、エネルギー政策、特許制度など	7,659人
国土交通省	社会インフラの整備、交通政策、観光振興、気象観測、海上保安など	56,030人
環境省	地球温暖化対策、廃棄物処理、自然環境保全など	2,882人
防衛省	安全保障政策、自衛隊の管理、防衛用の装備・施設の整備など	268,057人 （うち自衛官247,154人）

※人数（2020年）は一般職の人数。ただし防衛省は特別職も含む人数。
出典：内閣人事局ホームページ（https://www.cao.go.jp）及び防衛省ホームページ（https://www.mod.go.jp）

外局を含め、14,540人。2020年度）。なお、外局は、まとまりのある業務をある程度独立して実施させる場合に設置される。

②各省

国の行政の守備範囲は、財政、外交、産業、社会保障、教育、インフラ整備、環境、治安、国防など多岐にわたっており、それらを手分けする体制が必要である。そこで、国家行政組織法（昭和23年法律120号）に基づき、図表1に示す11省が設置されており、内閣府とともに行政事務を分担している。

③各省の内部体制

各省の陣容、組織体制について眺めてみよう。

まず、各省には「政治」サイドのメンバーとして、大臣、副大臣（省によって１人～２人)、大臣政務官（省によって１人～３人）が置かれている。このほか、特に必要がある場合には大臣のアドバイザーとして大臣補佐官を１人設置できる。

次に、大臣、副大臣等を支える事務方として、事務次官以下の職員が配置されている。

各省の組織体制としては、内部部局（官房、局、部、課など）に加え、それぞれの省の必要性に応じ、外局（庁、委員会）が設置されるほか、試験研究機関（例：国立感染症研究所)、検査検定機関（例：検疫所)、文教研修施設（例:税務大学校)、矯正収容施設（例:刑務所）や特別の機関（例:外務省の大使館）等を設けることができる。また、地域を分割して業務を担当させる必要がある場合には、地方支分部局を設置できる。

このほか、独立行政法人や特殊法人も政府関係機関として、行政に関与している。

４．地方公共団体の機構

国の行政機構は、国全体・国民全体に関わる制度の整備や運営を担っているが、行政サービスの中には、地域住民に近いところで運営する必要があるもの、あるいはそれが適切なものがある。それらを担うのが地方公共団体である。

４－１．普通地方公共団体と特別地方公共団体

地方公共団体は、普通地方公共団体と特別地方公共団体に区分される。

まず、普通地方公共団体は、その組織や事務等が一般的であり、普遍的に存在するものをいい、市町村と都道府県が該当する。

このうち、市町村は「基礎的地方公共団体」と位置付けられ、地域住民の生活に密接に関係する行政サービスを幅広く提供している（例：住民登録、生活

保護、児童福祉、老人福祉、各種施設の設置・運営など)。

これに対し、都道府県は広域的行政サービスを提供している(例:数市町村にわたる地域開発事業、国と市町村の間の連絡調整、高等学校の設置など)。

なお、人口50万人以上の市のうち、政令で指定する都市(政令市)は、一定の分野について、都道府県と同様の権限を有している。

次に、特別地方公共団体とは、その区域、組織、事務等が特殊的であり、存在が普遍的ではないものをいう。

特別地方公共団体に属するものとして、まず、特別区がある。特別区は、東京23区のことであり、「基礎的地方公共団体」と位置付けられている。具体的には、東京都が処理するもの(下水道、消防など)を除き、市町村が処理する業務を担当している。

さらに、特別地方公共団体の例として、地方公共団体の組合がある。一部事務組合(消防やごみ処理などの事務を複数の団体が共同で処理)と広域連合(複数の団体が別々の事務を持ち寄るなどして、広域的に対応)が該当する[2)]。

4－2．地方公共団体の組織

裁判の機能は国が独占的に保有しているため、地方公共団体は司法権に関する組織は持たないが、立法的権限及び行政権限を担うための組織として、議会と執行部門を有している。

(1) 地方議会

住民の代表機関であり、都道府県議会と市区町村議会がある。議員は住民の直接選挙によって選出され、任期は4年である。

議会の権能としては、①条例の制定、②予算の議決、③執行機関の事務に対する検査権、④国会等に対する意見提出権、⑤首長に対する不信任決議権があげられる。

2) このほか、特別地方公共団体として、財産区、合併特例区がある。財産区は、市町村・特別区の一部で財産又は公の施設の管理、処分を行うものであり、合併特例区は、合併後一定期間、設置されるものである。

（2）執行部門

執行部門は、首長である都道府県知事及び市区町村長に率いられている。首長はいずれも住民による直接選挙で選出され、任期は４年である。

首長は、①地方公共団体の統括・代表権、②事務の管理及び執行権、③規則制定権、④職員の任免権・指揮監督権などを有している。

次に、首長を支える体制として、副知事、副市区町村長（いずれも議会の同意を得て任命）のほか、会計管理者その他の職員が配置されている。

このほか、教育委員会、選挙管理委員会、公安委員会、人事委員会又は公平委員会、監査委員などの合議制機関や単独委員が設置されている。

（3）首長と議会の関係

日本の地方自治制度においては、議院内閣制ではなく、住民が首長を直接選挙する大統領制を採用している。大統領制の下で、長と議会は、独立対等の地位にあり、権限は明確に配分されている。

また、相互の牽制手段も設けており、首長に対する議会の権限として、同意・承認権、検査権、不信任決議権などがある。他方、議会に対する首長の権限として、再議に付す権限（拒否権）、議会解散権などが付与されている。

５．公務員

国民に行政サービスを届けるには、各種制度の企画に携わったり、税金を徴収したり、許認可業務を担当したり、取締まりを行ったりする職員、つまり公務員が必要となる。

公務員は、国又は地方公共団体に雇用され、その公務に従事する者をいう。そのうち、国に所属する者が国家公務員、地方公共団体に所属する者が地方公務員である。それぞれの基本的な法律として国家公務員法（昭和22年法律120号）、地方公務員法（昭和25年法律261号）が制定されている。

2020年時点における常勤の国家公務員の数は約58万７千人、常勤の地方公務員の数は約276万人となっている。

５－１．国家公務員

国家公務員の職は、一般職と特別職に区分される。一般職は、普段、役所で見かける職員であり、基本的に採用試験を通じて採用され、政治的に中立に公正に勤務することが求められている。特別職は、このような通常の職員と同一の取り扱いが不適切な職員であり、国家公務員法に列挙されている。一般職には国家公務員法が適用されるが、特別職には国家公務員法は適用されず、別途、その人事制度について定めが設けられる。

国家公務員のうち、特別職とされているのは、次のような者である。

①内閣総理大臣、国務大臣、副大臣など政治に携わる者
②内閣法制局長官、内閣危機管理監など政治家の身近で仕える者
③就任について選挙又は国会による民主的な手続き（国会同意）による者
④宮内庁長官、特命全権大使など広く適任者を任命すべき者
⑤防衛省職員
⑥国会職員及び裁判官・裁判所職員

なお、国家公務員58万７千人のうち、一般職は28万９千人、特別職は29万８千人（そのうち26万８千人は防衛省職員）となっている。

国家公務員の定員については、「行政機関の職員の定員に関する法律」（昭和44年法律33号）の下で厳格に規制され、削減の取組みが積み重ねられている。

５－２．地方公務員

地方公務員は、所属する団体に対応して、都道府県職員と市区町村職員に大別される。2020年現在、都道府県職員は約140万人、市区町村職員は約136万人となっている。

地方公務員も一般職と特別職に区分され、地方公務員法に掲げられた特別職以外は、一般職となる。国家公務員の場合と同様、一般職には地方公務員法が適用されるが、特別職には同法は適用されず、その人事制度について別途、定めている。特別職の例としては、就任について公選又は地方公共団体の議会の選挙、同意等によることを必要とする職や非常勤の消防団員があげられる。

図表２

部門	都道府県	市区町村
一般行政	12.5％	28.0％
福祉	4.2％	23.0％
教育	55.5％	18.3％
警察	20.7％	−
消防	1.3％	10.6％
公営企業等	5.8％	20.1％
計	100％ （約140万人）	100％ （約136万人）

出典：総務省データ（hhttps://www.soumu.go.jp）をもとに筆者作成

次に、一般職の地方公務員について、所属する部門における職員の比率をみると、図表２のとおりである。（2020年現在）

都道府県と市区町村を比較すると、都道府県は、教員と警察官で４分の３以上を占めているのに対し、市区町村では、住民対応の一般行政部門や福祉部門の職員が多いことが特徴といえよう。

なお、地方公務員の定員については、各地方公共団体の条例で定められている。

６．公務員制度の基本原則及び実施体制

公務員制度は、国民主権の下で行政サービスが民主的かつ能率的に運営されるための基盤となるものであり、このことを確保するため、次のような基本原則、実施体制が定められている。

６－１．公務員制度の基本原則

国家公務員法において、次の基本原則が定められている。

(1) 平等取り扱いの原則

すべて国民は、国家公務員法の適用について、平等に取り扱われ、人種、信条、性別、社会的身分、門地、政治的意見、政治的所属関係によって差別されてはならない（国家公務員法27条）

(2) 能力主義の原則[3)]

職員の任用は、その者の受験成績、人事評価又はその他の能力の実証に基づいて行わなければならない（国家公務員法33条）。採用後の任用、給与その他の人事管理は、職員の採用年次及び合格した採用試験の種類等にとらわれてはならず、人事評価に基づいて適切に行われなければならない（同法27条の２）。

(3) 情勢適応の原則

職員の給与、勤務時間その他の勤務条件の基礎事項は法律で定められ、国会により社会一般の情勢に適応するように随時、変更できる。その変更に関しては、人事院において勧告することを怠ってはならない（国家公務員法28条）。

なお、地方公務員法には、上記のうち、国家公務員法27条の２に相当する規定がないなど、一部異なる点もあるものの、概ね国家公務員法と同様の基本原則が定められている。

6－2．公務員の人事管理の実施体制――任命権者と中央人事行政機関

次に、国家公務員の人事管理について、誰がどのような権限を持っているか、整理しておきたい。

(1) 任命権者

個々の職員の具体的人事を行うのが任命権者であり、任命権者は、国家公

3）国家公務員法33条の見出しは、「任免の根本基準」、同法27条の２の見出しは、「人事管理の原則」であるが、ここでは、筆者において両条を総合して「能力主義の原則」という見出しを用いている。

務員の採用や昇任を決定する権限(任命権)を有している。具体的には、内閣、各大臣(内閣総理大臣及び各省大臣)、会計検査院長、人事院総裁、宮内庁長官、各外局の長が任命権者とされている。

また、任命権者は、任命権そのもののほか、職員の休職、免職や懲戒処分などに関する権限も有している。

なお、任命権者を補佐するため、各省には人事部門（人事課など）が設けられている。

(2) 中央人事行政機関

個々の職員に対する人事管理は、各省庁の長が任命権者として実施しているが、国家公務員全体として整合的な人事管理を行うためには、人事管理の基準を定めたり、総合調整したりする機関が必要となる。それが中央人事行政機関であり、国家公務員法は、人事院と内閣総理大臣を中央人事行政機関と位置付けている。

①人事院

人事院は、内閣の所轄の下に置かれた合議制の独立機関であり、国家公務員の人事管理の公正性の確保と国家公務員の利益保護等を使命としている。３人の人事官から構成され、そのうち１人が人事院総裁を命じられている。主要な業務として、①採用試験の実施、②昇任や降任の基準の設定、③研修の実施、④給与その他の勤務条件に関する勧告と基準の設定、⑤服務、倫理等の基準設定、⑥国家公務員の不服の審査などを所管している。

②内閣総理大臣

中央人事行政機関としての内閣総理大臣は、①使用者として定めるべき方針、基準等の設定、②各省の人事管理に関する方針の総合調整のほか、③幹部職員人事の一元管理などを担っている。

他方、地方公共団体においては、任命権が各省大臣に分散された国と異なり、基本的に首長（都道府県知事、市区町村長）が任命権者として職員の人事を統括している。一部、行政委員会など首長以外の者が任命権者となっている場合もあるが、それでも国の場合の内閣総理大臣のように、首長以外に使用者としての機能を有する機関を設ける必要性は乏しい。なお、地方公共団体において、公務員人事管理に関する第三者機関としては、都道府県、政令市等にあっては人事委員会、小規模な市及び町村にあっては公平委員会が設置されている。

7．公務員の人事管理制度の概要

以下、国家公務員の人事管理について各制度の概要を説明する。なお、地方公務員の人事制度も概ね国家公務員の人事制度と同様である。

7－1．任用

任用とは、特定の人を特定の官職（一般職のポスト）に就ける行為をいう。その方法として、採用、昇任、降任、転任がある。

まず、採用とは、新たに国家公務員（一般職）に任命することをいう。職員の採用は原則として、競争試験によることとされており、人事院において、種々の競争試験を実施している。

次に、昇任とは、上位の職制上の段階に属する官職に就けることをいう。職制上の段階は、本省、地方出先機関などの組織形態に応じて設定されており、本省の場合、事務次官、局長、部長、課長、室長、課長補佐、係長、係員に区分されている。昇任に当たっては、上位の職制上の段階の標準的な官職に求められる能力（標準職務遂行能力）及び適性を有していることが必要とされ、その判定は、基本的に人事評価を通じて行われる。

なお、地方公共団体においては、昇任に際して競争試験（昇任試験）が実施されている場合もある。

降任は、昇任とは逆に、下位の職制上の段階に属する官職に就けることをいう。①勤務実績が良くない場合、②心身の故障により職務の遂行に支障がある場合、③その他適格性を欠く場合、④ポストの削減等があった場合に行われる。

最後に、転任は、昇任、降任のいずれにも該当しないものをいう。つまり、同一の職制上の段階に属する官職への異動（上下の異動でなく、横の異動）である。人事評価に基づき、適任の官職に就けられる。

なお、本省部長級以上の幹部職員の任用については、内閣総理大臣の下での適格性審査、内閣総理大臣・官房長官と任命権者である各省大臣との協議など、一元的な管理が行われている。各省の垣根を越えた人事を行うことを狙いとしているが、この幹部職員人事の一元管理の仕組みは、地方公共団体には導入されていない。これは、首長が首長部局の人事を掌握しているため、国のような仕組みを必要としないためである。

７－２．人事評価

人事評価は、任用、給与その他の人事管理の基礎とするために行われる勤務成績の評価である。能力評価と業績評価がある。

まず、能力評価においては、職員が職務遂行に当たり発揮した能力が評価される。評価期間は1年間（10月1日～翌年9月30日）で、職員が職務遂行中に取った行動を標準職務遂行能力に照らして判定される。

次に、業績評価においては、職員が成し遂げた業績が評価される。評価期間は半年間（10月1日～翌年3月31日、4月1日～ 9月30日）で、その間に職員が果たすべき役割をあらかじめ示した上で、それを果たした程度を評価するものである。

７－３．人材育成

公務員の人事管理では、新規学卒者を採用し、長期間雇用する慣行が行われてきている。これは、大企業などにみられる我が国の伝統的な人事管理と共通するものであるが、国においてはそのような長期雇用システムの下、組織内で様々なポストや業務を体験させることにより育成が図られている。

また、長期雇用においては、研修を通じて職務能力を向上させることも重要である。そのため、各省において所属職員を対象とした研修が実施されているほか、人事院も国民全体の奉仕者としてふさわしい公務員を養成する観点から、種々の研修を実施している。さらに、内閣総理大臣も「幹部候補育成過程」の対象者の研修など、一定の研修を実施している[4)]。

他方、長期雇用の下では、職員が一時期、採用された組織以外で業務を体験し、外の空気に触れることも有益である。また、そのような交流は、相手側にとっても有意義といえよう。そのため、国家公務員についても、省庁間交流、国・地方間交流、民間企業との交流、国際機関への派遣など、様々な人事交流の機会が設けられている。

7－4．身分保障

行政が公正に実施されることを確保するには、公務員の身分が政治的な影響などにより不安定なものとなってはならない。そこで、公務員の身分を保障する仕組みが設定されている。すなわち、公務員は、勤務成績不良や、心身の故障など、一定の要件に該当しない限り、降任になったり、免職になったり、降給されたりすることはない。さらに、一定期間職務から外れる休職についても要件が厳格に定められている。

また、身分保障の一環として定年制度がある。現在、国家公務員の定年は原則60歳とされている（特別な官職については65歳を上限とする特例定年を設定）。さらに、定年制度に関連する制度として、①勤務延長制度、②再任用制度が設けられている[5)]。

7－5．給与

給与は、勤労の対価であり、重要な勤務条件である。おそらく、多くの人々にとって、最も重要な勤務条件といって良いであろう。以下、国家公務員の給与について、決定の仕組みと内容を紹介する。

(1) 給与の決定の仕組み

国家公務員法は、職員の給与は法律に基づき支給される旨、規定し、その改定は人事院の勧告によることとしている。

4）「幹部候補育成過程」とは、将来において幹部職員の候補となり得る人材を計画的に育成する過程をいう。

5）勤務延長は、公務運営に著しい支障がある場合に最大３年間、定年を延長する仕組みである。他方、再任用は、年金支給までのつなぎ、高齢者の能力経験活用のため、定年退職者を最大65歳まで再雇用する仕組みである。

その勧告に当たって、人事院は、毎年、国家公務員と民間企業従業員の給与を調査し、比較した上で、両者の差を埋めるための勧告（引き上げ勧告・引き下げ勧告）を国会と内閣に行っている。

国家公務員は後述のとおり、労働基本権を制約されており、この勧告制度は、その代償措置と位置づけられている。

（2）給与制度の内容

国家公務員の給与は、俸給（基本給）とそれを補完する手当で構成されており、それらの基本事項は、一般職の職員の給与に関する法律（昭和25年法律95号）で定められ、細目事項は人事院規則で規定されている。

①俸給

職務の種類に対応して、17の俸給表が設けられている。

各俸給表には、職務の複雑・困難、責任の度に対応して、職務の級が設けられているほか、職務の級における経験の蓄積や能力の伸びに対応する号俸が設定されている[6)]。

②手当

俸給によってはカバーできない特殊性や必要性に対応するため、① 職務や勤務の特殊性に対応する手当（特殊勤務手当など）、②実働の勤務時間に着目した手当（超過勤務手当など）、③生活に配慮した手当（扶養手当、住居手当など）、④勤務地域の実情を考慮した手当（地域手当、特地勤務手当など）、⑤ボーナス（期末手当、勤勉手当）が設けられている。

なお、地方公務員の給与も給料（基本給）と手当で構成されている。それぞれの自治体の状況に沿った内容となっている。

6）勤務成績に応じて、昇格（職務の級の上昇）や昇給（号俸の上昇）が行われ、逆に勤務成績不良等の場合には、降格や降号が行われる。

7－6．勤務時間・休暇など給与以外の勤務条件

勤務時間や休暇などの給与以外の勤務条件も基本事項は法律（一般職の職員の勤務時間、休暇等に関する法律）で定められ、その改定について人事院が勧告している。また、それらの細目事項は、人事院規則で定められている。

現在、国家公務員の一般的な勤務時間は１週間当たり38時間45分であり、月曜日から金曜日までが勤務日とされている。また、本人の申告を考慮して勤務時間の割振りを決めるフレックスタイム制も導入されている。

休暇には、年次休暇（１年に20日。一定限度で繰り越し可能）、病気休暇、特別休暇（結婚、出産、親族の死亡など）、介護休暇（６月以内。給与減額）等がある。

その他、育児休業、育児短時間勤務、育児時間、自己啓発等休業（大学等での修学・国際ボランティア活動に従事する場合）、配偶者同行休業（配偶者の海外での勤務等に同行する場合）といった仕組みも設けられている。

7－7．服務規律、懲戒等

国家公務員は、国民全体の奉仕者として公正に勤務する必要がある。このことを担保するために、厳格な服務規律、倫理基準やそれらに違反した場合の懲戒処分が定められている。

（1）服務規律

国家公務員は、公共の利益のために職務に専念することが求められており（国家公務員法96条）、このことを確保するため、①法令及び上司の命令に従う義務、②職務に専念する義務、③信用失墜行為の禁止、④秘密を守る義務、⑤政治的行為の制限、⑥私企業等への関与の制限、⑦再就職に関する制限などの服務規律が定められている。

また、国家公務員は、労働基本権についても民間企業の労働者とは異なる取り扱いとなっている。憲法は、勤労者の団結権、団体交渉権、団体行動権を保障しているが、国家公務員については、全体の奉仕者としての基本的性格、職務の公共性を考慮して、労働基本権が制約されている。すなわち、国家公務員は職員団体を結成すること（団結権）は保障されているが、団体交

渉権については、労働協約を締結することが認められておらず、団体行動権たる争議権も否認されている。さらに、警察職員、刑務所職員、海上保安官については、団結権も認められていない。

このように労働基本権を制約するに当たって、その代償機関として人事院が位置付けられており、人事院は、給与勧告などを通じて、代償機能を発揮している。

(2) 倫理の保持

このほか、国家公務員の公正な勤務を倫理面から確保するための制度が国家公務員倫理法（平成11年法律129号）において定められている。すなわち、同法に基づき、利害関係を有する者（許認可等の相手方、補助金等の交付の相手方、行政指導の相手方、公共事業契約等の相手方など）との間で、①金品等の贈与を受けること、②金銭の貸付けを受けること、③無償でサービスの提供（車による送迎等）を受けること、④供応接待（飲食の提供等）を受けること、⑤割り勘の場合も含めゴルフや旅行をすることなどが禁止されている。

(3) 懲戒

職員の服務規律違反や倫理義務違反に対しては、制裁として懲戒処分が科される。

懲戒の種類としては、免職（国家公務員の身分の剥奪）、停職（１日以上１年以下の期間、職務に従事させないもの）、減給（１年以下の期間、俸給の一部を減額するもの）及び戒告（責任を確認し、将来を戒めるもの）がある。

７－８．不服申立てその他の苦情の処理

国家公務員法は、国家公務員が懲戒処分、分限処分（休職、免職、降任など）、職員の意に反する転任など、著しく不利益な処分を受けた場合には、人事院に不服の申立てを行い、その処分の取消しなどを求めることができる制度（不利益処分審査請求制度）を設けている。その目的は、国家公務員の身分保障をより強固なものとすることにある。

また、これ以外にも、国家公務員の不服・不満を人事院に訴える制度として、①勤務条件の改善のための措置を要求する制度、②公務災害等の補償に関し審査を申し立てる制度、③給与の決定について審査を申し立てる制度が設けられている。さらに、④人事院に対し苦情の相談を行う制度も設けられており、勤務条件に関する相談のほか、パワーハラスメントその他のいじめ・嫌がらせについての相談などが寄せられている。

7－9．退職給付

国家公務員が退職した場合、退職手当（一時金）及び退職年金が支給される。

(1) 退職手当

職員の退職に際し、過去の勤労に対する報償として、退職手当が一時金で支給される。支給額は、退職時の俸給月額に退職理由別・勤続年数別の支給割合を乗じて得た額である。さらに、一定の職務段階以上にあった者に対しては加算が行われる。

(2) 退職年金

退職後に支給される退職年金は３階建てとなっている。１階は全国民共通の国民年金（基礎年金）であり、２階は民間企業従業員と共通の厚生年金である。他方、３階は企業年金に相当する部分であるが、国家公務員の場合、退職手当（一時金）にウェートが置かれているので、３階部分の年金額は少額となっている。

（尾西雅博）

参考文献

- 東田親司 著（2012）『現代行政の論点』（芦書房）
- 森園幸男・吉田耕三・尾西雅博 編著（2015）『逐条国家公務員法（全改訂版）』（学陽書房）
- 橋本勇 著（2020）『新版・逐条地方公務員法（第５次改訂版）』（学陽書房）
- 行政機構図その他、内閣人事局ホームページ情報（www.cas.go.jp）
- 人事院年次報告書その他、人事院ホームページ情報（www.jinji.go.jp）

第③章 外国人の就労をめぐる状況及び関連政策

1．はじめに

2019年４月より新たな外国人受入れ制度が始動した。この新たな受入れ制度は、これまでの外国人の受入れ方針とは異なり、中小規模事業者をはじめとした人手不足への対処を目的に設けられた。少子高齢化が進み、地方圏を中心に、今後一層人手不足が深刻化することが見込まれる中、この新しい制度の創設とも相まって、外国人労働力に対するニーズはますます高まることが予測される。外国人の存在を抜きにしては、今後の地方創生や日本の経済社会の活性化を考えることが難しくなっているといっても過言ではない。

そこで、本稿では、日本社会において存在感を増している外国人について、日本における在留や就労の状況、就労に関わる政策を中心に国と地方公共団体の外国人関連政策や今後の政策課題についてみていきたい。

2．日本に住む外国人の状況と在留資格

2－1．日本に住む外国人数の推移

日本に住む外国人の人数は、2019年に約293万人となり、日本の総人口に占める割合は2.3%に至っている。推移をみると、2008年まで漸増した外国人数は、リーマンショックによる景気後退や東日本大震災等の影響を受け、2012年までいったん減少し、その後増加に転じ、ここ数年は顕著に増加している。（図表１）

2－2．在留資格

日本に在留する外国人は原則としていずれかの在留資格を有していなければならない[1)]。在留資格は、外国人が日本に在留して行うことができる社会的活動または身分や地位を類型化したもので、入国の際に外国人の入国・在留の目

図表1　日本に住む外国人数の推移と我が国の総人口に占める割合の推移

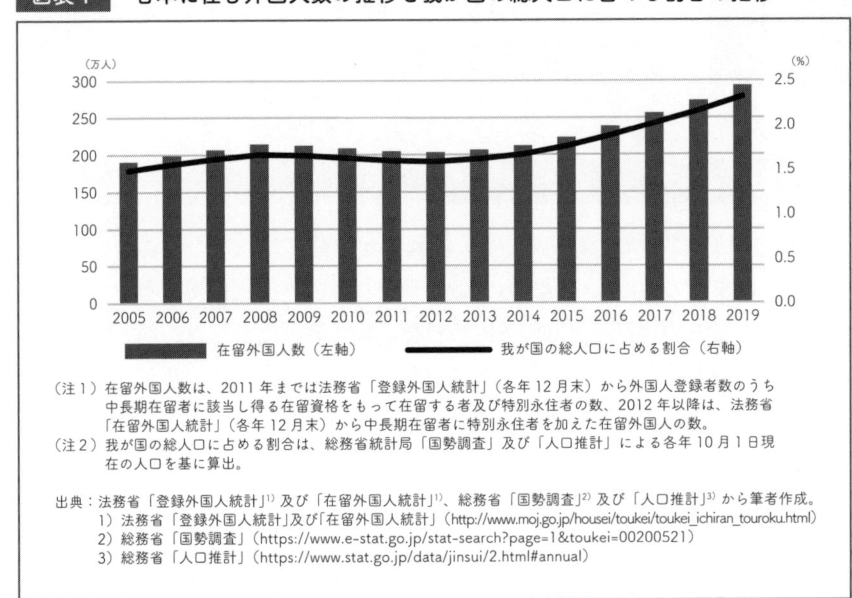

（注1）在留外国人数は、2011年までは法務省「登録外国人統計」（各年12月末）から外国人登録者数のうち中長期在留者に該当し得る在留資格をもって在留する者及び特別永住者の数、2012年以降は、法務省「在留外国人統計」（各年12月末）から中長期在留者に特別永住者を加えた在留外国人の数。
（注2）我が国の総人口に占める割合は、総務省統計局「国勢調査」及び「人口推計」による各年10月1日現在の人口を基に算出。

出典：法務省「登録外国人統計」[1]及び「在留外国人統計」[1]、総務省「国勢調査」[2]及び「人口推計」[3]から筆者作成。
1）法務省「登録外国人統計」及び「在留外国人統計」（http://www.moj.go.jp/housei/toukei/toukei_ichiran_touroku.html）
2）総務省「国勢調査」（https://www.e-stat.go.jp/stat-search?page=1&toukei=00200521）
3）総務省「人口推計」（https://www.stat.go.jp/data/jinsui/2.html#annual）

的に応じて入国審査官から付与される。現在認められている在留資格は図表2のとおりである。日系人を中心とする定住者や永住者等、身分・地位に基づく在留資格は就労を含め活動の制限はない。身分・地位に基づく在留資格以外は、活動範囲が定められており、外国人は各在留資格に定められた範囲内で活動することができる。また、在留資格ごとに在留できる期間が定められている。

日本に住む外国人の在留資格別割合をみると、2019年では、永住者（27%）が最多で、技能実習（14%）、留学（12%）、特別永住者（11%）、技術・人文知識・国際業務（9%）が続く。5年前、10年前においても永住者の割合が最も多い。ここ5年の間に永住者、特別永住者、日本人の配偶者等といった身分・地位に基づく在留資格の割合が減少し、技能実習、留学、技術・人文知識・国際業務が増加している。（図表3）

1）入管法第2条の2は、「本邦に在留する外国人は、出入国管理及び難民認定法及び他の法律に特別の規定がある場合を除き、それぞれ、当該外国人に対する上陸許可若しくは当該外国人の取得に係る在留資格又はそれらの変更に係る在留資格をもつて在留するものとする」と規定する。

図表2　在留資格一覧表

就労が認められる在留資格（活動制限あり）	
在留資格	該当例
外交	外国政府の大使、公使等及びその家族
公用	外国政府等の公務に従事する者及びその家族
教授	大学教授等
芸術	作曲家、画家、作家等
宗教	外国の宗教団体から派遣される宣教師等
報道	外国の報道機関の記者、カメラマン等
高度専門職	ポイント制による高度人材
経営・管理	企業等の経営者、管理者等
法律・会計業務	弁護士、公認会計士等
医療	医師、歯科医師、看護師等
研究	政府関係機関や企業等の研究者等
教育	高等学校、中学校等の語学教師等
技術・人文知識・国際業務	機械工学等の技術者等、通訳、デザイナー、語学講師等
企業内転勤	外国の事務所からの転勤者
介護	介護福祉士
興行	俳優、歌手、プロスポーツ選手等
技能	外国料理の調理師、スポーツ指導者等
特定技能	特定産業分野（注）の各業務従事者
技能実習	技能実習生

身分・地位に基づく在留資格（活動制限なし）	
在留資格	該当例
永住者	永住許可を受けた者
日本人の配偶者等	日本人の配偶者・実子・特別養子
永住者の配偶者等	永住者・特別永住者の配偶者、我が国で出生し引き続き在留している実子
定住者	日系3世、外国人配偶者の連れ子等

就労の可否は指定される活動によるもの	
在留資格	該当例
特定活動	外交官等の家事使用人、ワーキングホリデー等

就労が認められない在留資格（※）	
在留資格	該当例
文化活動	日本文化の研究者等
短期滞在	観光客、会議参加者等
留学	大学、専門学校、日本語学校等の学生
研修	研修生
家族滞在	就労資格等で在留する外国人の配偶者、子

※資格外活動許可を受けた場合は、一定の範囲内で就労が認められる。

（注）介護、ビルクリーニング、素形材産業、産業機械製造業、電気･電子情報関係産業、建設、造船･舶用工業、自動車整備、航空、宿泊、農業、漁業、飲食料品製造業、外食業（平成30年12月25日閣議決定）

出典：法務省　制度説明資料　新たな外国人材の受入れ及び共生社会実現に向けた取組（http://www.moj.go.jp/content/001293198.pdf）より作成

図表3　日本に住む外国人の在留資格別割合（2009、2014、2019年）

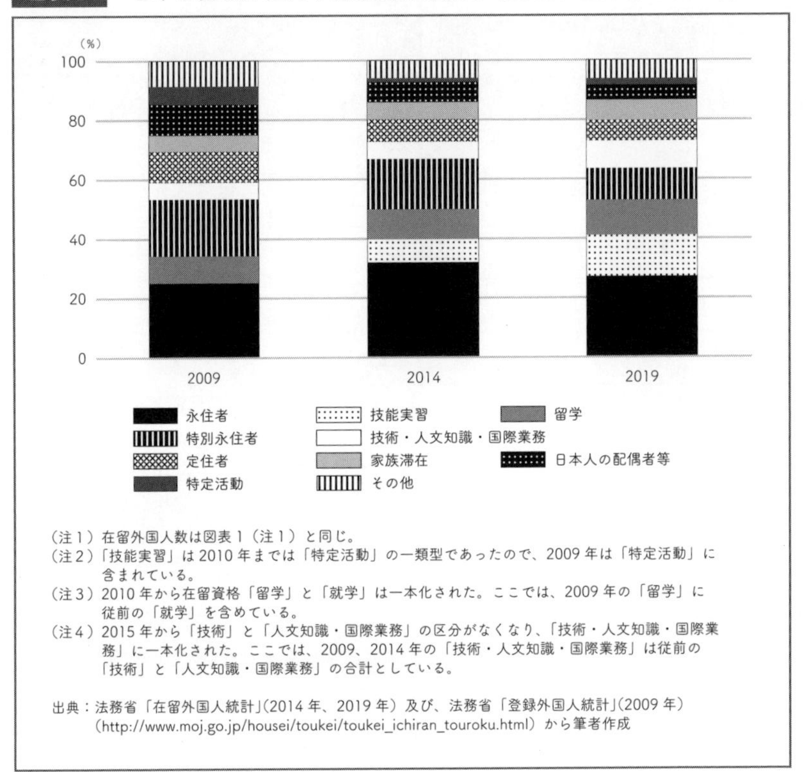

（注1）在留外国人数は図表1（注1）と同じ。
（注2）「技能実習」は2010年までは「特定活動」の一類型であったので、2009年は「特定活動」に含まれている。
（注3）2010年から在留資格「留学」と「就学」は一本化された。ここでは、2009年の「留学」に従前の「就学」を含めている。
（注4）2015年から「技術」と「人文知識・国際業務」の区分がなくなり、「技術・人文知識・国際業務」に一本化された。ここでは、2009、2014年の「技術・人文知識・国際業務」は従前の「技術」と「人文知識・国際業務」の合計としている。

出典：法務省「在留外国人統計」(2014年、2019年）及び、法務省「登録外国人統計」(2009年)（http://www.moj.go.jp/housei/toukei/toukei_ichiran_touroku.html）から筆者作成

3．日本で働く外国人の状況

3－1．日本で働く外国人数の推移

2007年から、外国人労働者の雇入れ又は離職の際に、その外国人労働者の氏名、在留資格、在留期間等について確認し、ハローワークへ届け出ることが全事業主に義務付けられた。この外国人雇用状況の届出制度により、把握できた雇用されている外国人労働者数の推移をみると、2010年から2013年までほぼ横ばいで推移した後、2014年以降は増え続け、特にここ数年は毎年約20万人のペースで増加し、2019年には約166万人となっている。（図表4）

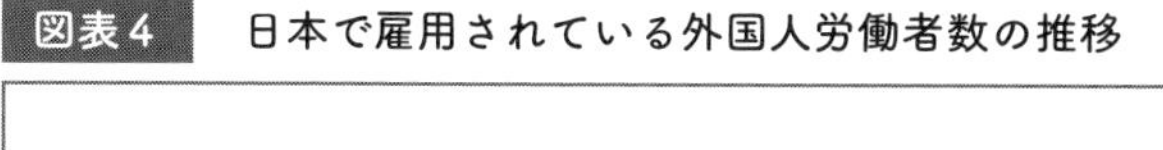

図表４　日本で雇用されている外国人労働者数の推移

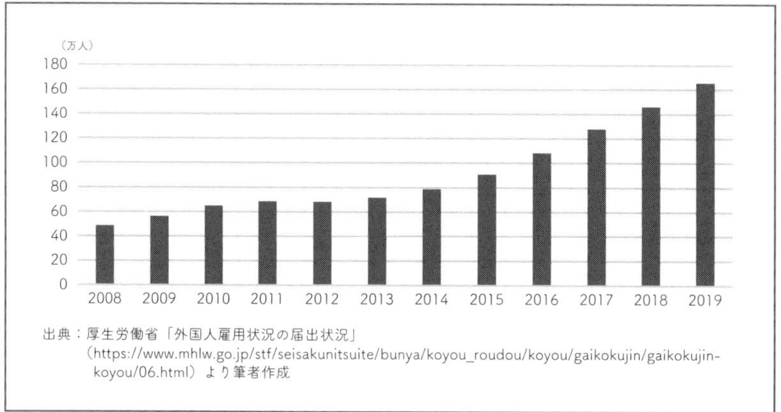

出典：厚生労働省「外国人雇用状況の届出状況」
（https://www.mhlw.go.jp/stf/seisakunitsuite/bunya/koyou_roudou/koyou/gaikokujin/gaikokujin-koyou/06.html）より筆者作成

３－２．国籍別日本で働く外国人の状況

日本で働く外国人の国籍別割合をみると、2019年では、中国（25%）とベトナム（24%）が約４分の１ずつを占め、フィリピン（11%）、ブラジル（8%）、ネパール（6%）が続く。５年前の割合と比較すると、ベトナムが急増しているのに対し、中国やブラジルが減少しており、国籍別割合の変動が激しいことがわかる。（図表５）

３－３．在留資格別日本で働く外国人の状況

日本で働く外国人の在留資格別割合をみる。ここでは、永住者、定住者、日本人の配偶者等、永住者の配偶者等は、「身分・地位に基づく在留資格」として、また、図表２の就労が認められる在留資格のうち、技能実習、外交、公用を除いた在留資格は、「専門的・技術的分野の在留資格」として一括りにしてそれぞれの割合をみている。

2019年では、身分・地位に基づく在留資格（32%）が最多で、技能実習（23%）、留学生のアルバイトを中心とした資格外活動（22%）、専門的・技術的分野の在留資格（20%）が続く。５年前と比較すると、技能実習や資格外活動が増えたのに対し、身分・地位に基づく在留資格が減少している。（図表６）

図表5　日本で働く外国人の国籍別割合（2009、2014、2019年）

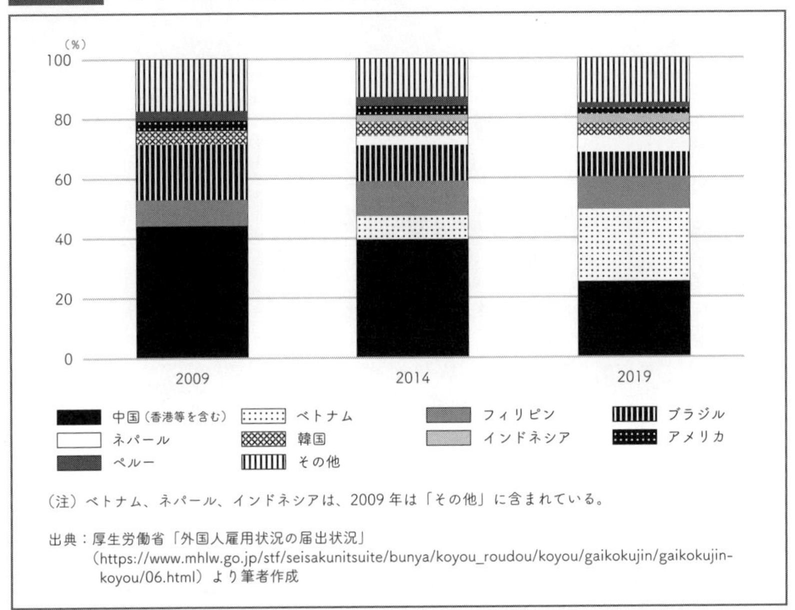

（注）ベトナム、ネパール、インドネシアは、2009年は「その他」に含まれている。

出典：厚生労働省「外国人雇用状況の届出状況」（https://www.mhlw.go.jp/stf/seisakunitsuite/bunya/koyou_roudou/koyou/gaikokujin/gaikokujin-koyou/06.html）より筆者作成

図表6　日本で働く外国人の在留資格別割合（2009、2014、2019年）

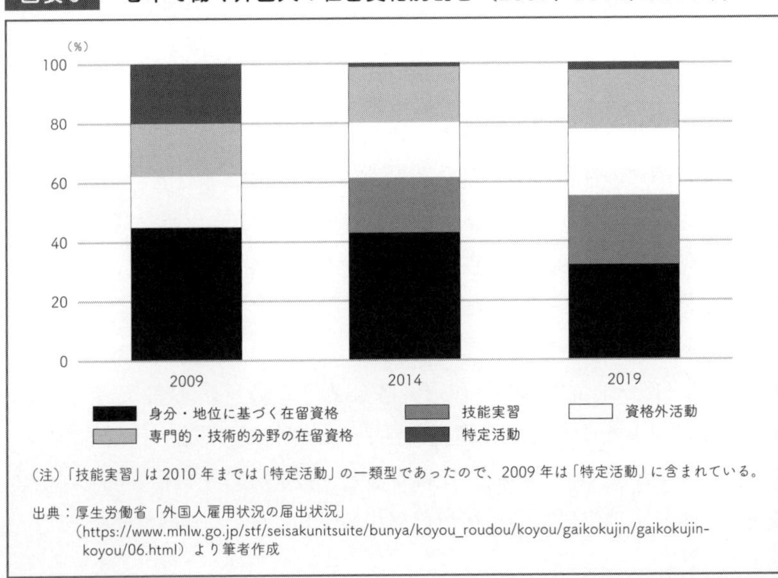

（注）「技能実習」は2010年までは「特定活動」の一類型であったので、2009年は「特定活動」に含まれている。

出典：厚生労働省「外国人雇用状況の届出状況」（https://www.mhlw.go.jp/stf/seisakunitsuite/bunya/koyou_roudou/koyou/gaikokujin/gaikokujin-koyou/06.html）より筆者作成

図表７　国籍別・在留資格別の割合（外国人労働者が多い上位５カ国・2019年）

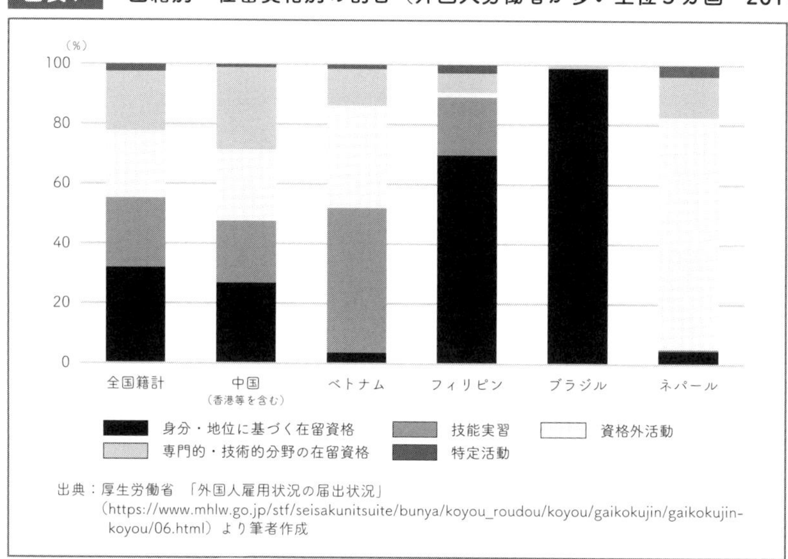

出典：厚生労働省　「外国人雇用状況の届出状況」（https://www.mhlw.go.jp/stf/seisakunitsuite/bunya/koyou_roudou/koyou/gaikokujin/gaikokujin-koyou/06.html）より筆者作成

３－４．国籍別・在留資格別の日本で働く外国人の状況

外国人労働者が多い上位５カ国について、2019年の在留資格別の割合をみる。中国は専門的・技術的分野の在留資格、身分・地位に基づく在留資格、資格外活動、技能実習にほぼ４分されるのに対し、ベトナムは約半数は技能実習、約３分の１は資格外活動、フィリピンは約７割が身分･地位に基づく在留資格、約２割が技能実習、ブラジルはほとんどが身分･地位に基づく在留資格、ネパールは約８割が資格外活動となっている。このように国籍によって在留資格別の割合に特徴がみられる。（図表７）

３－５．産業別日本で働く外国人の状況

産業別に働いている外国人数の割合をみると、2019年では、製造業（29%）が最多を占め、次いで労働者派遣業を含む「サービス業（他に分類されないもの）」（16%）、「卸売業、小売業」（13%）、「宿泊業、飲食サービス業」（12%）が続く。10年前の割合と比較すると、「製造業」、「教育、学習支援業」が減少し、「サービス業（他に分類されないもの）」、「卸売業、小売業」、「建設業」が増加

図表8　日本で働く外国人の産業別割合の推移（2009、2014、2019年）

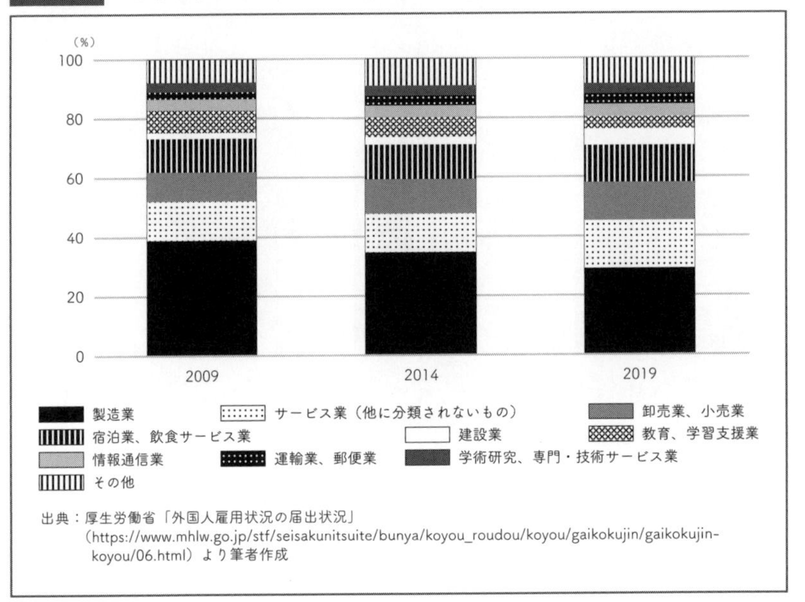

出典：厚生労働省「外国人雇用状況の届出状況」（https://www.mhlw.go.jp/stf/seisakunitsuite/bunya/koyou_roudou/koyou/gaikokujin/gaikokujin-koyou/06.html）より筆者作成

していることがわかる。（図表８）

３－６．地域別日本で働く外国人の状況

都道府県別に働いている外国人の人数をみると、東京都（485,345人）が約３割を占め、最多で、愛知県（175,119人）、大阪府（105,379人）、神奈川県(91,581人)が続く。都市部において多くの外国人が働いており、三大都市圏(東京圏、名古屋圏、大阪圏）と地方圏[2)] に分けて働いている外国人数の割合をみると、三大都市圏が約68%、地方圏が約32%となっている。（図表９）

三大都市圏と地方圏の2014年から2019年にかけての外国人労働者数の変化を在留資格別にみる。全ての地域でいずれの在留資格についても増加がみられたが、特に東京圏と地方圏の増加が著しいことがわかった。しかし、東京圏と

2）地域区分は次のとおりとした。三大都市圏のうち、東京圏は、東京都、神奈川県、埼玉県、千葉県、名古屋圏は、愛知県、岐阜県、三重県、大阪圏は、大阪府、京都府、兵庫県、奈良県、地方圏は、三大都市圏以外とした。

図表９　都道府県別外国人労働者数

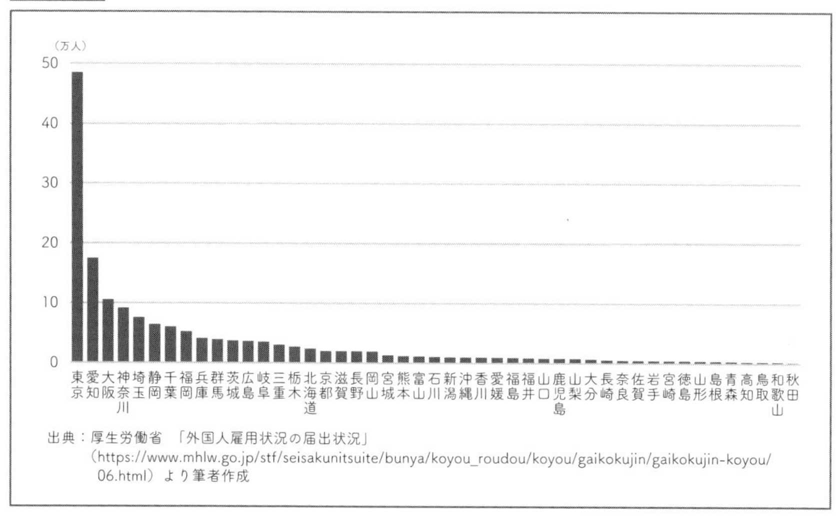

出典：厚生労働省　「外国人雇用状況の届出状況」
（https://www.mhlw.go.jp/stf/seisakunitsuite/bunya/koyou_roudou/koyou/gaikokujin/gaikokujin-koyou/06.html）より筆者作成

地方圏では、増加の主因となっている在留資格が異なっている。具体的には、東京圏では、資格外活動（13.4万人増）と専門的・技術的分野の在留資格（10.2万人増）の増加が著しいのに対し、地方圏では、技能実習（12.5万人増）が顕著に増加している。地方圏での技能実習の在留資格を有する外国人の増加は主に人手不足が背景となっている[3)]。（図表10）

４．国の外国人関連政策

４－１．外国人労働者問題関係省庁連絡会議と「生活者としての外国人」に関する総合的対応策

外国人に関連する政策は複数の省庁が所管している。例えば、入国管理や在留に関する政策は法務省、雇用や社会保障に関する政策は厚生労働省、教育に関する施策は文部科学省、治安に関する施策は警察庁が担当している。そうし

３）塚崎（2019）は、産業別・都道府県別の有業者に占める技能実習２号移行申請者数の割合の分析から、人手不足の状況が厳しい県ほど、技能実習生が活用されており、この傾向は地方圏の方が三大都市圏に比べて強いことを明らかにし、地方圏においてみられる技能実習生の急増は、人手不足の地域が強く牽引していると指摘している。

図表10　三大都市圏と地方圏の2014年から2019年にかけての外国人労働者数の変化の在留資格別内訳

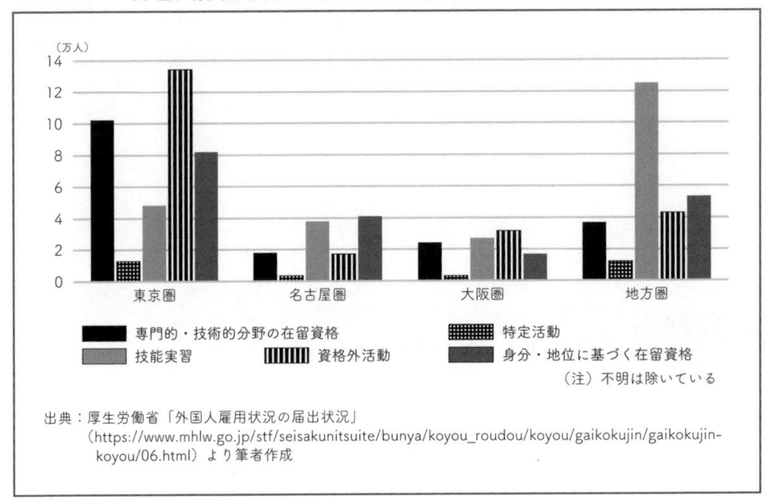

出典：厚生労働省「外国人雇用状況の届出状況」（https://www.mhlw.go.jp/stf/seisakunitsuite/bunya/koyou_roudou/koyou/gaikokujin/gaikokujin-koyou/06.html）より筆者作成

た外国人に関連する施策を担当する省庁が集まって、外国人の受入れに関する諸問題を検討する組織として、外国人労働者問題関係省庁連絡会議が設置されている。

在留外国人の増加や定住化の傾向の強まりを受けて、外国人労働者問題関係省庁連絡会議において、「『生活者としての外国人』に関する総合的対応策」（2006年12月）がとりまとめられた。背景としては、「我が国としても、日本で働き、また、生活する外国人について、その処遇、生活環境等について一定の責任を負うべきものであり、社会の一員として日本人と同様の公共サービスを享受し生活できるような環境を整備しなければならない」との認識があった。「『生活者としての外国人』に関する総合的対応策」は、①暮らしやすい地域社会づくり、②子どもの教育の充実、③労働環境の改善、社会保険の加入促進等、④在留管理制度の見直し等を施策の柱としている。

4－2．定住外国人施策推進室の設置と日系定住外国人施策に関する基本指針

2008年以降の世界経済危機の影響により、製造業を中心に派遣や請負の形で働いていた日系人の失業が急増し、日本語能力の問題等から再就職するこ

とができず、生活困難な状況に陥る外国人が増加した。こうした状況を受け、2009年に内閣府に定住外国人施策推進室が設置され、雇用、教育等に係る緊急の対策が講じられた。

加えて、外国人の「定住を認める以上、日本社会の一員として受け入れ、社会から排除されないようにするための施策を国の責任として講じていくことが必要である」という認識に立ち、国としての体系的・総合的な方針として「日系定住外国人施策に関する基本指針」（2010年８月）が策定され、「日系定住外国人施策に関する行動計画」が立てられた。本基本方針では、①「日本語で生活できるために」、②「子どもを大切に育てていくために」、③「安定して働くために」、④「社会の中で困ったときのために」、⑤「お互いの文化を尊重するために」の５分野について、対応策が盛り込まれている。

４－３．労働市場への外国人の受入れの方針の変遷と新たな在留資格の創設

(1) 従前の外国人の受入れの方針

外国人労働者の受入れ範囲について、我が国は、従前、経済社会の活性化や一層の国際化を図る観点から、専門的・技術的分野の外国人材の受入れをより積極的に推進し、それ以外の外国人は、労働者としては受け入れないという方針をとっていた。

専門的・技術的分野の外国人人材以外の外国人は受け入れないとする理由について、「雇用政策研究会報告書」(2015年12月)は次のように記している。「人口減少への対応については、単純に外国人の受入れで補おうとするような考え方をとるべきではなく、まずは労働者の処遇や労働環境の改善を図り、女性、若者及び高齢者等の国内人材の確保等に最大限努めるべきである。人材不足分野において、労働者の待遇の改善に向けた取組を行わずに外国人を受け入れることは、当該分野における労働環境の改善の機会を逸し、結果として日本人が就かない分野となるおそれがある。……なお、中長期的な外国人材の受入れの在り方については、……外国人労働者の受入れ範囲の拡大による我が国の産業、労働市場、医療・社会保障、教育、地域社会への影響や治安等国民生活への影響も踏まえる必要があり、こうした幅広い観点を踏まえつつ、政府で検討されることが必要である。」

なお、技能実習生や留学生は日本の労働市場で就労しているが、外国人労働者の受入れ範囲には位置付けられていない。その理由は、技能実習制度は、開発途上国等の経済発展を担う「人づくり」に貢献するという国際協力を目的としているためであり、また、アルバイトで就労している留学生の主たる活動は勉学や研究であり、アルバイトは資格外活動として許可を得た範囲でしか認められないためである。

専門的・技術的分野の外国人材の受入れを積極的に推進するという方針[4)]の下、高度外国人材活用促進に向けた好事例集の作成、留学生の就職支援等が講じられ、また、高度外国人材に対しポイント制を活用して出入国在留管理上の優遇措置を講じる制度が2012年から導入された。

（2）新たな外国人の受入れの方針

「労働施策基本方針」（2018年12月）は、「中小企業等をはじめとした人手不足が深刻化していることから、働き方改革などによる生産性向上や国内人材の確保を引き続き強力に推進するとともに、真に必要な分野に着目し、従来の専門的・技術的分野における外国人材に加え、一定の専門性・技能を有し即戦力となる外国人材を幅広く受け入れていく仕組みを構築する」との外国人受入れに係る新たな方針を打ち出した。新たな方針は、深刻化する人手不足への対応のため、これまでの外国人労働者の受入れ範囲を拡大するものであり、従前の方針を大きく転換したものといえる。

（3）特定技能の在留資格

方針転換を受け、新たな外国人材受入れの仕組みとして、特定技能の在留資格が2019年４月に創設された。特定技能の在留資格は、技能水準によって二つの在留資格に分かれている。即ち、「特定技能１号」は、特定産業分野に属する相当程度の知識又は経験を必要とする技能を要する業務に従事する外国人向けの在留資格であり、「特定技能２号」は、特定産業分野に属す

4）塚崎（2008）は、専門的・技術的分野の外国人を日本は十分引き付け、活躍の場を提供しておらず、その原因は、職業キャリアの展開という視点からみたとき、日本での就労には様々な障害があり、リスクが大きく、リターンが少なく、魅力に乏しいからであると指摘し、専門的外国人の長期的なキャリアの視点を踏まえた施策の重要性を強調している。

る熟練した技能を要する業務に従事する外国人向けの在留資格である。技能水準の違い以外に、「特定技能１号」は在留期間が通算で上限５年までとなっていて、家族帯同が基本的に認められないが、「特定技能２号」は在留期間の更新が可能で、要件を満たせば配偶者や子を帯同できるという相違がある。

特定技能の在留資格を有する外国人は、生産性向上や国内人材確保のための取組を行ってもなお、人材を確保することが困難な状況にあるため、外国人により不足する人材の確保を図るべき産業上の分野に受け入れることとされた。具体的には、介護、ビルクリーニング、素形材産業、産業機械製造業、電気・電子情報関連産業、建設、造船・舶用工業、自動車整備、航空、宿泊、農業、漁業、飲食料品製造業、外食業の14業種が受入れ分野として定められた。求める技能水準や日本語能力水準は、受入れ業種ごとに定められている。これらの14業種それぞれについて向こう５年間で受け入れることができる人数の上限が決められており、合計で345,150人となっている。

４－４．出入国在留管理庁設置と外国人材の受入れ・共生のための総合的対応策

法務省の外局に出入国在留管理庁が2019年４月に設置され、新たな在留資格である「特定技能」の創設に伴う在留外国人の増加に的確に対応しつつ、外国人の受入れ環境整備に関する企画及び立案並びに総合調整といった新規業務に一体的かつ効率的に取り組むという役割を担うこととなった。

また、国は、新たな在留資格の創設を踏まえつつ、外国人材の受入れ・共生のための取組を包括的に推進していく観点から、「外国人材の受入れ・共生のための総合的対応策」（2018年12月）を決定した。本対応策は2019年と2020年に改訂されている。「外国人材の受入れ・共生のための総合的対応策（2020年度改訂版）」（2020年７月）は、①外国人との共生社会の実現に向けた意見聴取・啓発活動等、②外国人材の円滑かつ適正な受入れの促進に向けた取組、③生活者としての外国人に対する支援、④新たな在留管理体制の構築の４つの柱から成る。（図表11）

本対応策のうち、外国人就労に係る主な政策の課題と具体的施策をみる。

図表11　外国人材の受入れ・共生のための総合的対応策（項目のみ抜粋）
（令和２年７月14日、外国人材の受入れ・共生に関する関係閣僚会議）

1．外国人との共生社会の実現に向けた意見聴取・啓発活動等

（1）国民及び外国人の声を聴く仕組みづくり
（2）啓発活動等の実施

2．外国人材の円滑かつ適正な受入れの促進に向けた取組

（1）特定技能外国人のマッチング支援策等
（2）特定技能試験の円滑な実施、特定技能制度の周知・利用の円滑化等
（3）悪質な仲介事業者等の排除
（4）海外における日本語教育基盤の充実等

3．生活者としての外国人に対する支援

（1）暮らしやすい地域社会づくり
▶行政・生活情報の多言語・やさしい日本語化、相談体制の整備
▶地域における多文化共生の取組の促進・支援
（2）生活サービス環境の改善等
▶災害発生時の情報発信・支援等の充実
▶交通安全対策、事件・事故、消費者トラブル、法律トラブル、人権問題等への対応の充実
▶住宅確保のための環境整備・支援
▶金融・通信サービスの利便性の向上
（3）日本語教育の充実
（円滑なコミュニケーションの実現）
（4）外国人の子供に係る対策
（5）留学生の就職等の支援
（6）適正な労働環境等の確保
（7）社会保険への加入促進等

4．新たな在留管理体制の構築

（1）在留資格手続の円滑化・迅速化
（2）在留管理基盤の強化
（3）留学生の在籍管理の徹底
（4）技能実習制度の更なる適正化
（5）不法滞在者等への対策強化

出典：法務省　外国人材の受入れ・共生のための総合的対応策（令和２年度改定）の概要
（http://www.moj.go.jp/content/001323660.pdf）より筆者抜粋

（1）特定技能外国人のマッチング支援策等（図表11の２（1））

特定技能制度の運用に当たっては、特定技能外国人が、大都市圏その他の特定の地域に過度に集中することを防止し、就労を希望する国内外の外国人の意向と外国人の雇用を希望する企業のニーズを満たすため、受入れを希望する企業と外国人材とのマッチングがより重要な課題となっている。また、新型コロナウイルス感染症の影響により解雇され、実習が継続困難となった技能実習生、特定技能外国人等の雇用を維持するため、特定産業分野における再就職の支援を行う必要がある。

具体的施策として、特定技能を受け入れることとした各分野特有の就労状況等を踏まえたマッチング支援の方法の検討・実施、地方創生推進交付金による地方公共団体の自主的・主体的で先導的な取組の積極的な支援（優良事例の収集・横展開等）、地方公共団体とハローワークの連携によるモデル事業の実施、新型コロナウイルス感染症の影響により解雇され、実習が継続困難となった技能実習生等に対する雇用維持支援措置の着実な実施等が含まれる。

(2) 特定技能試験の円滑な実施、特定技能制度の周知・利用の円滑化等（図表11の２（2））

国内外の多くの外国人が特定技能外国人等として就労するためには、技能水準及び日本語能力水準を確認するための試験が円滑に実施される必要がある。また、手続が煩雑でわかりにくいとの指摘がある特定技能制度について、受入れ機関・特定技能の在留資格で就労を希望する外国人・外国政府に対し、きめ細やかな周知を行う必要がある。

具体的施策として、国内外における技能試験の受験機会の拡大、特定技能の受入れ分野の追加の検討、各分野における特定技能２号に該当する業務の内容や技能試験の実施等の検討の推進、国内外における特定技能制度に関する周知・広報の実施等が含まれる。

(3) 留学生の就職等の支援（図表11の３（5））

留学生は、我が国の教育機関における教育を通じて高度な専門性や日本語能力を身に付けているのみならず、その留学期間中、日本人学生や地域住民と様々な形で交流することを通じて我が国を深く理解してくれる貴重な人材である。したがって、こうした留学生の就職を支援するため、幅広い対策を講ずることが必要である。

具体的施策として、「外国人留学生の採用や入社後の活躍に向けたハンドブック」の周知・活用促進、高度外国人材の就職後の活躍に関し、中堅・中小企業が取り組めるような教材及び支援機関向け指導カリキュラムの作成、大学と労働局（ハローワーク）間の協力協定締結等を通じた連携の強化、大学等の秋卒業者の国内就職促進、留学生や海外からのインターンシップの受入れの促進等が含まれる。

(4) 技能実習制度の更なる適正化（図表11の４（4））

技能実習制度については、低賃金等の劣悪な実習環境の問題が指摘されていたことを踏まえ、2017年から、外国人の技能実習の適正な実施及び技能実習生の保護に関する法律の下で新たな制度が施行され、適正化に向けた取組が進められていることから、その運用も見守りつつ、技能実習制度における不正な行為に対して厳正に対処していく必要がある。

具体的施策として、出入国在留管理庁と外国人技能実習機構の情報連携強化及び同機構業務システムの刷新、高額な保証金や手数料等による失踪を防止するための実習生に対する積極的な広報活動の実施、日本人との同等報酬等の確認の徹底、人権侵害等の場合の実習先の変更が可能であることの周知等が含まれる。

(5) 適正な労働環境等の確保（図表11の３（6））

外国人労働者は、日本の労働関係法令等に関する知識が十分でない場合も少なくなく、そのこともあって、労働条件等に関する問題が生じやすいといえる。そのため、労働基準監督署等の関係機関において、外国人を雇用する事業主に対する指導や相談支援を推進するなど、適正な労働条件と雇用管理の確保、労働安全衛生の確保に努めていく必要がある。また、在留外国人の増加やその多国籍化・多言語化に伴い、ハローワークにおける相談対応の多言語化を図ることが求められているとともに、それらの外国人について、円滑な就職活動を可能とし、その就労の安定を図ることが必要とされている。さらに、新型コロナウイルス感染症の影響により、多くの外国人労働者にも雇用面での影響が出ることが見込まれることから、ハローワークを中心とした相談支援体制を強化し、外国人労働者に対してきめ細かな就職支援等を実施する必要がある。

具体的な施策としては、労働基準監督署・ハローワークにおける相談対応の多言語化等の体制整備、事業主に対する労働関係法令の遵守に向けた周知や外国人の雇用状況届出制度や外国人雇用管理指針[5]の周知・啓発、外国人労働者向け安全衛生教育教材の多言語化、「やさしい日本語」による労働条件や支援策等に関する情報発信の強化、新型コロナウイルス感染症の影響を受ける外国人労働者のためのハローワークの相談体制の強化等が含まれる。

5）外国人雇用管理指針には、外国人労働者が安心して働き、その能力を十分発揮する環境が確保されるよう、募集・採用、適正な人事管理、解雇等の予防及び再就職援助等に関し、事業主が行うべき事項が定められている。

5．地方公共団体の外国人関連政策

5－1．外国人集住都市会議と地域における多文化共生推進プラン

就労を含め活動の制限がない在留資格として「定住者」及び「日本人の配偶者等」を定めた、改正入管法が1990年に施行された後、ブラジルやペルーを中心とする南米諸国からの日系人が製造業集積地を中心に急増した。そうした日系人が多く住む地方公共団体は、他に先駆けて、様々な分野について外国人住民を対象とした施策を実施し、また、外国人に関連する政策の体系化・総合化を進めた。そのため、地方公共団体における外国人関連政策の先進事例の多くは、南米日系人が多く住む地方公共団体によるものとなっている[6)]。さらに、これらの地方公共団体が集まって、2001年に外国人集住都市会議を設立し、ネットワーク構築や情報交換、国への提言等を行うようになった。

外国人集住都市会議の提言等を受けて、総務省は「地域における多文化共生推進プラン」（2006年３月）を策定し、地方公共団体が多文化共生の推進に係る指針や計画を策定し、地域における多文化共生の推進を計画的かつ総合的に実施するよう促した。本プラン推進の背景には、外国人住民施策は、既に一部の地方公共団体のみならず、全国的な課題となりつつあり、「国籍や民族などの異なる人々が、互いの文化的差異を認め合い、対等な関係を築こうとしながら、地域社会の構成員として共に生きていくような地域づくりの推進」の必要性が増しているという認識があった。本プランでは多文化共生施策の基本的考え方として、①コミュニケーション支援、②生活支援、③多文化共生の地域づくり、④多文化共生施策の推進体制の整備が挙げられている。総務省の調査によると、2020年現在、都道府県及び指定都市は100％、指定都市以外の市は71％、区は91％、町は28％、村は14％が多文化共生の推進に係る指針や計画を策定している。

6）宮地（2018）は、「基本的には日本人との一定の血のつながりが確認できれば在留が認められるものであったため、いざというときに国内で頼る術がない者でも就労活動の制限なしに長く在留し続けることが可能になる」という「定住者」の在留資格の性質が「外国人施策を充実させる方向で我が国の行政を動かした一つの出発点になった」と指摘している。

5－2．浜松市多文化共生都市ビジョン

多文化共生の指針の先進事例として、「第２次浜松市多文化共生都市ビジョン」（2018年３月）を取り上げる。ブラジル等からの日系人を中心に多くの外国人が住んでいる[7]浜松市は、前述した外国人集住都市会議の第１回会議の開催市でもある。本ビジョンにおいて、在留外国人の増加や定住化[8]・多国籍化が一層進展する中、浜松市は、「外国人市民によってもたらされる文化的多様性を都市の活力として、新たな文化の創造・発信や地域の活性化を目指して」おり、「こうした考え方は欧州諸都市における『インターカルチュラル･シティ･プログラム』と軌を一にするもの」であるとしている。浜松市は、本ビジョンで掲げた３つの方向性（①異なる文化を持つ市民がともに構築する地域、②多様性を都市の活力と捉え、発展していく地域、③誰もが安全・安心な暮らしを実感できる地域）を踏まえ、施策を推進していくこととしている。（図表12）

本プランにおける外国人の就労に関わる取組として、学齢期を過ぎた外国にルーツを持つ青少年に対する職業意識の醸成や自らの将来を考えるための研修・就業に関する情報提供などのキャリア支援、浜松市での就労を希望する外国人材の受入れ環境の向上と活躍機会の創出、企業等における外国人の活躍事例や自ら起業した外国人の取組事例の幅広い共有・発信、ビジネスセクターと連携した就労支援につながるマッチング等のサポート、就労を含め外国人市民が抱える様々な課題や生活支援のための多言語による情報提供や相談対応の強化等がある。

5－3．地域における多文化共生の取組の好事例

総務省の「多文化共生事例集」（2017年３月）から、就労支援や労働環境の改善に関わる好事例を取り上げる。

7）浜松市の総人口に占める外国人住民の割合は2020年８月１日現在3.2%となっている（浜松市の住民基本台帳による「行政区別世帯数人口」から筆者算出）。

8）石塚（2016）は、浜松市が実施した、1999年と2014年の調査結果の比較から、「リーマンショックを間に挟むこの15年ほどの間で、居住する外国人住民の意識は、定住へと大きく変化している」と指摘している。

図表12　第２次浜松市多文化共生都市ビジョンの施策体系

目指すべき方向性　**異なる文化を持つ市民がともに構築する地域**

施策の分野１．認め合い、手を取り合い、ともに築くまち（**協働**）

多様な文化を持つ市民がお互いを認め合い、活発な対話や交流が行われ、ともにつくりあげる地域を目指します。この分野では、オール浜松での取組推進や、多文化共生のための教育・啓発、交流機会の創出、外国人市民のまちづくりへの参画促進などに取り組んでいきます。

目指すべき方向性　**多様性を都市の活力と捉え、発展していく地域**

施策の分野２．多様性を生かして新たな価値・文化を生み出すまち（**創造**）

多様性を都市の活力と捉え、誰もが自らの持つ能力を十分に発揮することができ、その多様な文化の交流・融合により新たな価値・文化を生み出す地域を目指します。この分野では、次世代の育成・支援をはじめ、多様性を生かした文化の創造・地域の活性化、国内外の多文化共生都市との連携を進めていきます。

目指すべき方向性　**誰もが安全・安心な暮らしを実感できる地域**

施策の分野３．誰もが快適に暮らせるまち（**安心**）

誰もが安全・安心で快適な暮らしを送ることができる地域を目指します。この分野では、防災対策をはじめ、コミュニケーションに関わる支援、地域課題の解決に向けた共生支援、安心した暮らしの確保に向けた医療・福祉・保健・子育て・就労・居住の各分野、防犯・交通安全等における支援や周知・啓発に取り組んでいきます。

出典：浜松市ホームページ　第２次浜松市多文化共生都市ビジョン（2018年３月）
（https://www.city.hamamatsu.shizuoka.jp/kokusai/kokusai/documents/iccvision-jp.pdf）より抜粋

（1）外国人向け介護職員初任者研修及び就業支援事業（神奈川県横浜市）

公益財団法人横浜市福祉事業経営者会では、神奈川県の外国人住民を対象とした「介護職員初任者研修」を2009年度より行っており、研修後は、介護サービス事業所との相談会や面接会の開催などによるきめ細やかな就職支援を行っている。また、就職後は定期的に職場を訪問し、職場定着支援を行っている。加えて、介護サービス事業所を対象とした外国人の雇用についての基本的知識を学ぶためのセミナーも開催している。

（2）地域における技能実習制度への新たな関わり（茨城県神栖市）

はさき漁業協同組合では、茨城県内で初めて受け入れた外国人漁業技能実習生の環境の整備に力を入れている。技能実習の一部として行う日本語講習のカリキュラムは地元の神栖市国際交流協会へ委託して実施している。これをきっかけに、神栖市国際交流協会は、着物の試着体験をはじめ、地元高校生との空手や書道を通じた交流などの様々なプログラムを実施しており、地域住民と技能実習生との交流が進んでいる。また、漁業会社などの実習実施機関が合同で出資して技能実習生のための寮を建設し、全寮制での受入れ体制を取っている。寮生活では、日本の食材や調味料を用いた食事を通じて技能実習生が日本の食文化を体験するとともに、日本の食材を活かした母国料理も作っている。

6．日本で働く外国人をめぐる今後の政策課題

6－1．地方圏の市町村における外国人関連政策の体系化・総合化

地方圏の市町村の住民に占める外国人の割合について、塚崎（2020）は、いずれの規模の市町村においても近年住民に占める外国人の割合が増加していること、2012年から2019年にかけての増加幅でみると、３万人未満の規模が小さい市町村の増加幅が0.74%ポイントと最大となっており、50万人以上の市町村が0.24%ポイントと最小となっていることを明らかにした[9)]。外国人の状況に関しては、３万人未満の小規模な市町村が最も急速に変化を遂げているといえる。（図表13）

前述したように、規模が小さい地方公共団体ほど多文化共生の推進に係る指針や計画の策定率は低いことから、特に小規模な地方公共団体において、急速に変化する外国人の状況に行政施策が追いついているとはいえない現状があると考えられる。外国人の増加については地域の活性化につながると前向きにとらえる市町村も少なくない[10)]。外国人の受入れ環境が整っていない市町村においては、早急に外国人増加という現実に正面から向き合い、政策体系の中に外国人住民に対する施策を位置付け、地域活性化に向けて外国人に関連する政策

9）塚崎（2020）は、地方圏の市町村における外国人の割合は、10万人未満の市町村では全就業者数に占める第１次産業就業者数の割合が多いほど多く、3万人以上の市町村では第２次産業就業者数の割合が多いほど多い傾向があること、いずれの規模の市町村においても高齢化が進んでいる市町村ほど外国人の割合が少ない傾向があることを明らかにし、国として人手不足に外国人の受入れで対応するという方針に舵を切ったということであるならば、こうした高齢化が進んでいる市町村を優先して外国人受入れ環境の整備等について支援すべきであると指摘している。

図表13　**地方圏市町村における住民に占める外国人の割合の推移**

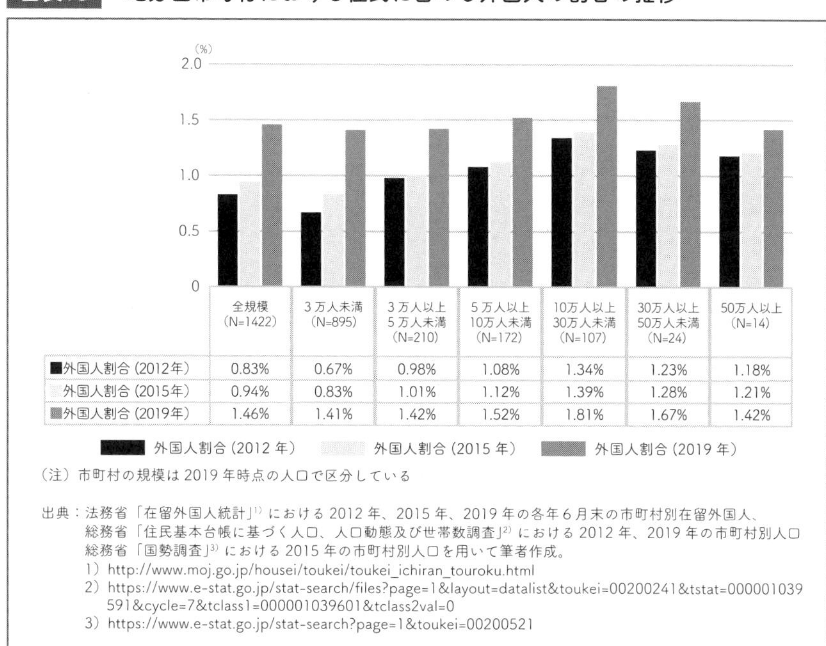

	全規模（N=1422）	3万人未満（N=895）	3万人以上5万人未満（N=210）	5万人以上10万人未満（N=172）	10万人以上30万人未満（N=107）	30万人以上50万人未満（N=24）	50万人以上（N=14）
■外国人割合（2012年）	0.83%	0.67%	0.98%	1.08%	1.34%	1.23%	1.18%
外国人割合（2015年）	0.94%	0.83%	1.01%	1.12%	1.39%	1.28%	1.21%
■外国人割合（2019年）	1.46%	1.41%	1.42%	1.52%	1.81%	1.67%	1.42%

（注）市町村の規模は 2019 年時点の人口で区分している

出典：法務省「在留外国人統計」[1] における 2012 年、2015 年、2019 年の各年６月末の市町村別在留外国人、
総務省「住民基本台帳に基づく人口、人口動態及び世帯数調査」[2] における 2012 年、2019 年の市町村別人口
総務省「国勢調査」[3] における 2015 年の市町村別人口を用いて筆者作成。
1）http://www.moj.go.jp/housei/toukei/toukei_ichiran_touroku.html
2）https://www.e-stat.go.jp/stat-search/files?page=1&layout=datalist&toukei=00200241&tstat=000001039591&cycle=7&tclass1=000001039601&tclass2val=0
3）https://www.e-stat.go.jp/stat-search?page=1&toukei=00200521

を総合的に講じる必要があるだろう。

6－2．将来キャリアの観点を踏まえたキャリア支援策

日本に在留する大半の外国人の出身地であるアジア諸国は今後急速に高齢化し、労働力人口も減少することが見込まれている。国際的な労働力の競合は今後一層厳しくなることが予測できる。外国人に選ばれるような魅力的な生活環境や就労環境を整備するという視点が今後ますます欠かせなくなるだろう。その国で生活し、就労することが将来の職業キャリアやライフキャリアにつながるということは、就労や生活をする国を選ぶ際、外国人を引き付ける重要な要素となる。行政も企業も、外国人が将来の職業キャリアやライフキャリアの選

10）大正大学地域構想研究所「外国人と地方創生に関するアンケート調査」(2019年)によると、調査に回答した市町村のうち、65.9％が外国人の増加が「地域の活性化につながる」と前向きにとらえていた。

択肢を一定程度具体的にイメージできるようにした上で受入れを行い、また、受け入れた後も将来キャリアの観点を踏まえた、種々のキャリア支援策を講じることが求められる。

特に、新しく創設された特定技能の在留資格は、同一の業務区分内等において転職ができ、また、特定技能２号は、在留期間の上限がなく、要件を満たせば配偶者や子を帯同できることから、日本における外国人の職業キャリアやライフキャリアの展開の幅が広がることが見込まれる。一人一人の外国人が、自らの職業キャリアやライフキャリアの将来展望に希望を抱けるような、きめ細かなキャリア支援策の必要性は今後一層強まると考える。

（塚崎裕子）

参考文献

- 石塚良明（2016）「多様性を生かしたまちづくりで外国人が活躍する社会へ」『自治体がひらく日本の移民政策』（明石書店、pp.127-137）
- 外国人材の受入れ・共生に関する関係閣僚会議「外国人材の受入れ・共生のための総合的対応策（令和2年度改訂）」（2020年７月）（http://www.moj.go.jp/content/001323661.pdf、2020年８月１日）
- 外国人労働者問題関係省庁連絡会議「『生活者としての外国人』に関する総合的対応策」（2006年12月）（https://www.cas.go.jp/jp/seisaku/gaikokujin/honbun2.pdf、2020年８月１日）
- 厚生労働省「労働施策基本方針」（2018年12月）（https://www.mhlw.go.jp/content/11602000/000465363.pdf、2020年８月１日）
- 雇用政策研究会「雇用政策研究会報告書―人口減少下での安定成長を目指して」（2015年12月）（https://www.mhlw.go.jp/file/04-Houdouhappyou-11602000-Shokugyouanteikyoku-Koyouseisakuka/0000136721.pdf、2020年８月１日）
- 総務省「地域における多文化共生推進プラン」（2006年３月）（https://www.soumu.go.jp/kokusai/pdf/sonota_b6.pdf、2020年８月１日）
- 総務省多文化共生事例集作成ワーキンググループ「多文化共生事例集―多文化共生推進プランから10年　共に拓く地域の未来―」（2017年３月）（https://www.soumu.go.jp/main_content/000476646.pdf、2020年８月１日）
- 塚崎裕子（2008）『外国人専門職・技術職の雇用問題―職業キャリアの観点から』（明石書店）
- 塚崎裕子（2019）「地方という軸からみた外国人労働者問題―地方における外国人技能実習生の急増と新たな受入れ制度導入―」（『地域構想』Vol.1、pp.15-22）
- 塚崎裕子（2020）「地方圏市町村における外国人の状況と関連施策」（『地域構想』Vol.2、pp.5-12）
- 日系定住外国人施策推進会議「日系定住外国人施策に関する基本指針」（2010年８月）（https://www.shujutoshi.jp/2010/pdf/naikakuhu.pdf、2020年８月１日）
- 浜松市「第２次浜松市多文化共生都市ビジョン」（2018年３月）（https://www.city.hamamatsu.shizuoka.jp/kokusai/kokusai/documents/iccvision-jp.pdf、2020年８月１日）
- 宮地毅（2018）「地方自治体と外国人住民―外国人政策について考える―」（『地方自治法施行70周年記念自治論文集』、pp.891-910）

第④章

文化政策
――多文化共生社会の構築にむけて

1．変化する日本社会

近年、日本社会の構造は変わりつつある。合計特殊出生率1.36（人口動態統計、2019)、65歳以上の人が総人口に占める割合が28.4%（総務省統計局、2019）というデータが示すように労働人口が減少している。少子高齢化による総人口および労働者が減少する時代への対応、グローバル化する経済での競争に打ち勝つための高度な専門的、技術的な能力をもつ人材の獲得にむけて移民の受け入れ拡充が進んでいる。現時点では日本国内の外国人登録者数は過去最高の282万9416人（出入国在留管理、2019.6)、総人口に占める割合は2.0%と少数ではあるが今後も徐々に増加していくであろう。さらに世界においては紛争や戦争、そして迫害などにより移動を強いられた難民も増えつづけており、難民条約に批准している日本は彼らの受け入れを行わなければならない。日本は「移民政策」をとらないものの移民・難民らは国の活力を活性化し経済的発展をになう重要な人々であるとも言える。しかしながら2019年4月の出入国管理及び難民認定法[1]改正による特定技能生受け入れ促進を巡り、国と国民の態度は相反したままであり、政策なき受け入れは移民と日本社会双方にとって負の感情をもたらす。正直、日本社会の態度は「我々は労働力を呼んだが、やってきたのは人間だった（マックス・フリッシュ、1975）[2]」という言葉の通り移民・難民に対しては排他的態度（差別・偏見）がみられる。しかしながら移民・難民と共生可能な社会を作っていくことが「持続可能な社会の開発」につ

1）出入国管理及び難民認定法
戦後、日本の出入国管理制度は1951年（昭和26年）10月4日、ポツダム政令（5）の一つとして制定された出入国管理令に続いて、出入国管理及び難民認定法が制定・公布され、同年11月１日に施行された。その後、数回の改正を経て現在の制度になっている1981年（昭和56）出入国管理令を改正、改称したものが出入国管理及び難民認定法である。
具体的には外国人の入国・上陸・在留・出国・退去強制、日本人の出国・帰国、難民の認定などについて規定する法律である（法務省)。

ながることもあり、いまこそ「多文化共生社会の構築」について真剣に考える必要があるのではないか。

2．多民族化する日本社会

ここ数年、急速なグローバル化のなかで国境を超え多くの人々の移動が可能となり、日本に住む外国人登録者数は上昇の一途を辿っている（図表1）。日本に暮らす外国人[3)]には「日本国籍」であっても言語や文化の異なったバックグラウンドを持つ人は含まれていない。例えば、在日韓国・朝鮮人の場合、帰化している（ある国家の国籍を有しない外国人が、国籍の取得を申請して、ある国家がその外国人に対して新たに国籍を認めること。帰化申請を行う者は引き続き5年以上日本に住所を有することが条件となっている）、もしくは日本人との結婚で日本国籍を取得していたとしても、両親や祖父母などが朝鮮半島にルーツを持つ人々は多い。現在、日本に暮らす在日韓国・朝鮮人らは戦前からの移住者の子孫、つまり韓国・朝鮮、旧植民地支配下の朝鮮半島からの移民であり、日本では彼らをオールドカマーと呼ぶ。外国人登録者数のなかでこの割合が減少しているのは先に述べた①帰化により日本国籍を取得しているか、②在日韓国・朝鮮人の3世、4世の結婚相手が日本人のため日本国籍を取得したか、③国籍法の改正（日本は父母両系血統主義であり、両親のどちらかが日本国籍を有している場合、その子どもに自動的に日本国籍を与える。もともとは父系血統主義であったが昭和60年1月1日に改定される）によるためであろう。

2）マックス・フリッシュ（Max Frisch,1911-1991）
スイスの小説家、劇作家、建築家。戦後スイスを代表する作家の一人。
スイスは当時、労働力不足から主にイタリア人労働者を受け入れたが、短期間に移民労働者が増えたため、排斥運動が起こった。しかし、国の方針として早い時期に、家族の呼び寄せを認めるなどの施策をとったので、移民が比較的うまく社会に溶け込んだ。現在、スイスの外国人率は約25.1%である（スイス連邦統計局,2018）。

3）外国人
外国人には国籍が日本ではないという形式的側面と、日本語、日本の社会体制や文化がよく理解できないといった実質的な側面があり実質的な側面がより重要である。在日外国人の三世、四世といった世代になると、「国 籍は日本ではないが、日本語、日本の社会体制や文化の理解には問題がない」という人がいる（野田文隆.,秋山剛,2016）。

図表1　在留外国人推移　上位５カ国

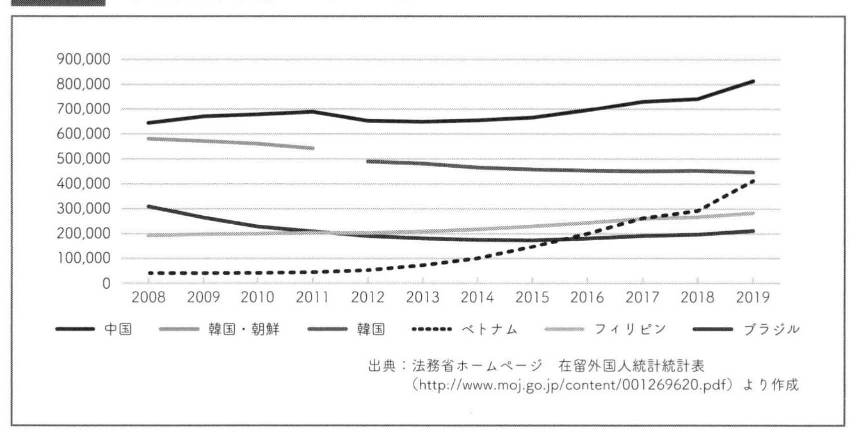

出典：法務省ホームページ　在留外国人統計統計表
（http://www.moj.go.jp/content/001269620.pdf）より作成

また1980年以降、新たに来渡した人々、例えば日系南米人、中国人、フィリピン人らが増えており、彼らは日本でニューカマーと呼ばれている。これは1989年の入国管理及び難民認定法の改定により日本人の血を引く２世、３世の呼び寄せが可能となったことが大きい。例を挙げると戦前にブラジル、ペルー、アルゼンチンなどに移住した人々の子孫、戦後、中国に居留し帰国が叶わなかった中国残留婦人（当時13歳以上の婦人たち）・中国残留孤児（当時12歳以下のもの）が挙げられる。また、1980年代に農村部では「農村の嫁不足」問題の解決策として行政介入による積極的な「外国人花嫁」受け入れ策が取られたことにより中国人、フィリピン人との国際結婚（日本では国を超えた結婚、異なる国籍を持つ二人の結婚を意味する。しかしながら国外では必ずしも国境を越える必要はなく、社会内部の人種や宗教、文化という境界線を超えた婚姻も値する）が増加した。彼らの移住にともないその家族や子どもが移住するとう連鎖移民が増えたこともニューカマー急増の背景にはある。

オールドカマーとニューカマーの受け入れ過程を見ていくと日本に移民政策の基盤となるものが存在したと言える。しかしながら日本の課題としては「政策なきまま」の受け入れがなされていることであり、それによりニューカマーの日本社会への適応が大きな問題となっている。彼ら、そしてその子ども（国際結婚により生まれた子ども。二つのルーツを持ち「ハーフ」もしくは「ダブ

コラム1：在留資格とは

みなさんは外国籍を持つ人が日本に入国する際、どのような手続きをするか知っていますか。外国人が日本の領域内に入るためには有効な旅券（パスポート）を所持していなければならず、上陸の際に旅券に在留資格を得る（在留資格とは外国人が日本で活動を行い在留するための資格）必要があります。みなさんの身近にいらっしゃる人たちは次の在留資格を持っています。

①永住者（参政権はありません）：素行が善良であること、独立生計を営むに足りる資産又は技能を有すること、その者の永住が日本の利益になると認められること、継続して10年間、日本に在留していること。
- 一般永住者：上記の条件を満たしている外国人であり、中国、ブラジル、フィリピン、韓国朝鮮、ペルー、タイの順に多い。
- 特別永住者：戦前から日本に在留している在日韓国人、朝鮮人、台湾人のこと。第二次世界大戦後、母国の独立などにより日本国籍を失った人々への平和条約に基づいた出入国管理に関する特例法。

②永住者の配偶者：一般永住者の配偶者および特別永住者の配偶者、そして特別永住者の子として日本で出生したもの。離婚や死別の場合は救済措置として定住者などへの在留資格の変更を行うことができる。両親が永住者の在留資格を失っても、こどもは失うことはない。外国で生まれた子は「定住者」となる。

③定住者：第三国定住難民（インドシナ難民含む）、日系３世・中国残留邦人等、日本とかかわりのあるもの、永住者との離婚・死別によって在留資格の変更を余儀なくされたもの。

④日本人の配偶者：日本人と結婚した人（離婚、死別の場合、１年間の定住者に在留資格が変更となる）、日本人と外国人の夫婦の養子として迎えられた子、ダブルのこども（日本国籍取得可能）。

ル」と呼ばれている）への言語教育、文化理解、生活指導といった政策が取られなければ「多文化共生」は困難なままであろう。

3．日本社会と難民問題

さらに近年、日本社会で課題となっているのが難民の受け入れである。現在、世界には7,480万人（UNHCR Global trends, 2018）の難民がいる。そして日本にも人種・宗教・政治的意見などを理由に迫害を受けるおそれがあるために国を出て、難民化しようとやってきた人々がいる。日本は1982年に国連の難民条約に加盟し難民認定制度を導入、審査により条件を満たした者を難民として受け入れ始めた。

難民とは（難民条約１条、1951年）

人種、宗教、国籍もしくは特定の社会的集団の構成員であることまたは政治的意見を理由に迫害を受けるおそれがあるという十分に理由のある恐怖を有するために、国籍国の外にいる者であって、その国籍国の保護を受けられない者またはそのような恐怖を有するためにその国籍国の保護を受けることを望まない者

３－１．日本で暮らす難民

1982年以降、日本には下記の難民、難民認定申請者が存在している。当初、受け入れ人数は500人と制限していたが、国連などからの外圧によって徐々にその枠を広げ、1994年には1万人であった枠も外し、「インドシナ難民（ベトナム、ラオス、カンボジア出身者）」に限り制限なく受け入れ始めた。難民はどの国へ行ってもすぐに難民として認定され受け入れられるわけではない。本当に難民条約を満たす難民かどうかという厳しい審査を受ける。難民として認定されたものは「条約難民」、審査の期間にある難民は「難民認定申請者（Asylum seeker）」と呼ばれる。

（1）インドシナ難民

日本に初めて難民が上陸したのは、1975年５月、アメリカ船に救助されて千葉県に上陸したベトナム難民9人であった。当時、日本政府は難民の受け入れを認めていなかったため、彼らは一時滞在として上陸を許可された。その後もボートピープルの到着が相次いだため、1979年7月、日本政府は受け入れに特殊な枠を作りそれを「インドシナ難民」と呼び受け入れを開始した。彼らは新しい体制下で迫害を受ける恐れ、国の将来に不安をもった人々が小型船を使って（ボート・ピープルと呼ばれる）国から脱出した人々

図表2　日本の難民認定申請者数と認定数

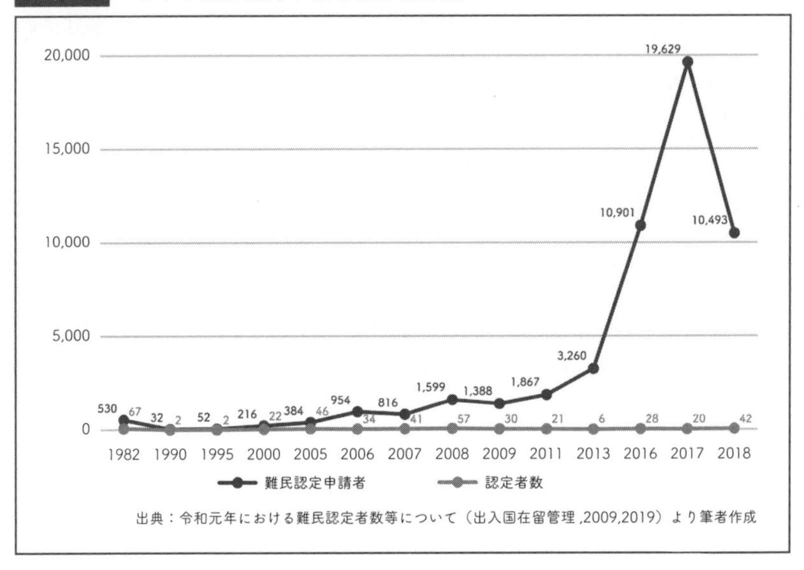

出典：令和元年における難民認定者数等について（出入国在留管理,2009,2019）より筆者作成

であった。その後、1980年から2005年まで合法出国（Orderly Departure Program）が施行される。これは家族再会や人道的なケースの場合に限り、ベトナム、ラオス、カンボジアからの合法出国を認めるものである。最終的に日本は11,319人を受け入れた（出入国在留管理、2019)。

（2）条約難民

日本には、世界の様々な紛争地帯、あるいは政治的不安が続く地域から条約難民として申請してくる難民認定申請者が徐々に増え始めた。その数は1990年に32名、1995年に52名だったものが、2013年には3260名、2017年には19,628名と激増している。一方､難民認定しされる数は2013年で6名、2017年には20名と極めて少数である

1982年から2018年までの申請数は71,168件、そのうち難民と認定されたものは750件（内訳はシリア、コロンビア、アフガニスタン、南スーダン、イラク、ミャンマー、エチオピア、コンゴ民主共和国などの出身）である（図表2)。日本では主に「政治亡命者」を認定しており「紛争難民」は認めて

図表3　日本の難民認定申請者数と世界の難民認定者の比較

	日本の難民認定申請者	申請数	世界の難民認定申請者	申請数
1	ネパール	1,713	シリア	6,700,000
2	スリランカ	1,551	アフガニスタン	2,700,000
3	カンボジア	961	南スーダン	2,300,000
4	フィリピン	860	ミャンマー	1,100,000
5	パキスタン	720	ソマリア	900,000

出典：世界の難民認定者データ（UNHCR Global trends, 2018）
（https://www.unhcr.org/statistics/unhcrstats/5d08d7ee7/unhcr-global-trends-2018.html）より筆者作成

いない。難民と認定しなかったものの人道上の配慮を理由に在留を認めたものは2,628件（内訳はクルド族、ロヒンギャ族）と近年、増加傾向にある（出入国在留管理、2019）。

(3) 難民認定申請者

日本での難民としての保護を法務省に申請中の人を指す。出身国はインドネシア、ネパール、フィリピン、スリランカなど79カ国に渡る（法務省、2019）。日本の難民認定申請制度の問題としては、不認定となった場合、新たに難民認定申請が可能であることが挙げられる。難民認定申請数の急増の背景には、アジアからの観光需要を取り込むために導入されたビザ要件の緩和による経済難民の流入（図表3）、難民認定申請者が廉価かつ柔軟な労働力の需要を満たす存在として利用されてきたという側面がある。日本は近年の難民認定申請者の増加を鑑み、2018年1月より難民認定申請の6ヶ月後に与えられる就労許可を廃止し、在留の制限を強化している（出入国在留管理、2019）。

日本には難民や難民認定申請者の支援システムが整備されていない。基本的に経済基盤が脆弱なNPO（認定NPO法人難民支援協会、社会福祉法人日本国際社会事業団など）が難民、難民認定申請者の生活全般の支援を行なっている。

(4) 第三国定住者

難民が一時的な庇護国（避難先）から、恒久的な定住が可能な第三国へ移動して、生活を再建するためのプログラムである。第三国に受け入れられた難民は、迫害からの保護および定住権や永住権などの合法的な在留資格だけでなく、通常、第三国の国民や他の移民と同等の政治・経済・社会・文化的権利が保障される。日本では2011年から受け入れを開始しパイロット期間5年間で86人受け入れた（出入国在留管理、2019）。その多くはミャンマーとタイの国境にある難民キャンプに避難していたミャンマー出身者である。

3－2．難民の権利と課題

現在の日本は難民がやってくるという事態を「例外」とし、なんら包括的な政策を考えていない。一方で日本の難民認定申請者数は2018年には減少がみられたものの今後も増え続けていくであろう。先に日本の難民認定制度には課題があり「不認定のあと異議申し立て、さらには何度でも再申請が可能」と述べたが、その背景には難民条約のノン・ルフルマンの原則の存在がある。

①難民を彼らの生命や自由が脅威にさらされるおそれのある国へ強制的に追放したり、帰還させてはいけない
②庇護申請国へ不法入国しまたは不法にいることを理由として、難民を罰してはいけない（難民条約第31条「ノン・ルフルマンの原則」）

日本は難民条約に批准しており国際法を遵守している一方で、難民政策なきままの受け入れ、つまり支援体制が整っていないまま受け入れにより「生かさず殺さず」の生活を強いられた難民認定申請者が日本社会に増えているのも事実である。

4．多文化共生社会における「文化政策」のあり方

日本社会の構造が変わることにより何が起こるだろうか。歴史を振り返れば日本には日本民族以外に朝鮮民族をはじめとした多くの民族や人種が存在して

コラム２：移住とこころの健康

こころが健康であるためには、個人の日常生活の習慣が重視され、ストレスの少ない生活が送れる、つまり「いきいきと自分らしく生きる」ことが必須となります。移民・難民らが自分らしく生きるということは、例えば母語が使える、母国でのスキルを活かした仕事に就ける、あらゆる日常生活のなかで自己決定権が尊重されることなのかもしれません。しかしながら実際は、移民・難民はホスト社会に「同化」することを求められ、新たな言語、新たな習慣を身につけ、生きるための仕事に就かざるを得ません。このような生活のなかでは「こころの健康」の不調が生じるのも無理がないでしょう。移民・難民らがどんな時にこころが折れてしまうか、カナダで行われた調査では次のことが見出されています（Canadian task force on mental health issues affecting immigrants and refugees,1988）。

1）自国にいた時より自分の社会的地位が下がったり、生活が苦しくなったこと
2）その国の言葉を話せないこと
3）家族がばらばらになっていて家族を呼び寄せられないこと
4）その国から歓迎されていないと感じること
5）同じ国出身の人と会うことができないこと
6）難民のようにやってくる以前に大きなこころの傷を抱えていること、あるいはずっとストレスにさらされていること
7）移り住むことによって精神的に不安定になりやすいのは高齢者と思春期のこどもたち

私たち移民・難民らが母国で受けたトラウマと、ホスト社会での過酷な扱いによる二重の精神的負担を負いながら生きなければならないことが少なくないということを知っておくべきでしょう。

いる。さらにアイヌ民族もおり彼らは固有の文化を持ち（知識、習慣、信仰など）日本国籍を持っていたとしても日本民族と同等には扱えない。つまり日本は多様な文化的背景を持つ人々が共に暮らしてきた歴史を持つ。このように日本は「異文化」との「共生」を重ねてきた歴史があるのだがそれは意識化されておらず、表層にみえるのは日本民族の「異文化」に対する寛容性の低さである。日本人は異文化の情報やモノは歓迎するがそれらを持ち込む人間自体は拒否するという現象は現在も顕著にみられる。近年までの調査からは日本社会は流入する少数派である移民・難民らに「自らが馴染んできた文化を捨て、新た

な文化に迎合すること」を求め、多数派である自分たちは「相手の文化を尊重もしくは理解し、自らの文化を省みる」ことの必要性を感じていない。今考えなければならないこととして少数派によってもたらされる文化的多様性を、脅威ではなくむしろ好機ととらえ、都市の活力や革新、創造、成長の源泉とする新しい政策が必要なのではないだろうか。

一方で、人は新たな文化に出会った際、必ず文化変容を起こし適応していくと言われている（Berry JW.,1980）。文化に適応することにより文化的喪失を経験した移住者が一定の安心感を得ることにつながることがある。文化変容には４つの形がある（図表４）。

①同化（assimilation）：自らの文化アイデンティティを捨て、より大きな社会に移動することを指し、非支配的なものが支配的なものに吸収されるという過程である。また、同化とは土着的な生活を捨て西洋化を望む願望を示す。同化のプロセスにおいては「形式的な融合」から「内面的な融合」がある。

②統合（integration）：文化アイデンティティを保持しながら支配的社会に参加することで、その結果は「モザイク状」の社会を構成することとなる。統合は土着式を維持しつつ西洋化との前向きな関係構築に対する願望が存在する。

③分離（離脱）（Separation）：支配的社会への参加を拒み、独立した存在となることを望んで、より大きな社会の外部で伝統的生活形態を維持することになる。また離脱は土着式を維持し、西洋化・近代化のあらゆる影響を排除したいという願望を表している。

④周辺化（Marginalization）：伝統的文化やより大きな社会との文化的・心理的接触を欠いている状態である。つまりどっちつかずの状態であり、文化アイデンティティが確立されにくい。

図表４　移住者の文化変容

		文化的アイデンティティと風習は価値があり維持されるべきか	
		Yes	No
より大きな社会との肯定的な関係は価値があり、求められるべきか	Yes	統合	同化
	No	分離（離脱）	周辺化

出典：Berry J.W,1984「移住者の文化変容」より、日本語訳：筆者

移住者の多くに見られるのは受け入れ社会の多数派集団がもつ文化的価値観、習慣、言語への同化である。同化とは自らの文化同一性を捨て受け入れ社会に移動することを指し、同化のプロセスには形式的な融合から内面的な融合がある。移住者は移住先の言語が上達し社会的に馴染むにつれて、移住先の文化が脅威ではなくなり好意的に思えてくる。その結果、交友関係、雇用機会、医療ケアなどの形でソーシャルサポートが得られるようになり、最も望ましい形としての統合へ移行していく。統合とは文化同一性を保持しながら受け入れ社会に参入することであり、多数派集団の文化を一部、取り入れたモザイク状の文化同一性の再構築が可能となる。しかしながら文化同一性の喪失や社会的孤立などメンタルヘルスの問題を引き起こす文化変容もある。その一つが離脱であり、受け入れ社会への参加を拒むため社会的な孤立を起こす。そして最もメンタルヘルスの問題につながりやすい周辺化だが、これは同国人コミュニティのみならず受け入れ社会との心理的接触を欠いている状態である。文化同一性の喪失にもつながり文化適応がもっとも困難である。

その国に移住している期間が長くなるにつれて新たな言語の習得と文化変容による異文化適応が促進されれば、移住者の日本社会への心理的抵抗は軽減されていくだろう。しかしながら移住者の文化変容に甘んじるのではなく、日本人一人一人が自分たちも移住者の文化（価値観や習慣）の根底にある信念を理解し、同時に自分たちの文化を顧みその意味を再考する、その上で互いの文化を統合させるといった文化変容を起こす必要がある。これこそが望ましい形の文化変容の形であろう。文化適応において、移住者の少数派集団の文化と受け

入れ国の多数派集団の文化との相互作用は動的かつ相互的な過程であり、両方の文化に変化をもたらすことがある。そして、受け入れ国のコミュニティの移住者の文化理解が促進され、移住者のニーズの把握にも役立っていくと考えられる。

相互の文化の理解と変容を恐れないこと、これが多文化共生社会への一歩となるであろう。

5.「文化」とは何か

一般的に「文化」という言葉は高尚な精神活動（音楽、文学、芸術など）より進んだ生活の形態（例えば「文化的生活」）、ある民族・国民の集団が共有すると仮定される行動の仕方（習慣）ないし価値観（例えば「日本文化」「韓国文化」）、または特定の事物に関する価値観と実践の複合体（例えば「温泉文化」「アニメ文化」）などを指すものとして使われている（波平恵美子、1993）。文化をもう少し噛み砕いて説明すると社会を構成する人々によって習得され、共有され、伝達されるものである。例を示すと日本文化における知識は「ものづくり」の技術であったり、心情は「常に周りからどう思われるか考えて行動する」といった気質であったり、芸術は「相撲、能楽、日本画」など日本独自に発展したものがあげられる。

文化を行動の仕方や価値観から説明すると、個々人は文化に参加することで行為の仕方のみならず、そこに畳み込まれている文化的意味を体得し、その意味空間の一部になることを目指した行為を身につける。Millerらはこれを文化実践と定義づけた（Miller P.J, Goodnow J.J,1995）。文化実践を具体的に述べると①日常生活でルーティン的に生じている意味行為、②集団精神に広く共有されていること、③物事がどのように行われるべきかについての規範的期待について知り得たことを指す。これを「しつけ」と「あいづち」の視点からから説明する。

５－１．トイレの使い方にみるしつけ

日本におけるトイレの使い方の文化実践

①日常生活でルーティン的に生じている意味行為：排泄後の陰部の清潔の保ち方。

②集団精神に広く共有されていること：和式・洋式トイレ、ウオシュレットの用法。

③物事がどのように行われるべきかについての規範的期待について知り得たこと：トイレを使う際は掃除をする人、そして次に使う人のことを考えて綺麗に使うことが期待される。

トイレの使い方は各民族や国で異なる。ヨーロッパのバスルームにはトイレの脇に必ずビデが設置されている。ビデは18世紀初頭、フランスで誕生した陰部洗浄を行うものであり、使い方は「しつけ」の一つとして親から伝えられる。日本で温水洗浄便座が普及したのは2000年に入ってからである。それまでは陰部は洗うのではなく拭いて清潔を保つと親から教えられ、その習慣は踏襲されてきた。

一方、日本でも排泄後の陰部の清潔の保ち方や、和式・洋式トイレ、ウオシュレットの用法は親から「しつけ」として伝えられる。他国との違いは年齢が進むにつれ、用法ではなくトイレを使用する際の「作法」に重きが置かれる。親からは「他人の家で、公衆の場でトイレを使用する際、迷惑をかけない、恥をかかない」ための作法が伝えられる。日本と他国の公衆トイレの違いとして「お客様へ　いつも綺麗につかっていただきありがとうございます」「トイレは綺麗に使いましょう」といった貼り紙がみられるが、日本ではトイレを使用する際、他者への気遣いが求められる。従来日本人は集団主義[4]であるというステレオタイプ[5]の見方がなされてきた。しかしながら日本の心性はルース・ベネディクト[6]が「何が正しい行動なのかの判断は常に社会関係の中で捉えられ、世間によって決められる」と表したように、日本人の自己は個として確立しておらず、自分が属する内集団と一体化しており、「しつけ」には「内集団

の価値観」を意識した作法が伝えられているのであろう。しかしながらトイレの使い方に見られるしつけは現在も踏襲されている。

5－2．コミュニケーションにおけるあいづちの用い方

コミュニケーションにおけるあいづちの文化実践

①日常生活でルーティン的に生じている意味行為：相手が話をしている時に受け答えの言葉をはさむ、うなづくもの。

②集団精神に広く共有されていること：相手が話していることをきちんと聞いていることの確認として行うもの。

③物事がどのように行われるべきかについての規範的期待について知り得たこと：「注意」、「理解」、「同意・共感」、「感情」、「間つなぎ」の意味で用いるだけでなく、相手の話の進行を助けるために用いることが期待される。

あいづちとは、鍛冶で師匠の打つ鎚に合わせて弟子が鎚を入れること、相槌を打つとは、相手の話に合わせて受け答えの言葉をはさんだり、うなずいたりすることと記されている（国語辞典）が、日本人が対話時にあいづちを打つ理

4）集団主義
従来、欧米は個人主義、東アジアは集団主義という通説があるが、近年これは見直しがなされている（高野陽太郎,2008）。本来の集団主義とは親密に結びついた人々が織りなす社会的なパターンであり、個人よりも集団に価値を置く思想のことを指す。しかしながら今の日本社会では「個性」や「多様性」を尊重すべきという思想が主流であり、「集団」に重きをおいているとは言い切れない。つまり現在の日本社会は集団主義であるという考えは見直す必要がある。

5）ステレオタイプ
特定の集団に対する固定観念。ステレオタイプにより個人を判断しようとすると差別につながっていく。実のところ人はマスメディアを通してしか事象を知ることができない。メディアが伝えるイメージが固定化し、人は思考を省略化しそのようなイメージに基づいて認識・判断を行うようになる。ステレオタイプを共有することは人が社会の多数派に同調する際に必要となるため、この思考パターンは自動的、無意識的に起こるとも言える。

6）ルース・ベネディクト（Ruth Benedict,1887-1948）
アメリカ合衆国の文化人類学者。レイシズム（人種主義：人種に本質的な優劣を認め構成する人種により社会や文化の優劣を判断するという考え方）の語を世に広めたことや、日本人の心性を記述した「菊と刀」を著したことによって知られる。

図表５　日本人の対話時にみられるあいづちの意味

意図	意味	反応
注意	聞いていることを示す	うん
理解	理解していることを示す	うんうん、あー
同意・共感	同意・共感を示す	そうだね、そうそう
感情	驚き、喜び、悲しみ、怒り、疑い、同情、いたわり、謙遜	マジ、きゃー、ウソ！、うんうんうんうんうん、いやいや
間つなぎ	話が断絶されたときに間をつなぐ	で、それで？
その他	話の進行を助ける、話し手とともに会話を作り上げる（沈黙も不快ではない）	つまりは、ほかには

出典：水谷信子 1988「あいづち論」より筆者作成

由として左記が挙げられる（図表５）。

他国や他民族にあいづちの習慣があるかと言えばあるが、日本人のように相手が話していることをきちんと聞いていることの確認として、2ー3秒ごとに相槌を繰り返す（西田司、2008）ことはない。欧米では話がひと段落するまで黙って聞く、相槌は話を妨げる態度と否定的（藤本久司、2011）である。とは言え欧米人は「頻繁なあいづちは、日本人がコミュニケーションをとる際に不可欠な動作」と理解を示している。また東アジアの中でも相手の話の進行を助ける、話し手と共に会話を作り上げるための「あいづち」の存在は認められていない。なぜ日本人は対話時に頻繁にあいづちを打ち、話の進行を助ける意味を含むのであろうか。

日本人のコミュニケーションの特徴として「High context（文脈を読む）文化」をもち、必要なことを全て述べずに曖昧にして、あとは聞き手の解釈に委ねるというコミュニケーションをとる。もう少しわかりやすくいうと「空気を読む」、「以心伝心」という言葉の通り具体的な会話を交わさなくても相手に言いたいことは伝わるということである。このコミュニケーションを助けるのが曖昧な言語である「あいづち」である。日本人は対話時に「察してくれる」、「何も言わなくても自分のことをわかってくれる」存在を求めるわけだが、この根底には日本人の心性である甘えと依存がある(土居健郎、1971)。日本のコミュニケーション能力には意思を伝える力よりも「人の気持ちや感情を汲み取る力」が重宝されている。一方、このようなHigh contextの傾向を持つ民族は少なく、概ね、「Low context(文脈は読まない)文化」をもち、ほとんどの情報を言語化して伝達しないとコミュニケーションが成立し難い。High context文化のコミュニケーションでは共通認識は存在せず全て言葉に基づくものである。

このように日本人特有の「あいづち」の背景には「High context文化」が反映されている。しかしながら近年、「あいづち」は無意識上で用いられ、その意図とその根底にある信念については理解しているものは少ないと思われる。

このように日常生活にある文化実践のなかには各民族、国の文化が反映されているわけである。これらは普段の生活のなかでは意識されることは少ないものの、異文化接触において意識化されることがあり、異文化適応を妨げる要因となることが多い。

6.「多文化共生社会」において必要な力とは

文化を理解するにあたり日本文化と異文化を比較することで相互理解が深まることがある。この時、「比較する」という開かれた態度において広く「文化」というものを考え、現在の「日本」という場所に住む私たち自身のあり方を問い直すことが求められる。つまり「比較」においては軸が必要であり、それは自分が属する社会的カテゴリーの文化、および文化実践の根底にある価値観を理解していることが必須である。先に述べた日常生活のなかの「トイレの使い方」や「あいづち」の意味について再考することから初めてはどうだろうか。さらに、日本社会のなかには「日本人」と「外国人」という社会的カテゴリー以外にも「女性」と「男性」、「こども」と「高齢者」、「関東」と「関西」というように様々なカテゴリーがあり、それらが接触する際、何らかの「気づき」があるだろう。それを放置せず、または接触時に不快な感情を抱いたからといって摩擦を回避せず、自分なりに解釈あるいは周囲と経験を共有し解釈を試みることが重要であろう。このプロセスにおいては「正しい答え」を模索する

コラム３：文化適応を妨げる要因

（1）「あたりまえ」の危険
　海外で調査を行う際、手土産を持っていくことがありますが、その際、欧米の人々は「これ、開けてもいいかしら？」と断ったあと、すぐに手土産を開け、親交を深めようとします。イスラム圏の人々は「自宅に持って帰って開けてもいいかしら？」と言いその場で開けることはありません。日本人は概ね、お客さんが帰った後、手土産を開けることが多いのではないでしょうか。このように私たちの「あたりまえ」が、そうではなかったと感じる場面があります。医療現場においてもそのようなことは多々あります。私たちが「あたりまえ」だと思っていることは、往々にして「あたりまえではない」ことを自覚し、移住者たちに何か説明する際は「丁寧さ」を心がける必要があります。

（2）「異文化で暮らすこと」の心細さ
　日本人で頭を下げる、謝ることに抵抗を感じる人は少ないでしょう。しかしながらイスラム圏の人々が頭を下げる相手は「アッラーの神」のみです。イスラム教徒の方があるサービス業で働いていましたが、あるトラブルが起こった際、上司から「どうしてあなたはお客様に頭を下げることができないんだ」と叱咤され、同僚からは「無作法な人」とレッテルを貼られるようになりました。それ以降、彼は職場で孤立し元気がなくなっていきました。彼は「どうして日本人は宗教に対して理解が薄いのか。自分たちの習慣が理解されないことが悲しい」と言いました。結局彼は仕事を変わることになりました。文化の違いがあれば、習慣が違うのは当たり前であることは先に述べましたが、自分たちの習慣に「関心を示されないこと」、「理解されないこと」がどれほど心細く自尊心が傷つけられるかということに私たちは敏感になる必要があるのではないでしょうか。

ことを目指すのではなく、「自身の誤解」への気づき、さらには「多角的な視点」を育てることが重要となってくる。
　そして解釈において必要となってくる力が多文化対応能力、つまりCultural Competenceである。一昔前はCultural Sensitivity（文化的感受性）が大切であると言われてきたが、今は感受性だけでは受け身であり、更に「理解し対処する能力」が必要と考えられている。それがCultural Competenceという概念に変化した。TsengとStelzerは「臨床において有能であるために、すべての治療者はculturally competentでなくてはならない」と明言している。Cultural Competenceとは①文化的感受性（多様性を尊重すること）、②文化に対する知識（歴史、信仰、芸術、道徳、法律、習慣などを獲得すること）、③文化的共感性（文化実践の相違を認め、相互の関係性について考えること）、④文化的に適切な関係やかかわりあい（相手の文化実践をよく観察し、耳を傾け、相手の規範を理解すること）、⑤文化に即したガイダンス（受け入れ社会の文化実践とその意味について説明すること）が必要、の５点である（Tseng WS, Stelzer J,2004; Tseng WS,2006）。

ここで日本人と外国人のみならず、日本社会で起こっている「世代間文化差」について考えてみよう。若年層のなかでは入れ墨は身体装飾の一つとして受容されているが、近年、刺青は「ヤクザ」を連想させることが多くネガティブなイメージを持たれてきた。しかしながら本来、入れ墨は宗教的、民族的意味合いや、習慣から入れるものでもある。例えば日本のアイヌ族の女性は忍耐力と生殖能力の象徴として、体に入れ墨を施していた。さらに入れ墨には医療、アートメイクや芸術的な意味のものも存在する。このように日本社会に属する一人一人が入れ墨には多様な意味があることを知ろうとする姿勢が必要ではないだろうか。

もし、自らが馴染んできた習慣、価値観とは異なる「文化」をもつ人々に出会ったら彼らの言動を観察し、彼らの経験に耳を傾け、彼らの規範を理解することを心がけてはどうだろうか。そして自文化規範を押し付けるのではない「他文化との折衝」をしていく姿勢を持つべきである。折衝とは、互いに譲歩しつつ一致点を見出すということである。なにより、知らないことが「折衝」を難しくする。故に相手を知るのみでなく、日本民族の異文化に対する態度の根底にある「自文化中心主義[7]」を自覚すべきであろう。

７）自文化中心主義
無意識のうちに自分の文化的フィルターを通して異文化を見てしまうこと。自己の属する集団のもつ価値観を中心にして、異なった人々の集団の行動や価値観を評価しようとする見方や態度。自民族中心主義（大辞林　第３版）民族に限らず様々な社会的レベルで自己の属する内集団と自己の属さない外集団との差別を強く意識し、内集団には肯定的・服従的態度を、外集団には否定的・敵対的態度をとる精神的傾向を指す。

7. まとめ

日本社会の価値観を押し付けるばかりでは、移住者（移民・難民）と共生することは難しい。少数派に文化変容を求めるだけでなく多数派もパラダイムシフトしていくべきである。

移住者、難民らはその国に移住している期間が長くなるにつれ、新たな言語の習得と文化変容が促進されれば、受け入れ国の文化（価値観、習慣）に適応していくことが予測される。しかしながら各国、各民族において譲れない文化もあり、多数派も文化変容をしていくべきである。日本人は日常生活において幼少期より異文化接触の機会が少ないが情報社会において移住者を知るツールは多い。また教育や就労の場で知り合った移住者を通して彼らの文化について理解を深め、さらなる交流の機会にむけ彼らとの関係性のあり方を学ぶこともできる。

移住者のもつ固有の文化を受容する姿勢があれば、日本文化とハイブリットして新たな文化が生まれていくと考えられる。自らの価値観の変容を楽しむ力、レジリエンスを地域全体で育てていくことそれが「多文化共生社会」への一歩につながる。

（鵜川晃）

引用文献・参考文献

- Berry, J. W（1984）Cultural relations in plural societies: Alternatives to segregation and their sociopsychological implications. In N. Miller & M. B. Brewer（Eds.）, Groups in contact: The psychology of desegregation, FL: Academic Press., Orlando
- Canadian task force on mental health issues affecting immigrants and refugees: Review of the literature on migrant mental health. Canada, 1988
- 藤本久司（2011）「文化の類型とコミュニケーションギャップ」『人文論叢（28)』,145-155
- Miller P.J, Goodnow J.J（1995）Cultural Practices: Toward an Integration of Culture and Development. New Directions for Child Development.,67,5-16
- 波平恵美子（1993）『文化人類学　第３版』（医学書院）
- 西田司（2008）「日本人のコミュニケーション行動の特質」西田ひろ子編『グローバル社会における異文化間コミュニケーション』（風間書房）
- 野田文隆、秋山剛 監修（2016）『あなたにもできる外国人へのこころの支援』（岩崎学術出版社）
- Tseng WS, Stelzer J（2004）Cultural competence in clinical psychiatry. American Psychiatric Publishing, Washington DC
- 水谷信子（1988）「あいづち論」『日本語学,12（7)』, 4-11
- 2019年版「厚生労働省　人口動態統計」：https://www.mhlw.go.jp/toukei/list/81-1a.html
- 2019年版「法務省　出入国在留管理」：
http://www.moj.go.jp/nyuukokukanri/kouhou/nyuukokukanri06_01127.html
- スイス連邦統計局：https://www.bfs.admin.ch/bfs/en/home.html
- 総務省統計局：https://www.stat.go.jp/data/topics/topi1211.html
- UNHCR Global trends 2018 : https://www.unhcr.org/statistics/unhcrstats/5d08d7ee7/unhcr-global-trends-2018.html

第⑤章 コミュニティづくりにおける寺社・教会の役割

1．地域社会でおきていること

現在、わが国では、人口に占める高齢者（65歳以上）の割合が28.4％という超高齢社会を迎えている[1)]。一方、一人暮らし（世帯人員が１人の単独世帯）の割合は、2000年（平成12）より一貫して増加し、一人暮らしの高齢者（65歳以上の単独世帯）の割合も増加の一途をたどっている。現在、都市部においては、こういった高齢化や世帯の小規模化にくわえ、就労・就学にともなう転入・転出の増加、プライバシー意識の高まり、薄れゆく近所づきあいなどが絡み、個々人の生活はより見えづらくなっている。

一方、地方では、若い世代の人口流出などにともない、過疎化が進み、住民自治、道路や水路の管理、冠婚葬祭など共同体としての機能が急速に衰えている地域もある。住民のさらなる高齢化や世帯の減少に加え、地域内での世間体があるがゆえに、生活課題を抱え込み、複雑化してしまうケースも少なくない。

当然、同じ広域的地方公共団体（都道府県）の中にも、都市部と町村部では差があるし、大都市の中にも、高層マンションが林立し、住民の流動性が高い地域と、田園風景が広がり、高齢化が進む地域とを共に有している都市もある。

こういった、地域社会の見えない（あるいは見えにくい）精神面・身体面・社会面の複合的な生活課題に対応するために、厚生労働省は、暮らしの基本となる「住まい」、病院からかかりつけ医までを含む健康のための「医療」、安心安全の暮らしを支える「介護」、いつまでも元気でいるための「予防」、そして地域で生き生きとすごすための「生活支援」という、５つのサービスを一体的に提供できる地域づくりを目指している。そして、これを実現するために考えられたのが、地域包括ケアシステム（地域の包括的な支援・サービス提供体制）である。

１）総務省統計局https://www.stat.go.jp/data/topics/topi1211.html（2020年5月20日閲覧）

ただし、ここには、担い手(地域住民を支え、日々の見守りを担う人材)の発掘・育成、それぞれの担い手間での連携・情報共有、担い手と行政機関（市役所など）との連携など、取り組むべき課題が多いのも事実である。都市部や地方に限らず、高齢化、単独世帯化が進む中で、当事者の変化に気づいたり、生活を支えたりする生活支援・介護予防の担い手を増やすことは、暮しを支えるコミュニティの在り方を考える上でも喫緊の課題であるといってもよい。

これら生活支援や介護予防はいわば「平時」の支えであるが、平時に培われた互助機能は非常時にも機能することが多い。近年、災害被害を防ぐための「防災」だけでなく、災害被害を軽減させるための取り組みである「減災」という言葉も注目されるようになった。

内閣府が、減災のポイントのひとつに「ふだんからの地域のつながり」をあげているように、大規模災害時の救助や避難などには、日常の近所づきあいが力を発揮することが知られている。地震や水害など自然災害の多いわが国にとって、平時の支えを考えることは、非常時にも機能する安心安全なコミュニティづくりにつながる大事な視点であることがうかがえる。

そこで、本章では、地域社会の潜在的な資源として、寺社・教会の役割を可視化することで、地域包括ケアシステムの担い手、さらにはコミュニティづくりの担い手について考えてみたい。

2．コミュニティの変化

コミュニティづくりを考える前に、産業構造の変化と人口移動によってどのようにコミュニティが変化してきたかを示しておく必要がある。

国勢調査によれば、1950年（昭和25）の産業別就労人口比率は、第一次産業（農業・林業・水産業など）が48.6％、第二次産業（鉱工業・製造業・建設業など）が21.8%、第三次産業（金融、小売、サービス業、情報通信業など）が29.7%となっており、就労人口の半数近くが第一次産業に従事していることがうかがえる。しかし、その後、第一次産業の割合は、1970年（昭和45）には19.3%、1990年（平成２）には7.2%、2010年（平成22）には4.2%と一貫して大きく減少している。

第二次産業の就労人口比率は、1970年（昭和45）には34.1%、1990年（平成2）には33.5%と、高度経済成長期からバブル期にかけて30%を超えていたが、その後次第に減少し、2010年（平成22）には25.2%となっている。

一方、第三次産業は、1970年（昭和45）には46.6%、1990年（平成２）には59.4%、と一貫して増加傾向にあり、2010年（平成22）には、就労人口の７割を超える70・6%が第三次産業に就労している。

このように、第一次産業が中心だった産業構造が、第二次産業、第三次産業へとシフトしていく中で、地方の余剰人口は労働力として都市へ流入することになる。1950年代から1970年代の高度経済成長期には、若者が就職や進学のために地方から三大都市圏[2)]へ移動したことなどにより、三大都市圏での急激な人口増加が生じた。

三大都市圏では住宅の供給が追いつかず、郊外の大規模ニュータウンの開発、や宅地開発が盛んになったが、これらの新しくできたコミュニティは、地縁や血縁に支えられたゲマインシャフト的性格より、合目的的で契約的に形成されたゲゼルシャフト的性格を強く持つようになる。

さて、私たちの暮らしは「自助」「互助」「共助」「公助」という４つの力によって支えられている。

自助とは、自分で自分を助けることである。自分の力で住み慣れた地域で暮らすために、自らの健康に注意を払い介護予防活動に取り組んだり、健康維持のために検診を受けたりすることで、市場サービスを自ら購入することもここには含まれる。

互助とは、個人的な関係性を持っている人間同士が助け合い、各々が直面している生活課題をお互いが解決し合うことである。住民同士のちょっとした助け合い、自治会など地縁組織の活動、ボランティアグループによる生活支援など、インフォーマルな社会資源による自発的な支え合いがその特徴である。

共助とは、制度化された相互扶助のことである。医療や年金、さらに介護保険や社会保険制度など、被保険者による相互負担で成立する。

そして、公助とは、自助あるいは互助や共助では対応できない困窮などの問

2）三大都市圏とは、東京圏（東京都、神奈川県、千葉県、埼玉県）、名古屋圏（愛知県、岐阜県、三重県）、大阪圏(大阪府、兵庫県、京都府、奈良県)の都市圏をいう。

題に対応するため、税による公の負担で行われる生活保障制度や社会福祉制度のことである。

ゲゼルシャフト的社会では、コミュニティ内での互助機能が低下する一方、その不足を市場サービスが補完するかたちで暮らしが支えられてきた。しかし、日本社会全体で高齢化が進み、高齢者の一人暮らし世帯の増加傾向にある中で、自助の比重が大きい暮らしには限界がある。一方、少子高齢化やわが国の財政状況から、共助、公助の拡充を期待することも難しく、今後は「互助」の果たす役割を意識した取り組みが必要となってくる。

しかし、都市であれ地方であれ、年を追うごとに個々人の生活が見えづらくなっている中で、まずは生活課題を発見するための場がなければ、互助も発揮しようがない。人々が集い、交流する場は、生活課題を早期に発見する場としても役立つ。したがって、次節ではこの「集いの場」について、古くて新しい担い手を紹介する。

3．暮らしを支える古くて新しい担い手——川崎市宗教施設調査より

本節では、これからのコミュニティづくりの潜在的な担い手として期待される寺社・教会について、川崎市で実施した調査をもとに紹介する。ここでいう「古くて新しい」とは、以前から存在しているが、その役割や機能は見過ごされてきた、という意味である。

現在、厚生労働省が描く地域包括ケアシステムの生活支援・介護予防の担い手には、老人クラブや自治会・町内会、ボランティア、NPO法人などが想定されている。一方、地域に根差し、地域と共に生きてきた寺院や神社、教会などの、いわゆる宗教組織は長らく等閑視されてきた（図表１）。

しかし、欧米では、教会などの宗教組織がソーシャルサービスの担い手として古くから認識されてきた。たとえば、多民族国家であるアメリカでは、教会に限らず、シナゴーグ、モスク、寺院等はそのメンバーだけでなく、コミュニティに対する働きかけを行うことも少なくない。また、教会から派生した市民活動も盛んである。これらは総称してFBO（Faith-Based Organization）と呼ばれ、地域課題に取り組むアクターとして近年注目を集めている（Chaves & Tsitsos

図表1　地域包括ケアシステムの姿

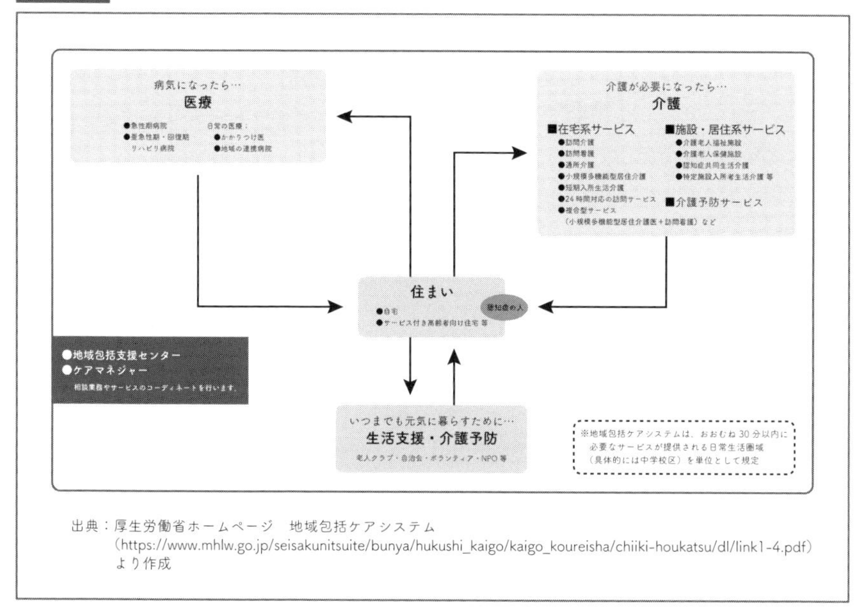

出典：厚生労働省ホームページ　地域包括ケアシステム
（https://www.mhlw.go.jp/seisakunitsuite/bunya/hukushi_kaigo/kaigo_koureisha/chiiki-houkatsu/dl/link1-4.pdf）
より作成

2001; Cnaan & Curtis 2013）。

また、日本においても、寺院や神社が地域コミュニティに必要なものとして認識されてきただけでなく（広井2009）、それ自体がコミュニティの基盤となったり、さまざまな地域レベルでの社会貢献活動を行っていたりすることも報告されている（吉野・寺沢2011; 藤本2012）。

したがって、日本においても、寺社・教会等の宗教施設は、さまざまな行事や活動を通じて人々が顔を合わせる「集いの場」となっており、生活課題や援助希求に気づく「気づきの場」ともなるだろう。実際に、2018年に川崎市で行った調査では、市内の50カ所を超える寺社・教会が地域活動に関与していることが明らかになった（髙瀬2020）。

川崎市は、神奈川県北東部に位置し、多摩川をはさんで、東京都と横浜市に隣接する政令指定都市である。人口は153万人を超え、非県庁所在地の中では最大の政令指定都市であり、平均年齢も最も若い。川崎区、幸区、中原区、高津区、宮前区、多摩区、麻生区という７つの行政区からなるが、南部は大規模な重工業地帯であるのに対し、北部にはのどかな田園風景が広がる一方、丘陵部には新興住宅地が多い。近年では、工場移転地に高層住宅の建設が相次ぐなどし、子育て世代の流入も多く、住民の多様性に富む町である。

厚生労働省が進める地域包括ケアシステムはおもに高齢者を中心に議論されてきたが、川崎市は、市民の特徴から、高齢者だけでなく、障害者、子ども、子育て中の母親などにくわえ、現時点で他者からのケアを必要としていない人々も含めた「全ての地域住民」を対象とした地域包括ケアの構築を早い時期からめざしていた[3)]。

川崎市では、2016年（平成28）4月から、「地域みまもり支援センター」の開設と合わせて、これまで業務分担制であった保健師を地域担当制に再編し、地域の課題に対して総合的に対応できる体制を構築した。また、生活課題を抱えた市民の援助希求の早期発見のため、集いの場づくりが進められてきた[4)]。

すでにこのような、行政の取り組みはあるものの、多様な住民をもれなくカバーする重層的なセーフティネットの構築を目指して、宗教施設調査を行った経緯がある。

川崎市内宗教施設394カ所を対象に行った質問紙調査（有効回収数72、有効回収率は18.2%）では、回答施設の73.6%（53カ所）が何らかの地域活動に関与していることが明らかになった（図表２）。

活動への関与は「主体的な運営」と「会場の提供」とに分けて尋ねたが、このうち「会場の提供」とは、物理的な場所を必要としている市民団体、ボランティア団体等へ活動場所を提供の有無を問う項目である。実は、直接活動を行っていなくとも、宗教施設の空きスペースを会場として貸し出しているケースも少なくない。このように、関与の在り方を含めて、寺社・教会の多様な地域活

３）川崎市健康福祉局地域包括ケア推進室『川崎市地位意包括ケアシステム推進ビジョン』（平成27年3月 ）https://www.kawasaki-chikea.jp/wp-content/uploads/2015/11/gaiyou1.pdf（2020年5月20日閲覧）

４）たとえば川崎区では「まちのえんがわプロジェクト」が促進されてきた。このプロジェクトは、平成16年の川崎区地域福祉計画策定にあたって、すでに民間有志で行われていたボランティア活動を取り込むかたちで発足した。川崎市にはそれ以前にも「老人いこいの家」や「こども文化センター」などといった市民交流促進を設立目的に含む公営サービスがいくつか存在したが、いずれもサービスの対象が限定されているため市民交流の活発化は達成されていない場合が多かった。そこで、利用者を限定せず、すべての市民が利用可能な場所を提供することで市民同士の交流を推進する本プロジェクトが立案された。

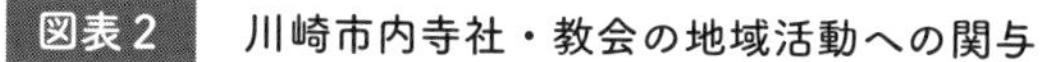
図表2　川崎市内寺社・教会の地域活動への関与

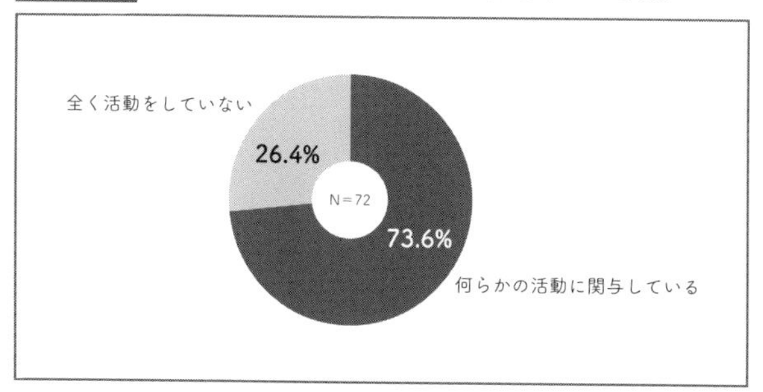

図表3　地域活動内容の内訳（宗教施設別）

	子育てサロン		子ども会 子ども食堂		学習支援		外国人支援		高齢者サロン		生涯学習		その他 （自由記述）		プログラム総数	
宗教施設 （関与施設数）	主体的な運営	会場の提供	主体的な運営	会場の提供	主体的な運営	会場の提供	主体的な運営	会場の提供	主体的な運営	会場の提供	主体的な運営	会場の提供	主体的な運営	会場の提供	主体的な運営	会場の提供
神道 （15ヵ所）	1	4	0	7	0	4	0	0	0	7	0	4	3	7	4	33
仏教 （21ヵ所）	1	3	2	3	0	1	0	0	3	5	4	4	13	8	23	24
キリスト教 （13ヵ所）	4	0	4	0	2	0	2	1	2	1	2	1	7	6	23	9
諸教 （4ヵ所）	1	0	1	0	0	0	0	0	0	1	1	0	2	0	5	1
小計	7	7	7	10	2	5	2	1	5	14	7	9	25	21	55	67
合計 （53施設）	14		17		7		3		19		16		46		122	

動を把握することは、潜在的な「集いの場」を可視化する上では必要である。

さて、地域活動の内訳を見てみると（カッコ内は実施施設数）は、高齢者サロン（19カ所）、子ども会・子ども食堂（17カ所）、社会人向け生涯学習（16カ所）、子育て・育児サロン（14カ所）、小中高生向け学習支援（7カ所）、在日外国人向け生活支援（3カ所）、その他（46カ所）となった。単純に合算するなら、川崎市内では、53の宗教施設が拠点となり、122のプログラムが実施されていることになる（図表3）。

これら、上記の地域活動を関与主体（宗教施設）ごと分類すると、以下の傾向が示された。なお、回答施設数の少なかった諸教[5]については、一般化が難しいため分析からは外している。

神社は、主体的な運営はあまり行わないが、会場の提供が多く、とくに、子育てサロン、子ども会・子ども食堂、高齢者サロンでの関与が多い。寺院は、主体的な運営および会場の提供ともに関与のかたちとして見られる。また、子育てサロン、子ども会・子ども食堂、高齢者サロン、生涯学習などに関与が多く見られた。一方、教会は、会場の提供より主体的な運営による関与が多くみられる。とくに、在日外国人支援は教会にしか見られない活動であった。

関与している活動に関して、最も多い回答を得たのが「その他」であるが、その内容は多岐にわたる。

自由記述欄に記述された活動を大きく分類すると、主体的な運営には、宗教的活動（座禅会、御詠歌講、写経会など）、文化・芸術活動（茶道、華道・生け花、音楽会など）、社会福祉活動（老人ホーム慰問、野宿者への食事提供、被災地支援など）があり、会場の提供には、自治会活動（町会活動、老人会など）、文化・芸術活動（音楽会、コーラスなど）、公的機関との連携を必要とするもの（自転車安全運転教室、災害時の指定避難所など）、専門的な支援活動（障害者就労支援、アルコール依存回復支援［AA：アルコホーリクスアノニマス］、薬物依存回復支援［NA：ナルコティクスアノニマス］など）があった。また、上記のいずれにも分類されないものとして、九条の会への会場の提供が報告されている。

これらをあわせて分析すると、宗教施設ごとに以下の特徴が浮かび上がってくる。

神社では、自治会活動へ会場の提供を行う傾向にあった。実際に、地域を踏査するとよくわかるが、神社境内には社務所と一体化するかたちで町内会館が建てられているケースも少なくない（図表４）。

また、神職の常駐しない兼務社も多く、その場合の施設管理は自治会や町内会が行っていることが多い。本来、町内会の役員は、神社の崇敬会と別組織であるが、実際には町内会の役員を務める人は、昔から地域に住んでいる人が多く、結果として神社の氏子総代等を務めている場合がある。神社の祭礼が町内

5）諸教とは、天理教や円応教など、寺院や神社、教会に含まれない宗教施設を指す。

図表４　**神社境内に併設された町会会館**

（著者撮影）

会の役員によって支えられていることも少なくない。したがって、その施設と地域とが密接な関係を有しているため、地域住民の活動の拠点になっていると考えられる。

寺院の「その他」の地域活動には、主体的に運営しているものとして、法話会、坐禅会、写経会、落語会、茶道などがあげられた。一方、会場の提供として、音楽会（コンサート）、和太鼓の練習、町内会活動、障害者就労支援活動などの回答がみられた。先ほどの分類に照らし合わせると、宗教色の強いものや、文化・芸術活動に多く関与していることがわかる。しかし、坐禅や写経は宗教行為としてよりも、精神修養として認識されている場合も多く、檀信徒以外の参加もあることが推測される。

また、寺院は地域での認知度も高く、集いの場としては機能しやすい。行政と連携して、寺院で認知症の予防、支援に関する講座を開講したところ、予想を超える人が集まったという事例もあり、集いの場としての潜在能力は高い（図表５）。

教会の地域活動の特徴の一つに、外国人、野宿者、依存症者などのマイノリティとの接点をもつことがあげられる。外国人、野宿者、アルコールや薬物などの依存症に苦しむ人は、地域社会から排除されやすい。その点からすれば、社会の周縁に追いやられ、生きづらさを抱える人たちを積極的に包摂する場と

図表5　寺院で開催された認知症サポーター養成講座

（著者撮影）

しての教会の活動は極めて重要である。

このうち、外国人支援に関していえば、信徒の国際化による生活課題の顕在化と、その対応経験（介入のノウハウ）の蓄積がなされているためであると考えられる。とりわけ、川崎市のような国際化が進んでいる都市では、在留外国人人口も多く、教会に外国籍の聖職者がいるだけでなく、英語でのミサを行っていることもある。こうした教会では、在留外国人が信徒として教会内にコミュニティを形成していることもあり、在留年数の長い信徒が来日間もない外国人の相談役となり、日本社会への適応への手助けを行っている事例もある。地域社会での寺社・教会の役割をあらためて見直してみると、コミュニティづくりを考える上でも、重要な地域資源であることがわかるだろう。

4．縁日を介したコミュニティづくりの例――文京区 光源寺

前節では、寺社・教会が、それぞれの特徴を持った地域活動を展開していること、そしてそれは「集いの場」として、生活課題を発見するだけでなく、コミュニティの互助機能を高める役割を果たす可能性があることを示した。しかし、これは一部の地域に限られた話ではない。寺社・教会は日本各地に遍在し、人々が集う場となっている。そこで、本節では、東京都文京区にある光源寺の

図表６　観音堂の前に並ぶ屋台

（著者撮影）

事例を通じて、そこでの「縁日」が具体的にどのようにコミュニティづくりに寄与しているかを明らかにする。

東京都文京区にある光源寺は、近所の人たちから「駒込大観音」の名で知られている。この寺院では、毎年7月9日～10日、四万六千日参詣したのと同じだけの功徳のある観音様の縁日にあわせ､「ほおずき千成り市」を開催している。

縁日の境内には、あめ細工、ちぎり絵うちわ、タイカレー、焼きそば、蓮の実甘納豆など､定番モノから変わり種まで実にバラエティに富む屋台が並ぶが、これらを切り盛りするのは、近隣に住む主婦や会社員、学生などで、露天商のようないわゆる「屋台のプロ」ではない（図表６）。

また、観音堂脇の特設ステージでは、消防団による救急救命講座、地元有志による太鼓演奏、インドネシアの音楽・ガムラン演奏、スウィングジャズなども催される。

ここに集う人々は一見何のつながりもないように思えるが、ステージに上がる人だけではなく、屋台の出店者も、台東区谷中から文京区の根津、千駄木に至る「谷根千」地域にゆかりのある人で構成されている。ここでいう「ゆかり」とは､〈現在住んでいる〉〈以前住んでいた〉〈通勤している〉〈通学している〉〈友達がいる〉など、地域住民だけに限定しないゆるやかなつながりである。

光源寺のほおずき千成り市の歴史は古く、史料を紐解くと明治期から行われていたことがわかっている。最盛期には境内外の通り沿いにも屋台が連なるほどの賑わいであったが、少子化の影響で2000年には、ほおずき屋すらなくなってしまった。

実は、文京区の総人口は、1963年（昭和38）の25万3,336人をピークに、翌年から減少に転じ、1998年（平成10）には、16万5,864人まで減少した。この人口減少によって、子どもの人口も減り、露天商が出店を見合わせてしまったというわけだ。

そこで、光源寺の寺庭[6]・島田富士子さんらが中心となって、2001年から手作りの縁日が始まった。屋台は年々増加し、今では、縁日を支えるボランティアスタッフは老若男女60人にも及んでいる。

縁日の出店者は、毎年２月の立ち上げ会から始まり、６月には出店者の顔合わせ、１週間前からはテント設営、電線張りと連日のように参加者同士が寺院に集まる。縁日終了後、９月には反省会を行い、来年に向けて改善点をみんなで話し合う。たった２日間の縁日だが、この日に向けた準備は、およそ８か月間にも及ぶ。

現在、文京区の人口は22万人を超える（2019年1月時点で22万1,489人）。ほおずき千成り市から露天商が姿を消した頃から比べれば、人口は５万人以上増加していることになる。

この背景には、行政の施策も絡んでいる。文京区は住宅政策を見直し、ファミリー層を呼び込むため子育て世代の居住支援を推進した。結果、住宅の高層化が進み、人口が増加した。しかし、その一方で、以前から地域に住む旧住民と新しく転入してきた新住民の交流という新たな課題も生じている。実は、このほおずき千成り市は、たんに地域活性化だけでなく、地域住民の交流促進にも寄与している。

ほおずき千成り市のボランティアスタッフには、「この縁日に参加してから、町を歩いていても声をかけられることが増えた。こっちに引っ越してきてからもすんなり馴染めた」と話す人もいる。縁日での交流が、居住歴の長短を問わずに地域住民が互いを知り、挨拶できる関係性の構築に貢献しているのである。

６）住職の配偶者。

新住民にとって、古参の旧住民が中心にいる地縁組織への参加は、心理的ハードルが高い。しかし、光源寺のほおずき千成り市は、縁日といういわば合目的的なつながりによって地域と接点を設けることで、ゲゼルシャフト的社会からゲマインシャフト的コミュニティへゆるくつながることを可能にしている。

本章の冒頭でも述べたように、地域に住む者同士が互いの顔を知っているというのは非常時にも心強い。光源寺では、東日本大震災後、縁日で培われた技術と設備ですぐさま「光源寺隊」を結成し、避難所で温かい食事を提供したり、がれき撤去に向かったりと、いち早く被災地支援を行った。その主体となったのは縁日を通じて知り合った人たちである。おそらく、東京で大きな自然災害があったときも、縁日を通じて培われた顔見知りの関係性と設営や調理の技術によって、地域の互助機能が発揮されるだろう。

文京区本駒込では、観音様の縁日という寺院行事を核とした地域のつながりがこのように生み出されている。もちろん、このコミュニティは勝手にできたものではない、寺院と地域住民とが工夫を凝らし、協働してきたからこそ築くことができたものである。この事例からもわかるように、地域における寺社・教会の潜在的機能に目を向け、それを生かすことでコミュニティづくりが上手くいくこともある。

5．まとめ

本章では、コミュニティづくりにおける潜在的資源として寺社・教会の役割を紹介した。以下に、簡単に振り返り、本章のまとめとしたい。

現在、私たちは生活課題を抱えた人々が見えづらい社会で生活している。産業構造の変化にともない都市部への人口流入が進むと、それによってコミュニティの在り方に変化が生じた。ゲゼルシャフト的社会では、住民同士の助け合い、自治会など地縁組織の活動、ボランティアグループによる生活支援など、インフォーマルな社会資源による互助機能が低下する一方、その不足を市場サービスが補完するかたちで暮らしが支えられてきた。

しかし、人口に占める高齢者（65歳以上）の割合が28.4％と、超高齢社会を迎え、高齢者の一人暮らし世帯の増加傾向にある中で、自助の比重が大きい暮らしには立ち行かなくなっていく恐れがある。共助や公助の拡充にも限界がある中、今後は互助をどのように機能させるかを意識したコミュニティづくりが必要となってくる。

現在、地域社会では人々の援助希求を発見し、適切な支援につなげる「集いの場」づくりが進められているが、その担い手として宗教施設にはあまり目が向けられてこなかった。

しかし、川崎市で行った調査では、少なくとも53カ所の宗教施設を拠点に、122のプログラム地域活動の場が形成されていることが明らかになった。また、神社、寺院、教会の地域活動にはそれぞれ特徴があることもわかった。

このような既存の「集いの場」を可視化し、ネットワーク化することで、行政も拠点づくりの支援ではなく、拠点を活用したケアシステムの運用へより多くの資源を割くことができるようになるだろう。したがって、コミュニティづくりには、地域の寺社・教会を取り込んだ視点も必要となってくる。

さらに、文京区の光源寺の縁日の事例では、寺院の「集いの場」がもたらす機能について具体的に紹介した。8か月間にもおよぶ準備を通じて、地域に縁のある人たちは互いに顔見知りの関係性を構築していく。とりわけ、新住民にとっては、地域とつながるよいきっかけとなっている。寺院が人と人とをつなぐコミュニティの核として機能している格好の事例であるといえるだろう。

以上のように、本章では、暮らしを支える古くて新しい担い手として、これまで埋もれてきた寺社・教会の社会的機能に焦点を当て、その特徴を生かしたコミュニティづくりができないかという提案をしてきた。しかし、これは宗教施設だけに頼ったコミュニティづくりを推奨しているわけではない。寺社・教会以外にも地域社会には見過ごされてきた社会資源があることは想像に難くない。

したがって、コミュニティづくりにはまずその地域にどのような資源があるか、どのような活動がされているのかを把握することが重要になってくるだろう。一方、寺社・教会の地域活動をはじめ、多くの集いの場は、専門支援に特化した場ではないということも抑えておく必要がある。必要に応じて行政や専門機関の支援へつなぐことができるよう、集いの場を含めた多機関ネットワークを構築することで、援助希求に対応するセーフティネットとしても機能することが期待される。

多様な人々が暮らす現代社会では、当然、多様なセーフティネットがあった方がよい。本章は、寺社・教会の集いの場が、その一つになりうることを示したものである。多様な担い手によって、重層的にセーフティネットが張りめぐらされることで、孤独や無縁状態にある人を少なくし、誰にとっても安心安全なコミュニティが構築されるものと信じている。

（髙瀬顕功）

参考文献

- 大正大学地域構想研究所BSR推進センター（2016）（『地域寺院』第３号 p2-p5）
- 髙瀬顕功（2020）「地域資源としての寺社・教会の可能性―川崎市宗教施設調査より―」（『コミュニティソーシャルワーク』25号 p69-p80）
- 広井良典（2009）『コミュニティを問いなおす―つながり・都市・日本社会の未来』（筑摩書房）
- 藤本頼生（2012）「地域社会と神社」（大谷栄一・藤本頼生編『地域社会をつくる宗教』明石書店 p44-p68）
- 吉野航一・寺沢重法（2011）「地域社会における『宗教の社会貢献活動』―札幌市の宗教施設を事例に」（稲場圭信・櫻井義秀編『社会貢献する宗教』世界思想社 p160-p181）
- 保井美樹（2019）『孤立する都市、つながる街』（日本経済新聞出版社）
- Chaves, Mark. and Tsitsos, William.（2001）“Congregations and Social Services: What they Do, How They Do IT, and With Whom,”（*Nonprofit and Voluntary Sector Quarterly*, 30（4）: p660-p683）
- Cnaan, Ram A. & Curtis, Daniel W.（2013）“Religious Congregations as Voluntary Associations: An Overview,”（*Nonprofit and Voluntary Sector Quarterly*, 42（1）: p7-p33）

第⑥章 公共政策とメディア
——地域情報化政策における協働の在り方

1．はじめに

本章では、主題を以下の流れで解説していきたいと考えている。国、自治体はもとより多様な市民セクターも参加して、メディア(多様なコミュニケーションの伝達媒体)を地域創生に利用しようとする政策が進められている。しかし、政策全般が官主体で行うというトップダウン型の認識を持つのは危険である。むしろ市民主体でどのように政策に昇華していくのかを考えていく、言い換えればまちづくりの考え方そのものを問うことが重要になる。

公共政策（英: public policy）とは何か。一言で言えば「公共的問題を解決するための、解決方向性と具体的な手段」のことであり、公共的問題とは「社会で解決すべきと認識された問題」のことである。従って政策課題となる[1)]。本来は民間部門だけでは解決できない、市民の生活のすべての領域に関わる「公共」的な課題に対して政府や地方自治体等の公的セクターが中心となり、施策を遂行することである。従ってメディアとの関連で言えば「地域情報化政策」とはすなわち、情報化を地域創生に活用する政策がこれに当たる。今この時代に、なぜ「地域情報化」なのかを様々な事例や学説を通して考えていく。

具体的にはコミュニティ・メディアと呼ばれている地域メディアの実態を通して公共セクター、地域コミュニティ、市民が地域創生に向けてどのように協働すべきなのか、且つ政策的なスタンスでメディアをどのように捉えるべきか。「公共」の定義と併せて、さまざまな知見を基に多様に考察していきたい。

2．地域創生の考え方

地域創生という言葉を頻繁に耳にするが、地域と地方の定義の違いを考える

1）秋吉貴雄・伊藤修一郎・北山俊哉著（2010）pp26

ことは重要である[2)]。定義は議論を進めるうえで都度定める必要がある。従って本論を進めるにあたり以下のように考えている。歴史的には中央集権体制の時代から行政用語として「地方」を中央から離れた周縁地域、中央に属するもの、つまり中央に対して劣位の存在として位置づけられた。従って東京以外の大多数の「地域」が置かれた状況を「地方」という言葉で表している。しかし本論では、行政用語の縛りから離れ「地方」を「中央から離れた地理的な周縁」とし、「地域」を「局所的な地理範囲」と捉える。そこを前提に「地域創生とは何か」を考えてみたい。

２－１．地域課題への取り組み方

これまで本務校で行われてきた地域実習を振り返ると、我々には地域を活性化する意味の中に「中央（東京）視点」で地方・地域を訪れ、課題を見つけて提案・提起を行うことでミッションが完了する、というような発想があることは否定できない。一般的にそういう考え方が実際に存在することは確かである。しかし本当にこの前提通りに議論を進めてよいであろうか。

ここで考え方の差異について検証してみる。中央（東京）視点という考え方は、最初から地域は疲弊しているものという前提に立った思い込みがある。実際に地方の方々とお会いすると、自分たちなりに地域で豊かに暮らしていると言われることが多い。では真の豊かさをどう捉えるべきか。答えは単純ではないが、経済的・物質的に満たされることだけが豊かさではないはずである。当然、外部から「何かを持ってくる」あるいは「何かをやってあげる」という短絡的な発想は危険であり、例えばすぐにイベントを仕掛ける、新たな商品開発を行う等の、無責任な「こうしたら」「ああしたら」提案があまりに多いのではないであろうか。端的に申せば、外からの押しつけの地域創生（余計なお世話）になっていないであろうか。本当にその地域が「このままではだめなのか」「どこまで疲弊しているのか」「外に向けてどんな支援を求めているのか」を正しく検証しているかに関しては疑問が多い。そもそも「なぜ外の人にそこまで言われなければならないのか」という地方・地域の人たちの声にも耳を傾ける

２）本定義は、丸田一 國領二郎 公文俊平 編著(2006) pp4-5より参照している。

図表1　地域課題の検証ポイント

世代間の意識のギャップ	若い人は物質やお金を求めて地域を離れていくものである、という年配者の決めつけがあるのではないか。これは地域における教育や雇用の問題と関連する。
移住者と既存住民との意識の差異	移住を促進する半面、新たに移り住んでくる人たちと既存住民との間に環境意識の違いや意見の相違があり確執につながるケースも散見される。
全て観光に結び付けることへの危険	自治体には限らないが、政策的に地域創生（活性化）のための具体策として地域資源を観光に結び付ける際に、観光客を呼び込むことが安易に推進されてはいないか。
地域行政側と住民との意識の差異	観光化政策にも見られるが、行政判断で外部や国からの活性化や援助を求めることに対する両者の議論が不足しているのではないか。地域住民との話し合いや合意形成はどこまで進んでいるかを検証すべきである。

べきである。では実際に、地域の中で耳にする地域課題意識にはどのようなものがあるであろうか[3)]。図表1は実際に地域実習で伺った例である。

2－2．これから目指す地域創生とは

以下に3点の課題提起を行った。

(1) 豊かさの定義を明確にする

これは、地域に限ったことではないが、どんどん稼いで豊かな暮らしをする、という都会型の発想が見受けられる。一方で身の丈（三食食べられて、周囲と調和し、足りないものはお互いに補いあって、自然を大切にして、子供が不安なく育まれ、時間にも余裕があること）が一番であるという発想もある。これはどちらが正しい、間違っていると決めつけられるものではなく、このような視点で比較して豊かさについて考えてみることが重要である。

(2) 求められている「もの」を明確にする

我々が地域に提案を行うとすれば何が、どこまで、どれほど求められているのかという深い考察が必要である。地域の人たちが我々に求めているもの

3）北郷（2020）「第11章 地域メディア論から概括した「地域創生」とは」:大正大学地域創生学部（2020）pp163-178、図表1はここの記述より作成した。

は「自分たちが愛するこのまちを外の人たちにも知ってもらいたい、好きになってもらいたい、という想いの共有」ではないであろうか。そして、その地域を深く理解したうえで地域にあるもの（地域資源）を活かす発想が求められるのではないか。すなわち、一緒にやろう（協働）、続けよう（サスティナブル）であり、ひたすら利潤を追求する大量販売、大量消費を目指す活性化の対極にある考え方である。

(3) 求めている「ひと」を明確にする

先にも述べたが、地域において若者と年配者、そして住民と行政（自治体）の考え方に差異はないであろうか。確かに若い人は一般的に、都会や物質的豊かさに憧れやすく、未知なる外の世界に向かう傾向はあり、年配者はUターンされた方々も含め、様々な経験から現在の身の丈を好むが、分相応ということは決して消極的なあきらめという意味ではない。地域住民の多くは地域内の豊かさを地域資源の循環に求めていたにも拘らず、過去には行政や自治体の多くが国の補助金や外部資源に依存した経済活性（企業誘致による雇用創出や大型店の誘致を積極的に認める発想）に向かっていた。このことは、結果的に地域課題となっているシャッター通りの増加や、頓挫した雇用計画、大手企業や店舗の撤退と決して無関係ではないはずである。

以上の（1）～（3）のバランスをどう取るべきかが重要である。

この答えを今後も考え続けることがこれからの地域創生の鍵になり、且つ公共政策の意味を考えることにつながる。そうして初めて地域内のコミュニケーションを豊かにする、活性化するための「メディア」及び「地域情報化政策」の意味や役割が明確になる。

２－３．公共（性）とは何か

大きく分類すると図表2に示す通り三つの概念が考えられる[4)]。

この「open」にある公共的な空間とは何か。一言で言えば、人間の生活の中で、

4）齋藤純一（2000）ⅹⅲ-ⅹⅳ及び山脇直司（2004）

図表2　公共の複数概念

official	政府や国、公的機関つまり「上」から与えられる公共（official）のことであり、言い換えれば公務員が行う活動が帯びるべき性質のものである。例として公共事業や公共投資のように使われる。
common	一般の人々に関わる社会の共有資源（common）のことであり、参加者、構成員が共有する利害が帯びる性質を指す。例として公共の福祉や公益という使い方である。
open	誰もがアクセスすることを拒まれない空間や情報（open）という公開の概念であり、公共的なものが担保しなくてはいけない性質を持つ。例えば、公的空間や公共圏という使われ方である。

出典：斎藤純一（2000）viii～ixより図表化

図表3　公共空間の性質

平等性	社会的地位を意識せず誰もが議論参加できる空間のことであり、その空間は平等であるか？　という問いになる。
自律性	権威や権力に縛られずに自らコントロール機能を持つ空間のことであり、その空間は自律的か？　という問いになる。
公開性	全ての人に議論の場が開かれている空間のことであり、その空間はオープン（透明）か？　という問いになる。

出典：細谷貞雄・山田正行訳『公共性の構造転換』（1973-2004）より図表化

他人や社会と相互に関わりあいを持つ時間や空間のことである。また市民社会そのものともいえる。この空間はオープンであり、誰もが参加可能な、そして市民が自らコントロールできる場のことである。この公共空間の性質は図表3に示される[5)]。これらの問いを軸に議論していきたい。

2－4．地域創生と公共政策

現在、政府や国、自治体を中心に地域創生に向けた政策は多くある。ただし官主体で行うトップダウン型の認識を持つ、つまり市民が受け身に甘んじるものと考えるのは早計である。宮本（1998）は、これからの公共政策の主体（担い手）は多様化し、自治体のみならず第3セクター、協働組合、NPOやNGOなども含まれる、と言っている。また、「これまでの政策過程論のように、官僚と政治のタクティクとして、密室の政策形成ではなく、住民の世論と運動によ

5）細谷貞雄・山田正行訳（1973-2004）より

図表４　情報化の定義

「プラットフォーム形成」	人々の協働の場として、様々な問題解決の場面で設計、構築、運用されるプラットフォームを形成するプロセスのこと。
「イメージの実体化」	ある帰属、準拠集団に関する共通イメージを構築し、そのイメージを既存集団へ重ね合わせることで、集団を実体化するとともに、成員たちのアイデンティティを対内的に確立し、対外的に提示するプロセスのこと。
「情報技術による地域振興」	通信インフラ整備やアプリケーションを活用した地域振興のこと。

出典：丸田一・國領二郎・公文俊平 編著（2006）pp9 より図表化

る政策形成を中心課題」とすべきであると述べている[6)]。従って、公共政策を推し進めるためには、市民が自律意識を持ち、制度や仕組みづくりを含めて議論参加していくことが必要である。言い換えれば地域創生（まちづくり）への取り組み方そのものが問われることになる。

３．地域情報化政策の考え方

ここまでの流れに沿って地域情報化政策について検証する。定義は「メディアを地域開発に利用しようとする政策の総称」である。より具体的に言えば、各地域に情報メディアや情報通信システムを導入することで、その地域を活性化したり、利便性を高めたりする政策のことである。その目的は①地域情報の地域外発信　②防災対策　③行政広報　④保健医療・福祉対策の強化　⑤行政サービスの向上　⑥地域産業の活性化、とされている。

公文俊平の分析によると「情報化」は図表４の３つの定義とされる[7)]。

ここで丸田（2006）は「情報技術による地域振興」の定義を除外して論を進めている。実はこれこそ国が推進してきた地域情報化政策を言い表しており、後述するが中村・瀧口（2006）は「（結果として）必ずしも成功しているとはいえない取り組み」と総括している。図表５は、2000年に国土交通省が行った、「自立した魅力ある地域づくりのために必要だと思われる情報に関連した施策」への質問のひとつ、「IT化の進展を自立した魅力ある地域づくりにつなげるた

６）タクティク（Taktik独）とは戦術のことである。
７）丸田一 國領二郎 公文俊平 編著(2006）pp8

図表5　国土交通省アンケート（2000年）

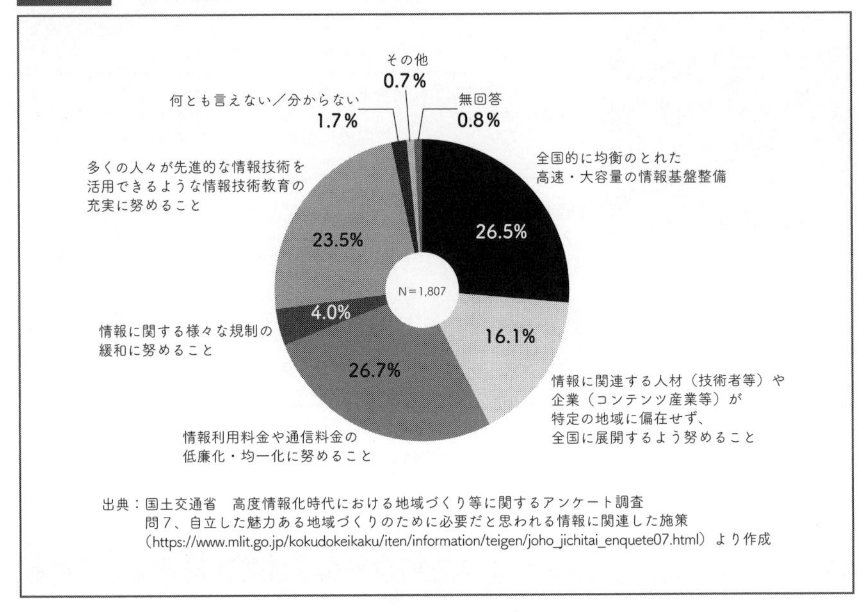

出典：国土交通省　高度情報化時代における地域づくり等に関するアンケート調査
問7、自立した魅力ある地域づくりのために必要だと思われる情報に関連した施策
（https://www.mlit.go.jp/kokudokeikaku/iten/information/teigen/joho_jichitai_enquete07.html）より作成

めには、今後概ね10数年の間、情報に関連してどのような施策を並行して進める必要があるか」への回答結果である[8)]。

「全国的に均衡のとれた高速・大容量の情報基盤整備（26.5%）」、「情報利用料金や通信料金の低廉化、均一化（26.7%）」、「情報技術教育の充実（23.5%）」の３施策がほぼ同様の割合で高い。この時点では国だけではなく、自治体もインフラ整備こそが地域の情報化という認識が強かったことが見て取れる。

３－１．地域情報化の歴史と事例

それではここから、具体的に国が推進してきた「地域情報化政策」の潮流と幾つかの施策モデルから考えてみる。図表６は地域情報化政策の歴史と具体的事例の一部である。ただし現在も継続している事業は少ない。

8）2000年全国の都道府県知事及び市町村長の個人的な意見を把握するため、全知事・市町村長宛にアンケート票を郵送した「高度情報化時代における地域づくり等に関するアンケート調査　発送数 3,281通　回収数 1,807通（回収率 55.1%）」である。https://www.mlit.go.jp/kokudokeikaku/iten/information/teigen/joho_jichitai_enquete07.html

図表6　地域情報化政策 概要の推移

年代	政策概要	事例
1980年代	・郵政省（現総務省）の「テレトピア」構想：ケーブルテレビ、データ通信、コミュニティ放送等の情報通信メディアを活用して、地域の情報化を促進し、地域社会の活性化を図ることを目的とした。 ・通産省（現経済産業省）の「ニューメディア・コミュニティ」構想：地域間の情報化格差を是正するとともに、地域の情報化を通じて活力ある地域社会を創造する。地域コミュニティの産業、社会、生活の各分野におけるニーズに即応する情報システムの構築を国、地方自治体、民間の密接な協力の下、高度情報化社会の円滑な実現に寄与する。	■北海道釧路市：生涯学習センターの5階への120インチのハイビジョン・シアターの導入事業。扱える職員の異動と故障以降未使用。 ■山形県鶴岡市：コミュニティ・プラザにハイビジョン・システム、出羽庄内国際村にハイビジョンテレビを導入したが99年3月で契約打切り。 ■東京都町田市：町田市立国際版画美術館にハイビジョン・システムを導入。現在では稼働日数にすると殆ど使われていない。
1990年代前半	・自治省（現総務省）の「リーディング・プロジェクト」：①地域情報化対策　②健やかな地域社会づくり　③自然とのふれあい里づくり　④地域間交流　これらに沿ってモデル指定地域が生まれた。	■宮城県仙台市：「仙台テレポート構想」で地域指定を得る。そこに在京コンサルティング会社が関与。「テレポートセンター」「テレポートプラザ」設立後、現在は地元の公共フロアに一部部分的に残る。 ■兵庫県五色町：「五色町CATV総合情報ネットワークシステム」で地域指定を得る。双方向在宅医療、在宅介護を視野に入れたシステムであったが、結果的に赤字事業。
1990年代後半	・広域のインフラ整備が増加した時期である。インターネット（このころから一般に普及）やマルチメディア関連のものが増えた。 ・光ファイバーの整備、各自治体のHPが盛んに作られた。 ・国や地方自治体、第3セクター以外の大企業が地域情報化に乗り出してきた。	■北海道西興部村：「IT夢（あとむ）」を西興部村の情報発信基地として設立。難視聴対策のCATV事業と併せられ、現在は全戸に光ファイバーシステムが整備。高齢者福祉システムの使用頻度は殆ど無い。高齢化などハードが使えない住人が多くIT指導員が補助。 ■長野県川上村：農村型CATVの機器更新と「レタスネット」の整備に予算が付いた。レタスネットは「気象情報」と「市況情報」のシステムにより全国卸売市場の情報が入り出荷調整が可能となった。
2000年代	・e-JAPAN戦略：5年以内に日本を最先端のIT国家にすると掲げる。 ・電子自治体、電子政府の誕生。 ・u-JAPAN戦略：ユビキタスネット社会の実現。 ・平成の大合併により「広域的地域情報通信ネットワーク」の整備が始まる。 ・過疎地域や離島まで光ファイバーを整備する。 ・ITビジネスモデル地区構想による地域経済の活性化。	■北海道千歳市：「地域e-コミュニティシステム構築事業」として2004年にHP開設。「web教材」「生涯学習情報」「バーチャルモール」等を作ったが核となる「電子会議室」は運用されていない。 ■群馬県伊勢崎市：住民から「IT記者」を募り地元の情報を取材、公民館HPで発信する活動を行ったが終息したようである。

出典：田畑暁生（2005）pp10-30より図表化

そして、現在では総務省が進めているICT（IOT）の利活用による地域の活性化施策に収斂されてきた。総務省のICT地域活性化ポータルでは現在も多くの施策が生まれている[9)]。毎年ICT地域活性化事例100選を選出し事業としての

9）総務省ICT地域活性化ポータル
https://www.soumu.go.jp/main_sosiki/joho_tsusin/top/local_support/ict/index.html

活性化は継続しているようである。この中から持続的な地域活性が進む地域が多く輩出することを期待したい。主だったものを列記すると、「自治体AI共同開発推進事業に係る提案」の公募、「データ利活用型スマートシティ推進事業」に係る提案の公募、「地域情報化アドバイザー」派遣申請の受付開始、「情報通信技術利活用事業費補助金（地域IoT実装・共同利用推進事業）」に係る提案の公募等が掲載されており募集が続いている。また、これらを推進するために、「ICT地域活性化サポートデスク」を開設し、地域活性化に関する地方公共団体からの問合せに一元的に対応している。

3－2．地域情報化の現状認識と課題

ここで、これらの政策が本当に地域（市民、住民）のために運営されてきたものなのか検証が必要である。特に、1980年～2000年にかけては「地域創生」「まちづくり」に好結果を出したものが少ないように思える。ではそれを阻害した理由は何であろう。これは後段にも続くひとつの仮説ではあるが「国から地方自治体への一方的なトップダウン」型が多く、地域住民・市民の総意や希望が反映されないまま進められた結果ではないであろうか。また市民側もこれらの政策に甘んじて受け身で捉えてきたのではないであろうか。結果的に大手企業や外部コンサルタント等、一部の者への利益優先になっている部分もあったのではないであろうか。そこで中村・瀧口（2006）の「既存の地域情報政策に見られる課題」の中から７項目を記してみたい[10)]。

①テレトピア構想やニューメディア・コミュニティ構想では、例示されてるシステムも含め双方とも似通っている。

②「モデル地域」を指定することでおこなわれた地域情報化政策が、ニュー・メディアや情報システムの普及のための社会実験を主体とするのか、地域振興を主体にするのか曖昧なまま進められた。

③「モデル地域」で計画された情報システムは総じて予算的にも大規模であったにも関わらず、地域での具体的な需要予測が見通せぬまま行われ

10）丸田一・國領二郎・公文俊平 編著（2006）pp48-52

てきた。結果、自治体の多くは導入後の「コスト高」を「地域情報化推進上の課題」に挙げている。

④国の財政的な支援がハードウェア関連に対してのみ行われる傾向にある。結果的に多くの施策は短期間で陳腐化しハードが倉庫内に眠るケースも起きている。

⑤地域情報化政策は、戦後復興期や高度経済成長期に見られた特定産業の振興という絞り込まれた産業政策や地域政策とは異なり「地域活性化」という曖昧な（抽象的な）政策目標は見えにくい。従って、情報システムの導入が「目的化」してしまう結果を招いた。

⑥情報システムの構築運用にあたり十分に法的制度的課題や商慣行等の課題が解決できていない。

⑦地域情報化政策は先述した運用の歴史が示すように、歴史的に縦割り行政の中で個々に立案され進められてきた。従って各省庁の情報化政策は多くの類似点を持っている。具体的には旧郵政省、旧通産省、旧自治省、国交省、総務省等現在でも縦割り行政の相互調整は進んではいない。

このように中村・瀧口（2006）は、我が国の地域情報化政策を、「必ずしも成功しているとは言えない取り組み」と総括している。それでも長い間、「地域情報化政策と呼ばれる政策が立案され、実行されてきた事実は重い」とも述べている。國領・飯森（2007）は地域情報化を「地域の人々が自らの手で、より暮らしやすい地域づくりを進められる情報基盤を整えること」と捉えている[11)]。また、「これまでの自治体による行政サービスのオンライン化や、通信会社やテレビ局による地域デジタルインフラ整備をもって地域情報化ととらえる」ことに批判的である。また地域に根づいて活動しているプロジェクトの情報をどのように内外に発信していくかは現在も課題である。さらにビジネスモデルとしての構築の難しさも挙げている。

11）國領二郎・飯盛義徳（2007）pp9

3－3．「情報化」の再定義と地域情報化

このような課題の延長上で、図表4にある「イメージの実体化」や「プラットフォーム形成」という情報化定義を公文俊平はメタな情報化定義に昇華している。すなわち「アクティビズムの発揮」という行動主体が加えられ、その再定義が以下のように述べられている[12)]。

「情報化とは、情報技術でエンパワーされた主体の能動性と、情報技術で強化された場の創発性によって、協働型社会が形成されるプロセス」

これは情報技術により知的にエンパワーされた個人が、良好な関係を築くことが可能な他者（仲間）を見つけ、共通の目的を達成するための協働の場であるプラットフォームを設計し集団としてのイメージを実体化する行為である。そして、「競争化社会」に代わる「協働型社会」を形成するプロセスを「情報化」と再定義している。

これを受けて、「地域情報化」の定義を改めて以下のように考える。

「地域情報化とは、地域で住民等が進める情報化、地域が進める情報化の総称であり、情報技術で知的にエンパワーされた住民等が、地域においてアクティビズムを発揮し、プラットフォームの設計やイメージの実体化などによって、協働型社会を設計するプロセス」

一言で言えば、住民主体で進める「情報化」のことである。

これまで「知的にエンパワーされた個人」が地域情報化政策の流れの中には浮上してこなかった。官主体のインフラ整備における地域情報化、しかもハードの供給に伴うシステム構築にばかり注目が集まっていた。従って、プロジェクトを推進する主体である人財の育成がこれからの鍵になる。國領・飯森（2007）は以下のように「求められる地域情報化人財像」を提示している[13)]。

12）丸田一・國領二郎・公文俊平 編著（2006）pp12-13
13）國領二郎・飯盛義徳（2007）pp225

- ●「官」と「民」の立場を超えた「公」の立場からの「コーディネーター的役割」を果たす人財
- ●複数の地域を渡り歩くことで「伝道師的役割」を果たす人財
- ●町内会、自治会、市民サークル等の情報化を支える「地域の世話人的役割」を果たす人財
- ●退職する世代の新たな生きがいモデルとなり、非金銭的インセンティブにも支えられた「やりがい的性格」を持つ人財

このような人財が地域情報化には不可欠であると述べている。言い換えれば、地域情報化のためのソーシャル・アントレプレナー育成が今後の課題である。

４．メディアについての考え方

この節では「地域情報化の主役」となるメディアの意味を考えてみる。

メディアとは何か。一般的にメディアは、新聞・雑誌・テレビ・ラジオ等のマス・コミュニケーション（４大媒体）のことを示す。近年ではインターネットを介した様々なサイトも含まれる。インターネット・インフラそのものをメディアと呼ぶことも多い。Media（英）とはMediumの複数形で「中間」にあるものを意味し「媒体」と訳されるが、その機能はコミュニケーション、及び情報を繋（つな）ぐものである。この「つなぐ」ことが実はとても重要な意味を持つことになる。特に上記の４大媒体はマス・メディアと呼ばれる。国民全般（マス）を対象としたコミュニケーションを繋いでいるからである。しかし、本当に人々のコミュニケーションを繋いでいるであろうか。ここで、マス・メディアから得る「地域情報」について考えてみたい。

４－１．マス・メディアと地域情報

マス・メディアは全国という規模を対象にした、言うなれば東京中心、東京発信の情報である。その機能のメインはジャーナリズムに始まり、世論形成そして均一的な広報であり、多様な娯楽の提供である。これらを伝える情報媒体としてとても優れている。では、マス・メディアの扱う地域情報はどうであろ

うか。東京発信であることから、マス・メディアという独自の東京（中央）視点（フィルター）を持つ。そのため地域社会の情報と、東京発で全国に伝えられる地域情報には温度差が生じている。この違和感を払拭するために、地域の情報は地域で発信し地域社会の役に立つものを志向する、という発想からコミュニティ・メディアが出現したのである。ただしコミュニティ・メディアの歴史は古く、マス・メディアが台頭する以前から存在はしていた。そして現在、このコミュニティ・メディアの意味と役割にあらたな注目が集まってきた。

まさに地域情報の受発信、地域やコミュニティの課題、地域内のコミュニケーションをコミュニティ・メディアが担う時代なのである。その中で近年では、インターネットを介した空間内に多数のサイトが生まれ、多様なアプリケーションを介して個人対個人のコミュニケーションを繋ぐSNSも現れてきた。現在は総務省を中心としたインターネット（ICT活用）が地域情報化（政策）の主役であるといっても良い。しかしそこにはまだまだ課題も残されている。

4－2．コミュニティ・メディアの地域性

ここからコミュニティ・メディアについて地域社会との関連で検証する。高度経済成長期までの日本では、地域社会における問題解決は、住民同士の相互扶助や共助、協働に依拠していた。都市部や地方に関係なく長く続いた伝統的な社会関係がそれを可能にしていた。しかし、核家族化が進み、個の時代と言われるようになってから急激に様相が変化し、現在では身近な地域課題もすべて公的機関・専門機関を通じて問題解決を行うという依存型に変化している。言い換えれば、住民相互のコミュニケーション解決から行政・専門機関に依存するコミュニケーションへの変化である。

しかし、公的機関・専門機関の対応にも限界が生じている。そこで、あらためて住民相互の扶助、共助的なシステムが再評価されている。つまり住民相互のコミュニケーション空間の構築が必要になってきたのである。

かつて地域社会には、井戸端、広場、集会所さらには街頭までが、対人コミュニケーションのための共有の場として存在した。そこでは老若男女が常に様々な情報交換や議論を行っていた。そこには住民同士のコミュニケーションで課題を解決するという同じ目的を持った人々が集い、このような「対面空間」

を通じて繋いできたのである。現在、これらの対面空間に替わりどのようなコミュニティ・メディアが存在するであろう[14]。主だったものを一部列挙すると、地方新聞、タウン誌、自治体広報誌、回覧板、NHK支局、地方民放県域局、CATV、コミュニティ放送（FMラジオ）、インターネット空間の様々なサイト、SNS等多様である。これらが重層的に重なり合って成立している。

ここでコミュニティ・メディアに求められる特徴を示してみたい。

①コミュニティ（地域）が決めた目的のためにコミュニティ（地域）自身が使用可能である。
②コミュニティ（地域）の住民がいつでも情報の入手や学習や娯楽のためにアクセス（参加）可能である。
③コミュニティ（地域）自らが企画、制作、参加可能な表現媒体である。
④コミュニティ内で住民が相互に意見やニュースを発表、交換することが可能である。
⑤一方的な情報伝達ではなく双方向型の媒体である。
⑥市民の意見形成、合意形成の場（空間）作りが可能である。
⑦コミュニケーションが循環するまちづくりを実現する。

ここまでの簡単な結論を述べれば、コミュニティ・メディアとは『地域情報の共有（伝達）、及び地域内コミュニケーションの促進（交換）の場・空間の構築である』と言えよう。

5．市民による地域メディア

地域における情報化に必要なことは、地域内のコミュニケーションを活性化するためのツール（メディア）の意味や役割について、地域住民自らが主体的に考え答えを出していく、すなわち行動に移すことではないであろうか。

すなわち、これからは住民・市民が中心となり、行政や企業、そして教育機関等がまちづくりのヴィジョンを共有し、新たに国が打ち出している様々な地

14）コミュニティ・メディアには他に、地域に直接捉われない市民運動型メディア、NPO やNGO 活動型メディア、趣味や生活情報を私的に繋ぐ形のメディアがある。

域活性化施策を精査したうえで利活用すべきではないであろうか。少なくとも、過去の事例のように施策や与えられる予算に振り回され、地域が受け身となり事業継続が頓挫するようなことがあっては本末転倒である。

ここから上記の考え方を実体化する一例として、国の直接的な地域情報化政策とは異なるが、1990年代以降、市民型の地域活性を目的とするメディアとして注目されてきた、コミュニティ放送の実態及び現在のICT化への流れを考察してく。

5－1．コミュニティ放送の特徴

コミュニティ放送は、1992年に制度化され、地域情報化政策とは別に、民間型の地域メディアとして発展してきたコミュニティ・メディアである[15)]。総務省の定義によると、一つの市区町村の一部の区域における需要に応えることを目的に初めて制度化された超短波放送（FM）のことである。ラジオと言う音声メディア特性も手伝い、携帯の簡便さや操作性の単純さから老若男女に親しまれてきたことも普及の一因である。そして市民による市民のための公共的なコミュニケーションを担う装置としてコミュニティ放送は期待されている。

コミュニティ放送の多くは「地域内のコミュニケーションの活性化を促す」目的で成立している。その役割は多様であり、近年では行政側が防災メディアとしての機能に注目し始めている。コミュニケーション媒体としてのコミュニティ放送の特徴に、その可聴範囲の限界性も手伝い、顔の見える範囲でのコミュニケーションの容易さが挙げられる。また、番組内容は地域の生活情報が中心ではあるが、行政情報の比重も比較的高い。地域によっては聴取率が県域放送局を超える例も珍しくない。

ある一定の範囲内での生活者に対する情報の発信及び課題提起は、ともに地域という身近な距離を前提としたものである。コミュニティ放送側は生活者の視点を持ち、地域内コミュニケーション循環の場を担っている意識が重要である。一方、地域住民側は単なる聴き手としてだけではなく、番組制作はもちろん、パーソナリティとしても参加することがある。つまり、住民自らが発信するこ

15）2021年１月21日現在、全都道府県に333局存在する。https://www.jcba.jp/

とにより、他の住民に対して「情報の呼びかけ」及び「問題意識の喚起」という、意識の共有機会を増やすと言う特徴を持つ。即ち、住民が自ら送受信する立場になるという双方向性が特徴的である。

コミュニティ放送の機能の特徴は以下である。

①地域内コミュニケーションの活性化が共通項である。
②中心市街地の疲弊、主要産業の転換や見直しも含め、過疎化への対応を含めた地域活性議論の場づくりを行う。
③災害時の対応はもとより防災・防犯等の地域課題に広く対応する。

そして、これらの危機感が強く反映、共有されている地域であればあるほど、地域住民・市民のコミュニケーション共有の場が必要となる。地域情報化とは本来、このような切実な地域課題を背景に地域の需要があってこそ推進されるべきであり、決して目的化されるものではない。そこには単なる地域生活情報の提供媒体という考え方から、一歩抜け出た形の意見形成媒体としての地域活性化の動きが見られる。何より重要な問いは誰のための地域情報化であるのか、そしてその答えは他ならぬ地域であり、そこに住む住民・市民である。コミュニティ放送はそのような背景から生まれたメディアなのである。

５－２．ICT化によるコミュニティ・メディアのこれから

近年、コミュニティ放送と並行して地域独自に構築されてきたコミュニティ・メディアの一つに地域SNSが挙げられる。このメディアの特徴は、電子ネットワーク空間で繋がるコミュニケーションが可能なことである。藤本（2015）によると、1980年代から地域情報化政策の中に、地域住民と行政の対話や地域住民同士の交流、地域からの情報発信を目的としたBBS（電子掲示板）や地域SNSを設置する政策事例が生まれた。ただしこれらも、地域活性化に結び付いた事例はあまり多くない。そこで期待されたのはやはり「市民参加型の地域メディア」の構築であった。この市民主体のメディアは、1980年代半ばころからパソコン通信の普及とともに、「草の根BBS」という名称で広がった。ただしパソコンの普及もまだ進んでいない時期であり、アクセスポイントまでの

距離や通信時間に応じて掛かる通信料金（電話料）がかなりの負担となった。従って幾つかの事業においては補助金が投じられたり行政に組み込まれていったりしたが、結果的には一部の地域住民の活動に留まり浸透はしなかった[16)]。

1990年代半ばになるとインターネットの普及によりネット上に「市民電子会議室」が登場する。それまでのパソコン通信とは違い、一定の料金でアクセス可能な環境となった。しかし市民会議室の成功例も少ない。その理由として、インターネット上に移動したことにより、料金の安さと普及が促進された反面、この時期のネットの社会的課題でもあったが、匿名性が高まり、誹謗中傷、プロパガンダ、広告のような類の書き込みが増え、いわゆる「荒らし」投稿が多くなり、本来のコミュニティ・コミュニケーションは限られたものとなった。同時にインターネット空間特有の幅広いテーマによる交流が進み、「地域メディア」としての地域独自性が希薄になってしまった。

そこでこれらを回避するものとして2000年代に入ってから登場したのが地域ブログと地域SNSである。これらは特定の個人を繋げることから匿名の無責任な行為に一定の制限をかけた。特に地域SNSの場合、招待制や実名登録制により実際の社会を疑似的に反映させ（社会性の担保）、且つ利用に関しての責任を持たせることに成功した。

SNSの社会的な普及に応じて大半は登録制に移行し、地域住民や通勤、通学者、地域に関心のある人にとって参加可能なメディアとなった。併せて行政情報、各種イベント情報等が自動的に表示される仕組みも機能としてどんどん進化した。そこで生まれたユーザー同士のネットワークが拡大することで、一つの地域メディアとしてのプラットフォームが確立していった。そして現在、これらのオリジナル地域SNSの多くは既存の大手SNSであるFacebook内に移行し、定型フォームによるマルチメディア機能が使用可能となりコストも削減され、且つ管理者（Facebook,Inc.）の責任において公式な活動がセキュリティ面でも担保されるようになっている。結果、Facebookユーザー間の情報コミュニケーションを使い情報を伝播することが可能になり、また地域に住むユーザー間のコミュニケーショングループ（Facebook以外にTwitter、Instagram、

16）中村・瀧口（2006）pp54-61

LINE等のSNSコミュニティ）も新たに立ち上がったりする。そのように派生したグループは、指定したユーザーのみへの投稿内容の公開が可能となる（閉鎖性）一方で、域外・県外・海外向けに多様な情報発信を可能とする機能（解放性）を用い、新たな地域のファンを呼び込む起爆剤となっている。

6．おわりに――地域情報化と公共政策

本章ではここまで地域創生の考え方に始まり、公共政策、地域情報化、メディアの流れで論じてきた。そこであらためて、地域情報化政策について考えてみたい。高田（2012）によると、2000年代以降の地域情報化政策はICT基盤整備の大きな進展はあるものの、利活用促進は思ったほど進んでいないのが現状のようである。そこには地域情報化プロジェクトを受けた後の、地域内での事業継続資金（運用コスト）の調達や人財確保等に課題を残している。国の支援事業と、それを受託する地域とのプロジェクトに関わる認識の温度差が依然として解消されていないように感じる。では、地域がすべて身の丈で自前の地域メディアを構築することが正解なのであろうか。それでは、これまで継続してきた地域情報化政策ひいては現行のICT政策に期待できないという結論で終わってしまう。それで良いのであろうか。答えは否であろう。

地域情報化プロジェクトの発展のためには、真剣にプロジェクト人財の育成が必要であることを我々は自覚すべきである。市民参加型の地域メディアの多くは、ほぼ例外無く地域社会の人財で構築され運用されてきた。そして彼らはその後も相互にエンパワーし続けているのである。ICT政策の中には外部の専門家である「地域情報化アドバイザー」の地域派遣に期待するという考え方もあるが、むしろ「求められる地域情報化人財像」であるソーシャル・アントレプレナーの人財育成のために、これらの地域情報化プロジェクトを利活用すべきである。それはプロジェクトに付随した地域の雇用創出のための予算の確保という短期的対策ではなく、まちづくり人財の育成のためにプロジェクトを誘致するという発想の転換が求められる。彼らが地域情報化のリーダーとなり、定住し、まちづくり人財として地域のリーダーとなることが、地域活性化を進める最大のトリガーとなる。

さいごに伊藤（2010）は、政策過程への多様な主体の参加として、パートナーシップ、協働の重要性に触れている[17]。「行政が公的領域における決定に責任を持つという基本」姿勢は変えずに、（政策）実施段階に市民ボランティアやNPOを動員し、さらに「決定段階から市民が実質的に参画し、役割分担を議論する」ことが行政への啓発と市民の力をエンパワーすることにつながると述べている。

また、これらの政策を受諾する地方自治体のスタンスにも再考の余地がある。高田（2012）は本主題における国と地方の連携について「自治体と総務省の情報担当部局との接触の無さ」が課題であると指摘している。今後は「自治体と地方総合通信局との情報共有、連携強化」が必須であると述べている。これまで、「国⇔自治体⇔市民」という関係構築、言い換えればコミュニケ―ションが個々別々の視点で行われてきたことが考えられる。

本来、地域情報化一つとってみても、地域の総合計画やグランドデザインに照らして、それが地域（住民）の総意なのか、本当に必要なのか、持続可能なのか、適正な予算の確保ないしはそれを担える人財は育成できるのか等を十分議論し、その上で国（地方総合通信局）と議論し、最終判断を下すぐらい慎重な公共政策受諾プロセスを経るべきであろう。少なくとも何度もトップダウンを繰り返すような進め方は避けるべきである。地域情報化にかぎらず「公共政策」全般において、樽見（2020）は「公共部門の担い手が官から民へ広がる中で、公共経営のあり方も新しくなる必要がある」と言っている。また宮本（1998）も「中央の政治家＝官僚の公共政策ではなく、市民の公共政策」が必要であると言っている。産官民学の「協働」という概念が形骸化しないためにもこれらの指摘を真摯に考えるべきである。

（北郷裕美）

17）秋吉貴雄・伊藤修一郎・北山俊哉著（2010）pp267

参考文献

- 秋吉貴雄・伊藤修一郎・北山俊哉 著（2010）『公共政策学の基礎』（有斐閣）
- 金山智子（2007）『コミュニティ・メディア』（慶應義塾大学出版会）
- 河井孝仁（2017）『「失敗」からひも解くシティプロモーション』（第一法規）
- 川島安博（2008）『日本のケーブルテレビに求められる「地域メディア」機能の再検討』（学文社）
- 北郷裕美（2015a）「コミュニティ・メディアの公共性モデル構築に向けて―北海道内コミュニティ放送局の現状と公共性指標を使った分析結果の提示―」『札幌大谷大学社会学部論集第3号』（札幌大谷大学社会学部）
- 北郷裕美（2015b）『コミュニティFMの可能性: 公共性・地域・コミュニケーション』（青弓社）
- 北郷裕美（2020）「コミュニティ放送の世代交代に関する理念の継承と変革の可能性―パーソナリティ・モード・シフトの関連から―」『大正大學研究紀要 第105輯』
- 國領二郎・飯盛義徳（2007）『「元気村」はこう創る』（日本経済新聞出版社）
- 齋藤純一（2000）『公共性』（岩波書店）
- 大正大学地域創生学部（2020）『地域創生への招待 日本の明るい未来を切り拓く人材を養成』（大正大学出版会）
- 高田義久（2012）「地域情報化政策の変遷：2000年代におけるICT利活用・人材育成への対象拡大」『慶応義塾大学メディア・コミュニケーション研究所紀要No.62』
- 竹内郁郎・田村紀雄 編著（1989-1994）『地域メディア』（日本評論社）（共著）
- 田畑暁生（2005）『地域情報化政策の事例研究』（北樹出版）
- 玉野井芳郎（1979）『地域主義の思想』（農山漁村文化協会）
- 樽見弘紀・服部篤子 編著（2020）『新・公共経営論 事例から学ぶ市民社会のカタチ』（ミネルヴァ書房）
- 津田正夫・平塚千尋 編（1998）『パブリック・アクセス―市民が作るメディア』（リベルタ出版）
- 藤本理弘（2015）「市民参加型地域メディアによる地域活性化政策の系譜と課題」『長野大学紀要第36巻第３号』
- 松島京（2005-2011）「公共（公共圏）」（川口清史/田尾雅夫/新川達郎 編（2005-2011）『よくわかるNPO・ボランティア』（ミネルヴァ書房））
- 丸田一・國領二郎・公文俊平 編著（2006）「道具としての地域メディア/メディア・アクティビズムへ」『地域情報化 認識と設計』（NTT出版）
- 宮本憲一（1998）『公共政策のすすめ：現代的公共性とは何か』（有斐閣）
- 森啓（2003）『自治体の政策形成力』（時事通信社）
- 森岡清志（2008）『地域の社会学』（有斐閣）
- 山中守（2013）『地域情報化で地域経済を再生する』（NTT出版）
- 山脇直司（2004）『公共哲学とは何か』（筑摩書房）
- Habermas, J.,（1990） Strukturwandel der Öffentlichkeit, Suhrkamp（細谷貞雄・山田正行訳『公共性の構造転換』未來社1973-2004）

第⑦章 医療政策入門
――医療制度の持続可能性

1．はじめに

日本の医療制度は、いうまでもなく世界に誇るべき素晴らしい制度である。おかげで我々が病気やケガをしても、非常に安い費用で極めて高度な水準の医療を受けることができる。その結果、安心・安全に生活することができ、世界最高水準の長寿国となっている。

この日本の医療は、通常のサービス業のように市場原理の下で営利を最大限に追求するビジネスとは異なり、国や地方自治体が主導して制度や予算を設計・実施する公共政策の一つである社会保障の一部として位置付けられている[1)]。戦前まで社会保障は憲法に規定がなかったが、1947（昭和22）年に施行された日本国憲法においては「生存権」として次のように規定している。

第25条　すべて国民は、健康で文化的な最低限度の生活を営む権利を有する。

2．国は、すべての生活部面について、社会福祉、社会保障及び公衆衛生の向上及び増進に努めなければならない。

つまり、この憲法25条の生存権規定を具体的に実行するものが社会保障であると考えてよい。

この点、一般に公共政策は、大きく分けて法システムや組織などの「仕組み」と、それを動かすための予算や決算などの「財政」の2つから成り立っている。本章では、医療政策を主に「財政」の面から見て、その現状と問題について考えていきたい。

1）以下は、国の公共政策について述べていくが、都道府県や市町村といった地方公共団体にも共通する事項が多数存在する。特に、地域特有の事情を考慮した具体的な医療政策は、各都道府県の作成する都道府県医療計画に委ねられている部分が大きい。

図表１　2020年度一般会計歳出額の構成

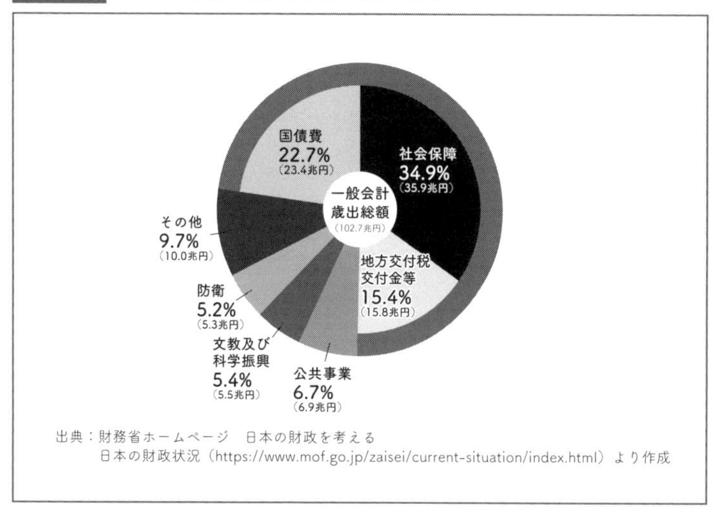

出典：財務省ホームページ　日本の財政を考える
日本の財政状況（https://www.mof.go.jp/zaisei/current-situation/index.html）より作成

２．医療政策における財政の現状

２－１．国家財政全体における社会保障費の割合

財政の数字的な内容のことを会計という。国の会計は、通常の公共政策を行うための一般会計とそれ以外の特別会計からなっている。会計は収入と支出から成り立っているが、国の収入・支出は、ある年の４月から翌年３月までの期間（会計年度）で計算し、その１年間の収入を「歳入」、支出を「歳出」という（歳入の総額と歳出の総額がイコールになっていることに注意）。

それでは、ここでは国の一般会計歳出を見てみよう。上の図表１は、2020年度（令和２年度）の一般会計歳出である。

一般会計歳出総額は約103兆円であり、そのうち社会保障費は約36兆円と３分の１強を占める。

単年度でも、一般会計歳出のもっとも大きな部分を占めているが、ここ最近の伸び方を見ても突出している。1990年～2020年の30年間で一般会計歳出において社会保障費を含む各主要経費がそれぞれどのくらい伸びたかを見てみよう（図表２）。

図表2　一般会計歳出における各主要経費の伸び方

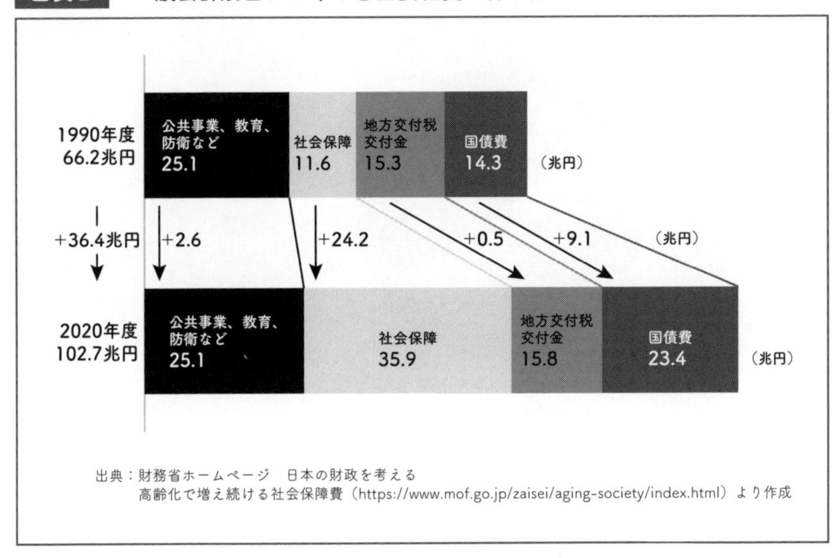

出典：財務省ホームページ　日本の財政を考える
高齢化で増え続ける社会保障費（https://www.mof.go.jp/zaisei/aging-society/index.html）より作成

1990年度（平成２年）と2020年度（令和２年）を比べると、公共事業、教育、防衛といった主要経費のほとんどが横ばいである一方で、社会保障費（と国債費。国の返済する借金）だけが大きな伸びを示している。平均すると社会保障費は毎年約１兆円ずつ増加していることになる。

一方、歳出を裏付ける（歳出に必要な）歳入の方はどうだろうか（図表３）。

収入の30％以上が、公債金つまり国の借金でまかなわれている。図表１で見た通り、歳出の約25％が国債費つまり借金返済に充てられているから、毎年借金が増えて、積み上がっていくことになる。

図表４は、その公債金の残高の推移である。

社会保障費は、この棒グラフのうち図表４の特例公債の部分に含まれているが、内訳はともかく借金はいずれ返済する必要があるのだから、棒グラフの全体、つまり公債残高の総額で考えたほうがよい。公債残高つまり国の借金の総額はやがて1000兆円を超えることになりそうである。

なお、図表２で見た通り、歳出の伸びは、社会保障費の伸びとそれに伴う国債費（借金返済）の伸びに連動している。

図表３　2020年度一般会計歳入額の構成

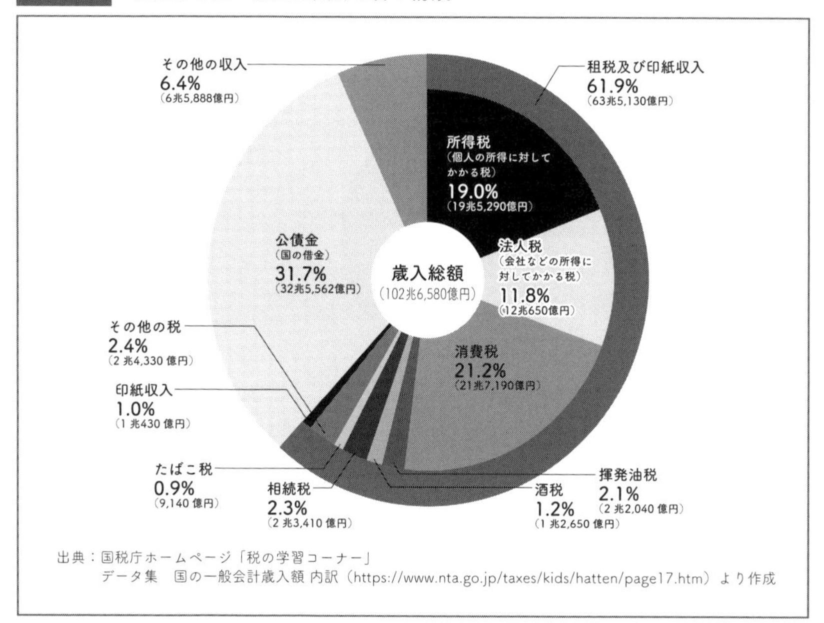

出典：国税庁ホームページ「税の学習コーナー」
データ集　国の一般会計歳入額 内訳（https://www.nta.go.jp/taxes/kids/hatten/page17.htm）より作成

図表４　公債残高の推移

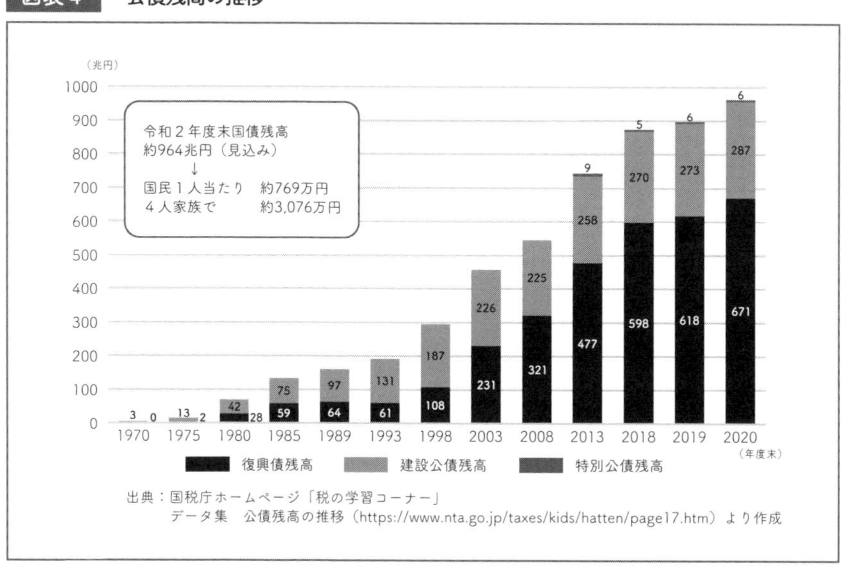

出典：国税庁ホームページ「税の学習コーナー」
データ集　公債残高の推移（https://www.nta.go.jp/taxes/kids/hatten/page17.htm）より作成

図表5　2020年度予算における社会保障費の内訳

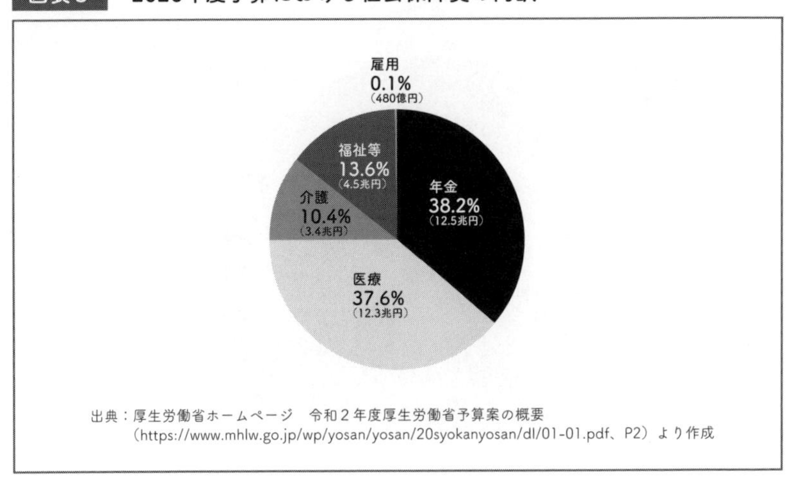

出典：厚生労働省ホームページ　令和２年度厚生労働省予算案の概要
（https://www.mhlw.go.jp/wp/yosan/yosan/20syokanyosan/dl/01-01.pdf、P2）より作成

2－2．社会保障費とは何か

それでは、社会保障費（社会保障関係費ともいう）[2] の具体的な内容を見てみよう。社会保障費とは、社会保険または社会扶助の形態により、所得保障、医療および社会福祉などの給付を行うため、歳出する政府予算のことをいう。大きく分けて次の４部門[3] に分かれている。

・年金：老後の生活の安定のため、高齢者にお金を支給する
・医療：病気やケガをした時のリスクを社会全体で支え合う
・介護：高齢などにより、寝たきりや介護が必要になった時のリスクを社会全体で支え合う
・その他福祉：子供・子育てなどを助ける

社会保障費４部門の内訳は図表５のとおりである。医療と年金がほぼ同額で、併せて社会保障費の７割以上を占めている。

2）似て非なるものとして社会保障給付費という用語もある。社会保障給付費とは、社会保障負担を主な財源として年金や医療、福祉その他として国民に給付される費用をいう。
3）４部門をまとめて「社会保障4経費」という場合がある。

図表６　国民医療費の推移

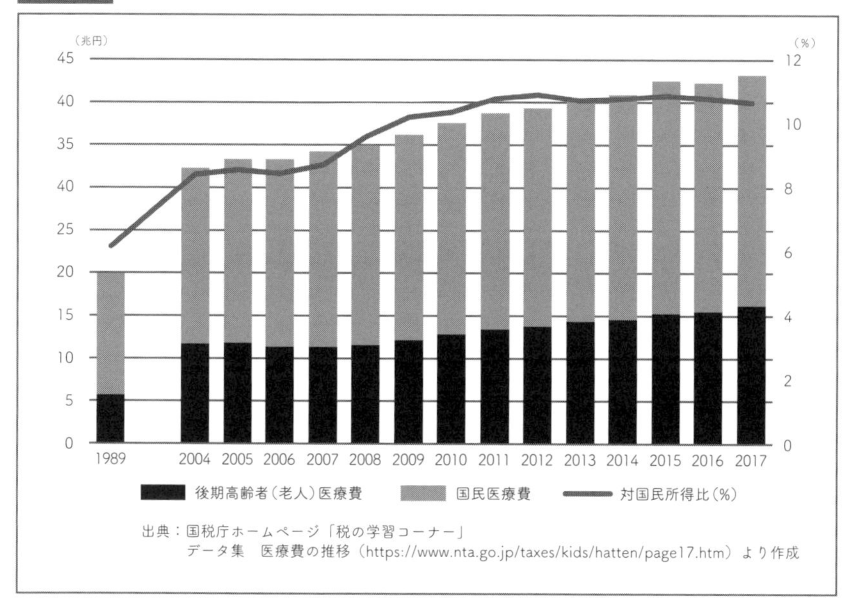

出典：国税庁ホームページ「税の学習コーナー」
データ集　医療費の推移（https://www.nta.go.jp/taxes/kids/hatten/page17.htm）より作成

２－３．医療費とは何か

ここでは、社会保障費の中の医療に関する費用、すなわち医療費について見ていきたい。

図表６は、医療費の推移である。

ここで、「国民医療費」という用語が使われているのは、金額の集計に公費支出だけでなく医療保険[4]から支払われる部分や患者本人の支払う部分（窓口負担。原則３割負担となっているが実際には様々である）が含まれるからである。従って、医療費だけなのに、社会保障全体の歳出額を超えているが、変化を見るのには十分なのでこのグラフで考察しよう。

国民医療費[5]の総額は棒グラフ全体である。そのうち下の部分は、そのう

4）健康保険ともいう。

5）他の資料に比べて集計が遅れていることに気が付くだろうか。その1日で医療費が国家全体でいくら使われたかについては、諸外国ではIT技術の発展で翌日には集計されるが、日本では完全にオンライン化していない医療機関が残っているため集計に2年ほどかかる。これも日本の医療政策の大きな問題点（問題の発見が遅れれば対策はその分だけ当然に遅れる）である。

ちの後期高齢者（75歳以上の高齢者）にかかる部分である。毎年５千億円〜１兆円程度伸びていることがわかるだろうか。社会保障全体の歳出額の伸びは毎年約１兆円であるから、高齢者の医療費の伸びが大きな要因であるといえる。つまり、医療政策の大きな問題の１つは、医療費が国家財政を圧迫していることであり、その主な要因は高齢化問題であることがわかる。

3．財政上の問題点

3－1．財政問題の考え方

財政は歳入と歳出からなっていると、先に述べた。つまり、財政が健全であり続けるためには、歳入を増加させるか、歳出を抑制させるか（あるいはその両方）が必要である。

まず、歳入については、図表３にある通り（国の借金である公債金を除くと）税金の収入がほとんどである。そしてその税金をより多く納めるのは、子供や高齢者ではなく働く世代であることは予想に難くないだろう。そうであれば、働く世代の減少つまり人口の高齢化が歳入に大きな影響を与えることは言うまでもない。

また、歳出については、医療を最も利用し費用が掛かりそうなのが高齢者であることも予想できると思う。ここでは具体的な説明は省略するが、社会保障費で医療と並んで大きなウェイトを占める年金や介護についても、原則として高齢者のみが利用する。従って、歳出についても人口の高齢化問題が歳出の増加に大きな影響を与えることになる。

3－2．高齢化問題

(1) 人口構成の問題

それでは、人口の高齢化は、具体的に何が問題点でそれがどのように財政を圧迫するのか、を見ていこう。

図表７は、平均寿命の推移である。この点、平均寿命が伸びたと発表されると自分の寿命も伸びたと勘違いする人がいる。

平均寿命とは、今生きている人が平均して何歳まで生きられるかを表す数

図表７　日本人の平均寿命

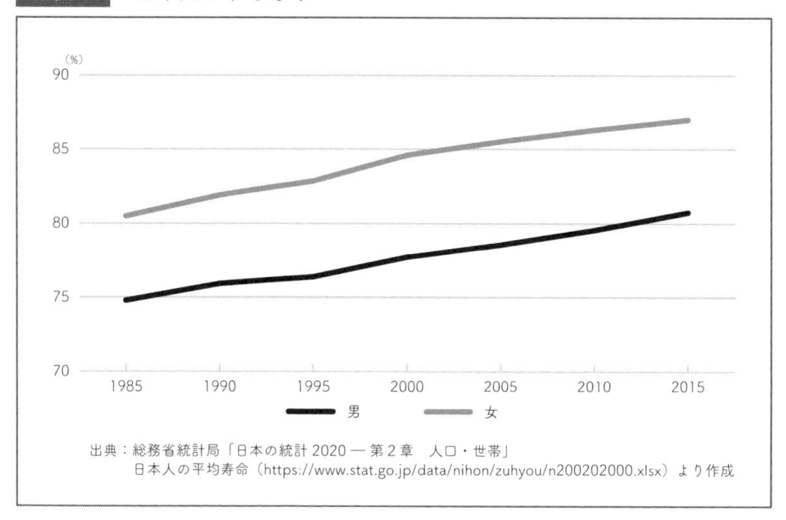

出典：総務省統計局「日本の統計 2020 ― 第２章　人口・世帯」
日本人の平均寿命（https://www.stat.go.jp/data/nihon/zuhyou/n200202000.xlsx）より作成

字だと誤解している者も多いが、正確にはその時生まれた人が何歳まで生きられるかを表す数字である。すなわち、自分が何歳まで生きられるかは、自分が生まれた年に発表されている平均寿命を見なければならない。なお、今生きている人が平均して何歳まで生きられるかを表す数字を平均余命といい、平均寿命は今０歳の人の平均余命である。

いずれにせよ日本人がより長生きするようになっていることに間違いはないが、出生率と関連付けて考えると、単純に喜ばしいわけではない。図表８は、出生率の推移である。

出生率とは、単純には人口千人に対する出生数の割合をいうが、それでは母数に男性や年少女性・老齢女性も含まれてしまうため、統計的には合計特殊出生率（１人の女性が一生（出産期として15 ～ 49歳）の間に生む子どもの数）という指標を使うことが多い。子は二人の人間から出生するものなので、人口を維持するためには合計特殊出生率が２以上でなければならない。なお、人が出産可能年齢になるまでに死亡する場合があるため、実際に人口を維持するためには合計特殊出生率が2よりも大きい数字である必要があり、これを人口置換水準（図の平行線で表示）という。日本は2.07（2015年、

図表8　日本人の合計特殊出生率

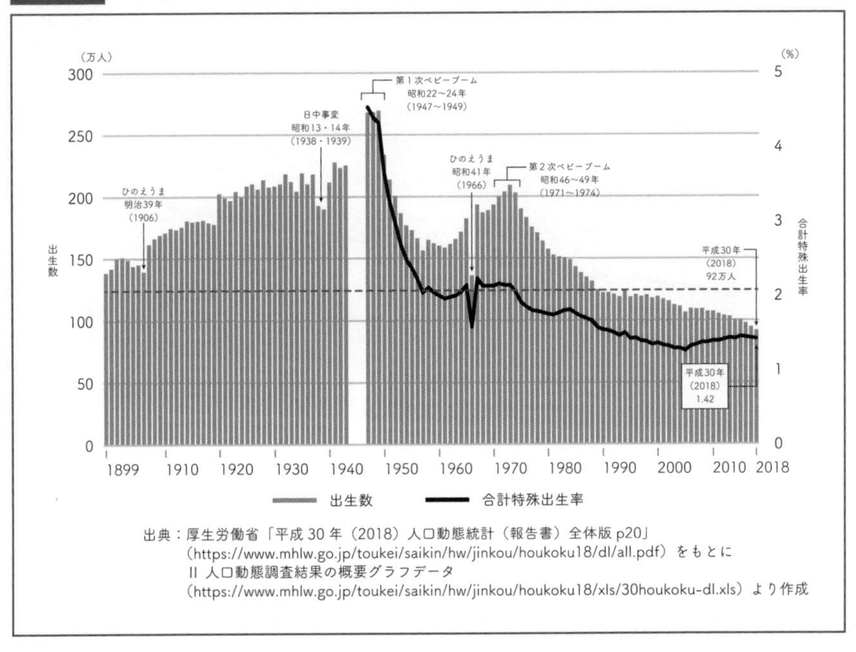

出典：厚生労働省「平成30年（2018）人口動態統計（報告書）全体版 p20」（https://www.mhlw.go.jp/toukei/saikin/hw/jinkou/houkoku18/dl/all.pdf）をもとに
II 人口動態調査結果の概要グラフデータ
（https://www.mhlw.go.jp/toukei/saikin/hw/jinkou/houkoku18/xls/30houkoku-dl.xls）より作成

国立社会保障・人口問題研究所）といわれているが、現状では1.4前後しかないからこのままでは日本の人口は全く維持できないことがわかる。

この平均寿命の延びと出生率の減少を反映するのが人口構成となる。図表9は、日本の人口構成の推移である。

人口構成については、15歳未満人口を年少人口、15歳以上65歳未満人口を生産年齢人口、65歳以上人口を老年人口と呼ぶ。ここで、生産年齢が15歳からということ、及び老年が65歳からということには、いずれも違和感があるかもしれないが、これはWHO（世界保健機関）が統計のために定義した国際基準であり、今後も変わる可能性は低いので、深く考えなくてよい。なお75歳以上人口を後期高齢人口と呼ぶ点に限っては、世界でもトップレベルの長寿国である日本独自の用語である。

このグラフからは様々な点が読み取れる。日本の人口の総数としては2008年をピークに、生産年齢人口は1995年をピークに、それぞれ減り始め

図表９　**人口構成の推移**

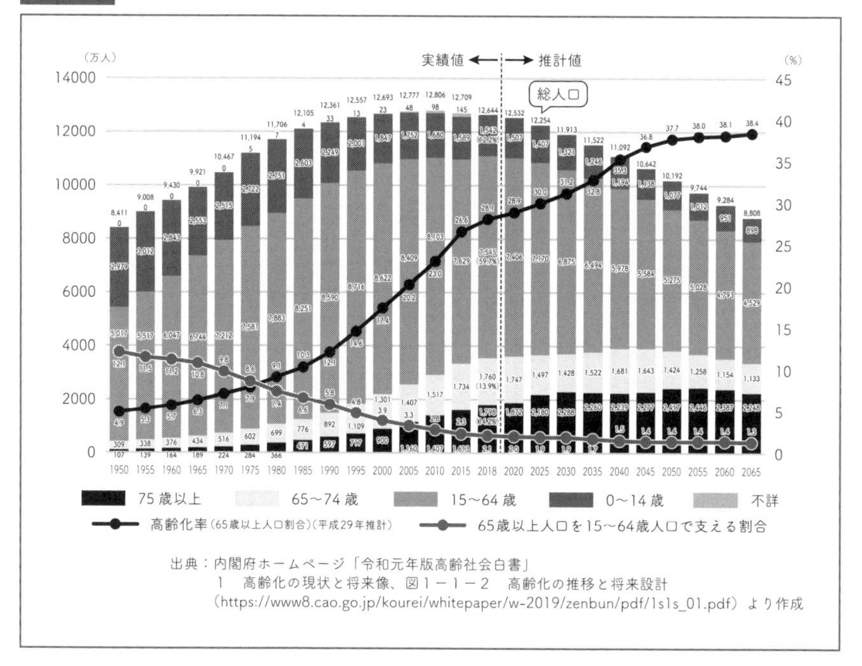

出典：内閣府ホームページ「令和元年版高齢社会白書」
　　　１　高齢化の現状と将来像、図１－１－２　高齢化の推移と将来設計
　　　（https://www8.cao.go.jp/kourei/whitepaper/w-2019/zenbun/pdf/1s1s_01.pdf）より作成

ていることがわかる。また、年少人口や生産年齢人口が減っているにもかかわらず老年人口（棒グラフの下二つの部分の合計）はほとんど横ばいであり、これに伴い主力納税者である生産年齢人口が高齢者を支える負担率が年々増えていることも読み取れる。この負担率は、表の折れ線グラフで右肩下がりで表現されている。この折れ線グラフによれば、50年前では、約10人の生産年齢人口が１人の高齢者を支えていたが、現在では約２人で1人の高齢者を支えており、諸君が高齢者になって支えてもらうときには約1.3人で自分１人を支えてもらわなければならない。

例えば、医療や介護の必要性が高い高齢者が施設や病院で生活する経費総額（社会保険を考えない）を、諸君はその人一人を２人で支え、また自分一人を将来1.3人で支えてもらうことになる。

以上が歳入の面における問題点である。

図表10　年齢階級別国民医療費

年齢階級	国民医療費（億円）	構成割合（%）	人口一人当たり国民医療費（千円）
総数	308,335	100.0	243.3
65歳未満	115,884	37.6	126.6
65歳以上	192,452	62.4	547.5
（70歳以上）	（156,887）	（50.9）	（621.8）
（75歳以上）	（121,014）	（39.2）	（692.2）

出典：厚生労働賞ホームページ「平成29年度 国民医療費の概況」
概況全体版　表５　年齢階級別国民医療費
（https://www.mhlw.go.jp/toukei/saikin/hw/k-iryohi/17/dl/data.pdf）より作成

(2) 一人当たり医療費の問題

ここからは、歳出面を見ていこう。医療費の総額については、上図で見た通り、増える一方である。この医療費は

医療を受ける人数　×　一人当たりの医療費

で計算されるが、一人当たりの医療費を図表10で見てみたい。

ここでは、国民医療費のうち医科診療医療費の表を挙げてみた（その他に歯科､薬局がある）。人口の約３割しかいない高齢者が医療費の６割強を使っている。比較しやすいよう一人当たりで医療費をならすと、高齢者は65歳未満の約4.4倍、後期高齢者では5.5倍の医療費を使っていることがわかる。

つまり、高齢者の割合が増えれば増えるほど医療費が増える理由はここにある。

3－3．その他の問題

医療と財政の問題には、少子高齢化以外にも様々ある。

詳しいことはより専門的な内容を含むため、ここでは概略だけ述べる。

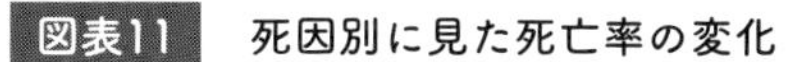

図表11　死因別に見た死亡率の変化

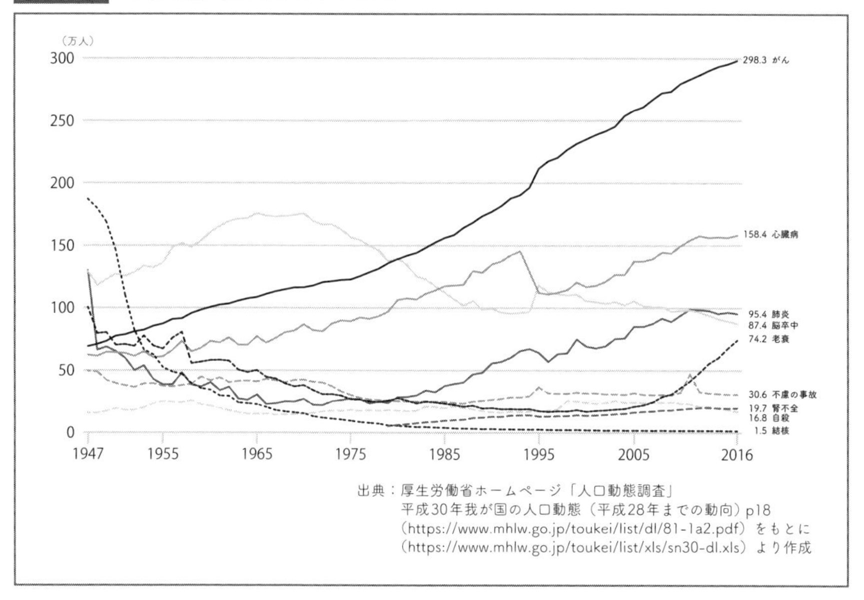

出典：厚生労働省ホームページ「人口動態調査」
平成30年我が国の人口動態（平成28年までの動向）p18
（https://www.mhlw.go.jp/toukei/list/dl/81-1a2.pdf）をもとに
（https://www.mhlw.go.jp/toukei/list/xls/sn30-dl.xls）より作成

（1）疾病構造の変化

社会背景の変化に伴い、死因も時代によって変化している。以下は、死因別に見た死亡率の変化である。

第二次世界大戦直後は、結核や肺炎といった感染症が死因の上位を占めていたが、社会の高齢化が進むにつれて老化を主因とするがんや心臓病が上位を占めるようになっている。感染症の治療は、医薬品の投与を中心とした治療であり比較的安価であることが多いが、がんや心臓病の治療は手術や高度な医療機器・医薬品を必要とすることが多く、それに伴い医療の単価は高価なものとなる。

（2）高度医療の普及

医学の進歩は、物理学、化学、生物学、工学などの進歩と相まって、飛躍的な進歩を遂げているが、一方で非常に高級な設備・物品を必要とするものも多い。設置に数億～数十億円かかるX線CT[6]、MRI[7]、PET-CT[8] などの検査機器をはじめ、数億円かかる手術支援ロボット装置[9)]や数百億円かかる粒子線治療装置[10)]の登場など、医療機器の高価格化も留まるところを知らない。製薬の分野でも、遺伝子工学などのバイオテクノロジーを応用した新薬が次々と登場しているが、これらの価格は極めて高額なものが多い。一患者あたり1億円を大きく超える薬価で承認された医薬品が登場したニュース[11)]も記憶に新しい。

(3) 医療従事者の不足

医師、看護師など国家資格を持った専門職のことを総称して医療従事者という。医療の需要が高まる中、医療従事者の供給不足が問題となっている。

その原因としては

①絶対数の不足

・医療を必要とする割合が高い高齢者が増えている

・医療の高度化や質の重視が進み、患者一人当たりに必要な医療従事者

6）X線CTとは、X線を使うComputed Tomography（コンピュータ断層撮影）の略であり、X線を使って体内の状態を断面像として描写することができる。

7）MRIとは、磁気共鳴画像（Magnetic Resonance Imaging）の略である。危険な放射線を使わず強力な電磁石の性質を利用して磁石と電磁波を使って体内の状態を断面像として描写することができる。

8）PETとは、positron emission tomography（陽電子放出断層撮影）の略である。放射能を含む薬剤を体内に投与し、その様子を特殊なカメラでとらえて画像化する。PETはCTと組み合わせて使うことが多く、それをPET-CTという。

9）米国のIntuitive Surgical社が開発した「ダ・ヴィンチ（da Vinci Surgical System）」が有名である。「1～2cmの小さな創より内視鏡カメラとロボットアームを挿入し、高度な内視鏡手術を可能にします。術者は3Dモニター画面を見ながらあたかも術野に手を入れているようにロボットアームを操作して手術を行います。」（出典：日本ロボット外科学会「da Vinciについて」da Vinciiの紹介、https://j-robo.or.jp/da-vinci/　2020年8月17日閲覧）

10）粒子線治療装置は、粒子線を発生させてがん病巣部をピンポイントで狙いうちし、正常細胞への悪影響を最小限にとどめつつ、がん病巣部に十分なダメージを与える最先端の放射線療法の一つである。粒子線の種類により、炭素線治療装置と陽子線治療装置の2種類がある。

11）2020年5月13日、厚生労働省の中央社会保険医療協議会（中医協）は、脊髄性筋萎縮症（SMA）という病気に対する遺伝子治療薬「ゾルゲンスマ点滴静注」(ノバルティスファーマ社、一般名オナセムノゲン アベパルボベク)の薬価を1患者当たり1億6707万7222円とすることを承認した。（出所：厚生労働省「中央社会保険医療協議会 総会（第458回） 議事次第」再生医療等製品の保険適用について、https://www.mhlw.go.jp/content/12404000/000629578.pdf　2020年8月17日閲覧）
ただし、医薬品の薬価は徐々に下げられていくことが多い。

の数が増えた
- 従来あまり守られてこなかった労働環境の適正化が進み医療従事者一人当たりの労働時間が減少した

②人材の遍在
- 絶対数の不足が慢性化した結果、雇用条件が上昇し、医療従事者の離職・転職が容易になった
- 人気のある施設や診療科に人材が偏った
- 地方より都市圏に人材が偏った

などが挙げられる。

ただ、不足だからと言って安直に医療従事者の供給数を増加させると、一般労働者よりも高い教育費や給与費も相まって、社会保障費をさらに圧迫することになってしまうため実行は容易ではない[12)]。

４．医療政策の今後

上図の出生数の推移から分かるように、日本の人口は年齢別に均一ではなく、世代ごとにばらつきがある。特に2025年には、最も人口が多い団塊の世代（1947年～1949年）[13)] が後期高齢者（75歳以上）になり、その割合が国民４人に１人に達する。これを2025年問題という。

政府は2025年問題をはじめとしたの高齢化社会に対応するため、「税と社会保障の一体改革」という政策を採用し、社会保障費の増加分を増税による収入増加分でまかなうことで解決を図っている。例えば2019年に消費税が２％アップして10％になり、これによる増収分である約5.6兆円は、すべて社会保障費

12）医療従事者を増やした際の、財政面以外の問題としては、減少し続ける生産年齢人口を医療従事者に割いてしまうと、医療以外の産業の労働力がさらに不足してしまうという問題点もある。

13）逆に1966（昭和41）年だけが突出して出生数が低いのは、この年が干支（えと）の1つである丙午（ひのえうま）にあたり、「丙午の年に生まれた女性は火の如く気性が荒く男を食い殺す」という迷信から、この年に子どもを生むのを避けた夫婦が多いと考えられている。それでも、この年の合計特殊出生率は1.58であり、現在の日本の数値よりも高い。

に充てられる[14]ことになっている。しかし、これまで見てきた通り、支出が減らない限り社会保障費は毎年約１兆円の増加が予想されるから、税金収入だけを増やして対応しても、わずか５、６年の問題先送りにしかならない。

どの公共政策においても言えることであるが、いかに素晴らしい制度であってもその政策を裏付ける予算が充分でなければ、破綻してしまう。特に日本が今後も発展を続けるためには、その背後をしっかりと守る医療制度の維持が欠かせない。もちろん、医療政策の問題点は財政だけではなく、ほかにも様々ある。我々は利用する立場であり、支える立場でもあるから、他人事と思わず、絶えず考えていきたい。

（道下洋夫）

14）政府は「消費税率の引上げ分は、すべての世代を対象とする社会保障のために使われます。」と宣言している。（出所：財務省「消費税率引上げについて」、https://www.mof.go.jp/consumption_tax/　2020年8月17日閲覧）

参考文献

- 図表１　財務省「日本の財政を考える」日本の財政の状況
（https://www.mof.go.jp/zaisei/current-situation/index.html、2020年8月17日）
- 図表２　財務省「日本の財政を考える」高齢化で増え続ける社会保障費
（https://www.mof.go.jp/zaisei/aging-society/index.html、2020年8月17日）
- 図表３　国税庁「税の学習コーナー」財政の仕組みと役割
（https://www.nta.go.jp/taxes/kids/hatten/page03.htm、2020年8月17日）
- 図表４　国税庁「税の学習コーナー」これからの国の財政（2）
（https://www.nta.go.jp/taxes/kids/oyo/page15.htm、2020年8月17日）
- 図表５　厚生労働省「令和2年度予算案の概要」p.3
（https://www.mhlw.go.jp/wp/yosan/yosan/20syokanyosan/dl/01-01.pdf、2020年8月17日）
- 図表６　国税庁「税の学習コーナー」少子・高齢化
（https://www.nta.go.jp/taxes/kids/hatten/page11.htm、2020年8月17日）
- 図表７　総務省統計局「日本の統計 2020―第2章　人口・世帯」日本人の平均寿命
（https://www.stat.go.jp/data/nihon/zuhyou/n200202000.xlsx、2020年8月17日）
- 図表８　厚生労働省「平成30年（2018）人口動態統計（報告書）」p.2
（https://www.mhlw.go.jp/toukei/saikin/hw/jinkou/houkoku18/index.html、2020年8月17日）
- 図表９　内閣府「令和元年版高齢社会白書」p.3
（https://www8.cao.go.jp/kourei/whitepaper/w-2019/zenbun/01pdf_index.html、2020年8月17日）
- 図表10　厚生労働省「平成29年度 国民医療費の概況」概況全体版p.6
（https://www.mhlw.go.jp/toukei/saikin/hw/k-iryohi/17/dl/data.pdf、2020年8月17日）
- 図表11　厚生労働省「平成30年我が国の人口動態（平成28年までの動向）」p.18
（https://www.mhlw.go.jp/toukei/list/81-1a.html、2020年8月17日）

第⑧章

観光地は誰のものか？
――持続可能な地域づくりに「観光」が果たす役割

図表1　観光立国の実現に向けた政府の取組み

平成15年1月	小泉純一郎総理（当時）が「観光立国懇談会」を主宰
4月	ビジット・ジャパン事業開始
平成18年12月	観光立国推進基本法が成立
平成19年6月	観光立国推進基本計画を閣議決定
平成20年10月	観光庁設置
平成21年7月	中国個人観光ビザ発給開始
平成24年3月	観光立国推進基本計画を閣議決定
平成25年1月	「日本再生に向けた緊急経済対策」を閣議決定 第1回国土交通省観光立国推進本部を開催
3月	第1回観光立国推進閣僚会議を開催
4月	第2回国土交通省観光立国推進本部を開催 （「国土交通省観光立国推進本部とりまとめ」を公表）
6月	第2回観光立国推進閣僚会議を開催 （「観光立国実現に向けたアクション・プログラム」をとりまとめ） 「日本再興戦略－JAPAN is BACK－」を閣議決定
12月	訪日外国人旅行者1300万人達成
平成26年6月	「観光立国実現に向けたアクション・プログラム2014」決定 （「2020年に向けて、訪日外国人旅行者数2000万人の高みを目指す」ことを明記） 「日本再興戦略」改訂2014　閣議決定
平成27年6月	「観光立国実現に向けたアクション・プログラム2015」決定 （「2000万人時代を万全の備えで迎え、2000万人時代を早期実現する」ことを明記） 「日本再興戦略」改定2015　閣議決定
11月	安倍総理が第1回「明日の日本を支える観光ビジョン構想会議」を開催
12月	訪日外国人旅行者1900万人達成
平成28年3月	「明日の日本を支える観光ビジョン」策定

出典：観光庁ホームページ（https://www.mlit.go.jp/kankocho/kankorikkoku/index.html）より作成

1. はじめに――変化する地域における「観光」のポジション

近年、日本各地で「観光」の存在感が増している。特に少子高齢化が著しい地方において、経済・雇用効果が見込める数少ない成長産業として期待は大きい。国や自治体も地方創生の切り札として取組みを強化してきた。

こうした政府の取り組みや各自治体の切磋琢磨によって、日本の観光産業は大きく成長した。後述するが、特にインバウンド（訪日外国人）領域では急成長を遂げている。これが一過性のブームで終わるのか、観光が地域にとって欠かせぬ産業として定着するのかは国や自治体の観光政策の在り方や観光地経営の舵取り役であるDMO（Destination Management/Marketing Organization）の手腕にかかっている。そこで、観光産業の持つ特徴や地域に与える影響（メリット、デメリット）を概観し、持続可能な地域づくりを実現するために観光をどう活用すべきか、訪れる観光客のみならず、その地に暮らす住民に歓迎される（「住んでよし、訪れてよし」）観光振興策の要諦について考える。

2．そもそも「観光」とは（観光産業の特徴）？

自動車産業といって、そこで提供される商品・サービス、それを提供している企業などを思い浮かべるとき、それほど個人差は無いだろう。では観光産業はどうか。企業・事業者でいえば旅行商品・ツアーを提供する旅行会社、旅館やホテル、みやげ物店などがまずは思い浮かぶ。次に遊園地やテーマパーク、美術館や博物館あたりか。目的地まで運んでくれたり観光地内を移動するための交通事業者くらいまでは多くの人が挙げそうだ。では旅の途中で車に燃料を補給するためのガソリンスタンド、観光地にあるコンビニエンスストアや飲食店はどうだろう？　海外からもたくさんの客を集めるアニメやゲームのイベントは？　ヘルスツーリズム（レベルの高い医療技術を提供するツアー）に組み込まれた病院を観光産業に含めることに異論はあるだろうか。このように商品・サービスおよびそれを提供する企業・事業者は多岐にわたり、ここからここまでが観光産業であるという業際の特定は難しい（ちなみに総務省が発表している日本標準産業分類に「観光業」というカテゴリーは存在しない）。その裾野は広く、多くの人や企業が関わって観光は成り立っている。つまり観光振興（交流人口の増加）はあらゆる人にチャンスをもたらすのだ。

観光産業を他の産業から独立せしめている唯一の点は、顧客の大半が地域外からの訪問客で占められているということである（ビジター産業）。つまり観光産業とは「地域外からの訪問者をメインの顧客とするあらゆるビジネスの集合体」だと定義できる。

また、観光は典型的な「時間消費型産業」でもある。旅行者の行動の大半を占める「移動」と「見物」は地域にお金が落ちにくい。富士山や瀬戸内海を何時間見てもらっても1円も取れないのだ。単に訪問者数を増やすことを狙った観光振興策では地域が疲弊するだけで経済効果は小さい。旅行者が喜んで財布のひもを緩める魅力的な商品・サービスを揃え、地域として売上・利益を確保することが非常に重要である（後述）。

3．観光振興（交流人口の増加）が地域にもたらすメリット

以下、5点が考えられる。

3－1．経済効果（域内消費額の向上）、雇用の創出

人口減少によって起きる域内消費の減少を域外からの訪問者（交流人口）を増やすことでカバーするというもの。持続可能な地域づくりにとって経済が重要なことは言うまでもない。ビジネスとしての観光が地域に経済効果をもたらし、地域が潤う。雇用増も十分期待できる。観光庁も「稼ぐ観光」を標榜し、後押ししている。

3－2．イノベーション（新しい商品・サービス）の創出

交流人口の増加を見込んで、企業は新しい商品・サービスの開発に力を入れる。これまでになかった画期的な商品の誕生やおもてなし力の向上が期待できる。域内外からの投資が進む可能性も高まる。

3－3．社会インフラ（交通・通信）の整備

交流人口の増加を促進するため（もしくは期待して）道路や鉄道などの交通、WiFiなど通信の整備が進む。域外からの来訪者だけではなく、住民の生活の利便性向上につながる。新しい商業施設や娯楽施設ができるなど、生活の質の向上や豊かさがもたらされる。

3－4．伝統・文化・産業・自然・景観の保全保護

自然や景観はもとより地域の伝統・文化・産業は今や重要な観光資源といえ

る。これを伝承し、守っていこうという機運が高まり、動きが活発になるのは当然のなりゆき。老朽化によって取り壊しが決まっていた伝統的建造物が観光名所として利活用されたり、後継者不足により衰退しつつあった産業が観光化することで新たな価値を発揮するケースも増えている。

３－５．住民意識の向上、郷土愛、生きがいの醸成（シビックプライド）

観光地として評価され、地域ブランドの価値が向上することで、住民の地域への誇りや愛着（シビックプライド）が高まる効果が認められている。また、域外からの来訪者（特に外国人）との交流によって、新しい文化の萌芽が見られたり、高齢者の生きがい醸成（英会話を習得したり、観光客向けのスモールビジネスを始めるなど）につながるケースもみられる。

経済や雇用面での効果だけがクローズアップされがちだが、観光振興の効果はそれだけにとどまらず、地域住民の生活環境や精神面に対するプラスの効用があることがわかる。

４．観光産業の現状――市場規模と将来性

観光は世界の多くの国々で外貨を稼ぐための産業として重要な位置を占めている。UNWTO（国連世界観光機関）が発表した2018年の国際観光の市場規模は次の通り。国際観光客数（国境を越えて移動した人数：１泊以上）は約14億人に達し、2030年には18億人にのぼるとみられている。国際観光輸出合計（国際観光収入＋旅客輸送）は1.7兆米ドルで、これは世界総輸出の７％にあたり、自動車や食品を上回り、化学製品、燃料分野に次いで第3位の規模を示している。2020年は新型コロナウィルスの影響で、市場は大きく後退したが、騒動収束後は再び成長に向かうと思われる。

国内に目を向けると、2019年の訪日外国人数は3,188万人で、この10年で約４倍の伸びを示している。旅行消費額（外国人観光客が日本国内で年間に消費する額）は4.8兆円に達し、（外貨獲得のための輸出額と捉えると）電気機器、自動車、化学製品などの主要産業に比肩する規模に成長している。2020年の

図表2　世界の観光市場規模（2018年）

観光のGDPに占める割合は10%	輸出産業と捉えると1.7兆ドル ※世界総輸出の７％ 化学製品・燃料分野について３位	雇用数の割合は１人／10人	国債観光客数は14億人 （2030年には18億人に）

出典：国連世界観光機関（UNWTO）
（https://unwto-ap.org/）

図表3　訪日外国人数推移

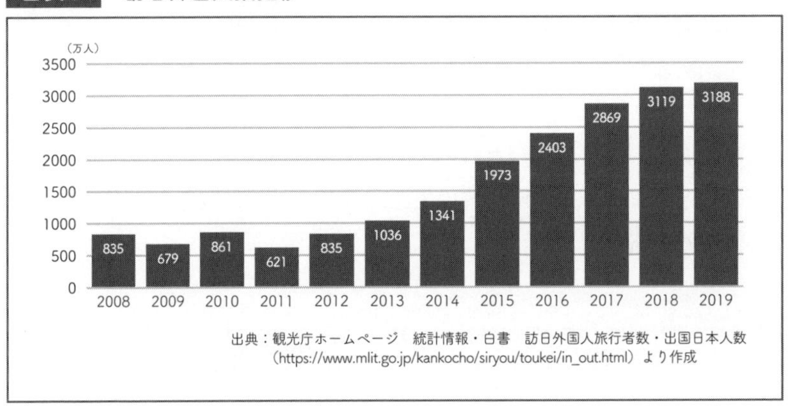

出典：観光庁ホームページ　統計情報・白書　訪日外国人旅行者数・出国日本人数
（https://www.mlit.go.jp/kankocho/siryou/toukei/in_out.html）より作成

図表4　訪日外国人旅行消費額推移

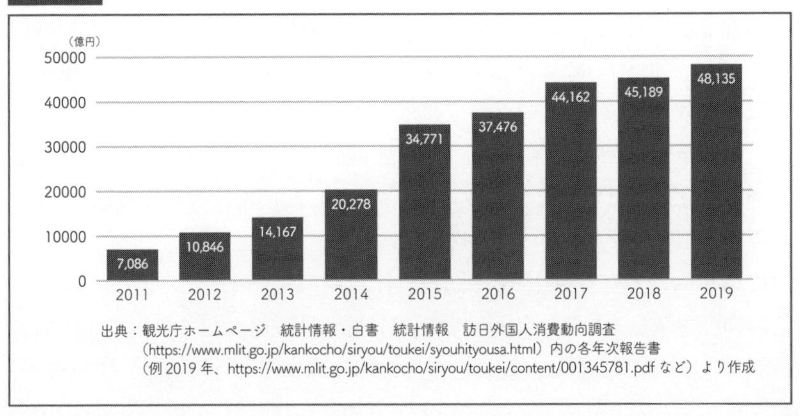

出典：観光庁ホームページ　統計情報・白書　統計情報　訪日外国人消費動向調査
（https://www.mlit.go.jp/kankocho/siryou/toukei/syouhityousa.html）内の各年次報告書
（例 2019 年、https://www.mlit.go.jp/kankocho/siryou/toukei/content/001345781.pdf など）より作成

図表５　訪日外国人消費の成長見込み

	2020年	2030年
訪日外国人旅行者数	4,000万人	6,000万人
訪日外国人旅行消費額	８兆円	15兆円
地方部外国人延べ宿泊者数	7,000万人泊	１億3,000万人泊
外国人リピーター数	2,400万人	3,600万人
日本人国内旅行消費額	21兆円	22兆円

出典：観光庁ホームページ「明日の日本を支える観光ビジョン」本文
（https://www.mlit.go.jp/common/001126598.pdf）より作成

オリンピック･パラリンピック開催により、さらなる飛躍が期待されていたが、コロナ禍によって水を差された格好になった。しかし、日本政府は、2030年に訪日外国人数6,000万人、旅行消費額15兆円を達成することを目指しており、訪日外国人誘致は今後も国策として力強く推進されていくと考えられる。

５．観光のもたらす弊害（観光公害の実態）

観光の持つ負の側面にも触れなくてはならない。急激な観光客の増加によって様々な弊害が出ている。観光公害もしくはオーバーツーリズムと呼ばれる現象だ。平成30年度版観光白書（観光庁）には次のように記されている。「特定の観光地において、訪問客の著しい増加等が、市民生活や自然環境、景観等に対する負の影響を受忍できない程度にもたらしたり、旅行者にとっても満足度を大幅に低下させたりするような観光の状況は、最近では『オーバーツーリズム（overtourism)』と呼ばれるようになっている。」

観光公害による被害内容は多岐にわたっている。「渋滞・混雑」「ゴミ・騒音・悪臭」「自然・景観の毀損」「建物・遺跡等の破損」「治安の悪化」「私有地への侵入」「物価（家賃等）の高騰」などが報告されている。観光公害は地域住民の観光（客）に対する悪感情を喚起し、ホスピタリティの低下を招き、観光客の満足度に悪影響を及ぼす。結果として、観光地としての評価が下がり、客足が遠のき、観光ビジネスが衰退するという悪循環に陥る。築き上げてきた地域ブランドが一気に崩壊しかねない。

日本を代表する観光地である京都では、清水寺や伏見稲荷といった有名観光スポットに多くの外国人観光客が押し寄せ、その混雑ぶりに住民が悲鳴を上げている。桜の名所である祇園白川では観光客が殺到し危険が生じたため、一時、夜間のライトアップが中止される事態となった。また、通勤や通学の重要な足である市バスが観光客による混雑で、遅延が常態化し、市民の利用に支障をきたす「市バス問題」が顕著になり、メディアなどでたびたび取り上げられている。2018年３月、市バスから他の交通機関に観光客を誘導するため、割安感の強かった１日バス利用券の値上げと市営地下鉄と共用可能な１日乗車券の値下げを行う対策が取られた。その他、市民の台所として愛されてきた錦市場でも外国人観光客向けに食べ歩き用の商品を売る店が増え、商店街は様変わりし、地元民の足が遠のくなどの問題が生じている。2020年２月の京都市長選挙では観光公害への対応も大きな争点となった。

2013年にユネスコの世界文化遺産に登録された富士山は、登録以前から課題視されていたゴミ投棄の問題に加え、登山者が急増したことによる環境破壊や安全性への懸念などがクローズアップされるようになった。そこで地元自治体では、そうした問題の対策費用および登山者数の抑制を意図した入山料（富士山保全協力金）の徴収を始めた（１人1000円）。徴収は任意で強制ではないため、その効果は限定的なものにとどまっている。

観光公害は日本だけでなく、世界各地で問題視されている。スペイン・バルセロナでは1992年のオリンピック以降、外国人観光客が急増し、騒音や混雑、治安の悪化などの問題が噴出し、住民との軋轢を生ずるようになった。特に民泊施設（マンションやアパートなどの部屋を旅行者に貸す）の増加によって、家賃の高騰が起き、元からいた市民が住めなくなる事態を引き起こした。観光客排斥のビラが撒かれたり、観光事業者や行政機関に対する抗議デモなど過激な行動も見られた。オーバーツーリズム対策を公約に掲げ、2015年に市長となったアダ・クラウは、民泊の規制や一部地域での新たなホテルの建設を禁止するなどの政策を実行している。

「水の都」として名高いイタリア・ヴェネツィアは大型クルーズ船の寄港が

急増したことで、観光客による混雑が常態化するとともに、地価や家賃の高騰や水質汚染などの問題をもたらした。クルーズ客の大半は一時滞在で経済的メリットが小さいこともあり地元民の不満が高まった。同地では大型船の入港を制限すると共に、観光客の立入り規制、入域の事前予約制を導入し、中心市街地の混雑解消と周辺地域への誘導に取り組んでいる。

このように観光公害（オーバーツーリズム）は世界規模で拡大しており、今後の観光市場の成長にともなって益々クローズアップされてくるであろう。UMWTO（国連世界観光機関）は、2015年に国連で採択された「持続可能な開発目標（SDGs）に対して「観光は直接的、または間接的に貢献する力があり、その達成に向けて重要な役割を担っている」との見解を示した。地域と共存する形で観光を推進する必要性が改めて認識されたこともあり、世界的に旅行者と地域住民との共存・共生に関する議論の機運が高まってきている。日本においても、2018年6月に観光庁長官を本部長として「持続可能な観光推進本部」が設置され、持続可能な観光の実現に取り組む体制が整備された。

6．観光地経営とは（DMOとは）？

地域内の多くの人や企業が関わり、地域経済や住民生活に大きな影響を与える観光。もはや一部の観光関連事業者のビジネスの域を超え、地域の持続的な成長を担う産業となっている。地域として、観光をどう位置付け、どういう時間軸で、どの程度の投資をして、地域の価値をどのように高め、どういうリターンを得るのかという地域経営の視点が重要になる。また、先述したように、一時的な経済効果のみを追求し、住民生活や自然・環境、地域特有の文化をないがしろにする観光振興によって様々な問題も生じている。持続可能な地域作りを意識した地域マネジメント、観光振興のコントロールが重要視されてきている。それらを担う専門組織がDMO（Destination Management /Marketing Organization）であり、欧米の観光先進地域ではすでにポピュラーな存在となっている。わが国では、「日本再興戦略2015改訂」「まち・ひと・しごと創生基本方針2015」でDMOという言葉が登場し、観光政策上で注目されるようになった。観光庁では「日本版DMO」登録制度を創設し、その育成を推進している。

なお、観光庁が定めた「日本版DMO」の要件は以下の通り（2019年に観光地域づくり法人の登録について厳格化を行ったことから、「日本版DMO」の名称を「登録DMO」に変更）。

> 観光地域づくり法人は、地域の「稼ぐ力」を引き出すとともに地域への誇りと愛着を醸成する「観光地経営」の視点に立った観光地域づくりの舵取り役として、多様な関係者と協同しながら、明確なコンセプトに基づいた観光地域づくりを実現するための戦略を策定するとともに、戦略を着実に実施するための調整機能を備えた法人です。
> このため、観光地域づくり法人が必ず実施する基礎的な役割・機能（観光地域マーケティング・マネジメント）としては、
> (1) 観光地域づくり法人を中心として観光地域づくりを行うことについての多様な関係者の合意形成
> (2) 各種データ等の継続的な収集・分析、データに基づく明確なコンセプトに基づいた戦略（ブランディング）の策定、KPIの設定・PDCAサイクルの確立
> (3) 関係者が実施する観光関連事業と戦略の整合性に関する調整・仕組みづくり、プロモーションが挙げられます。
> また、地域の官民の関係者との効果的な役割分担をした上で、例えば、着地型旅行商品の造成・販売やランドオペレーター業務の実施など地域の実情に応じて、観光地域づくり法人が観光地域づくりの一主体として個別事業を実施することも考えられます。

また、日本におけるDMO研究の第一人者と言える近畿大学の高橋一夫教授はその著書「DMO　観光地経営のイノベーション」の中で、DMOを「地方自治体と民間事業者による観光ビジネスの共同体で、観光地経営を担うための機能と高い専門性を有し、観光行政との役割分担による権限と責任を明確にしたプロフェッショナルな組織」と定義している。

行政の持つ信用や権限（強制力）を生かしつつ（インフラ整備や規制緩和を進めながら）、独立した組織として、民間的手法を用い、選択と集中を行い、

図表６　観光法人づくり法人（DMO）の形成・確立

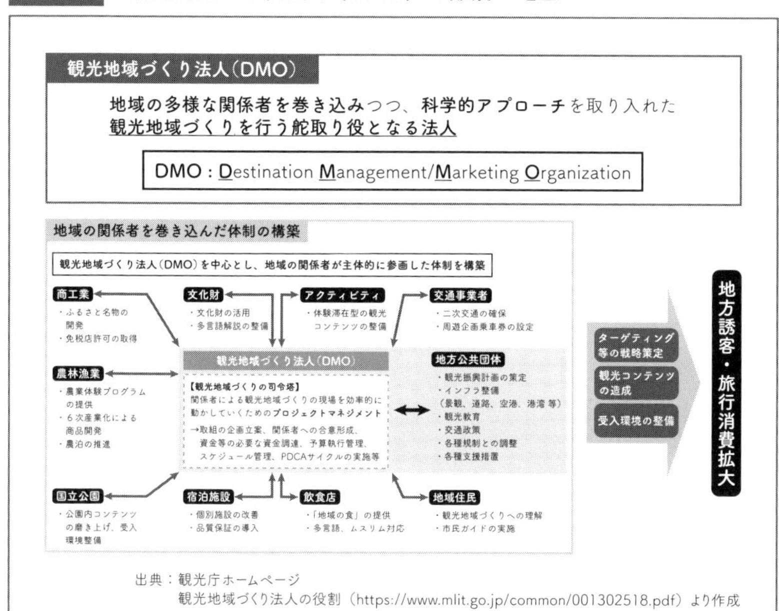

出典：観光庁ホームページ
　　観光地域づくり法人の役割（https://www.mlit.go.jp/common/001302518.pdf）より作成

図表７　日本版DMOの種類

○広域連携DMO
　複数の都道府県に跨がる地方ブロックレベルの区域を一体とした観光地域として、マーケティングやマネジメント等を行うことにより観光地域づくりを行う組織

○地域連携DMO
　複数の地方公共団体に跨がる区域を一体とした観光地域として、マーケティングや、マネジメント等を行うことにより観光地域づくりを行う組織

○地域DMO
　原則として、基礎自治体である単独市町村の区域を一体とした観光地域として、マーケティングやマネジメント等を行うことにより観光地域づくりを行う組織

　※広域連携DMO及び地域連携DMOの形成・確立に当たっては、連携する地域間で共通のコンセプト等が存在すれば、必ずしも地域が隣接している必要はありません。

出典：観光庁ホームページ
　　観光地域づくり法人の登録について（https://www.mlit.go.jp/kankocho/page04_000049.html）より作成

戦略的な地域経営をしていくことが肝要である。

7．観光地経営の方法論（せとうちDMOの事例より）

高橋教授は同書で、観光地経営については次のように定義している。「観光地域において設定される目的・目標を達成するために、持続的・計画的に意思決定をして実行に移し、観光地域の様々な主体と調整をしながら観光事業を管理・遂行すること」。

企業経営に様々な方法論があるように、観光地経営の方法も一律ではない。ただ、核となる考え方（セオリー）は存在するはずだ。ここでは、日本版DMOの成功事例として取り上げられることの多い「せとうちDMO」を例に取り、その要諦を見ていく。

7－1．経営戦略を策定する（ミッション・ビジョン・ゴールの設定）

経営である以上、当然、戦略が必要である。ただ闇雲に打ち手を並べるだけでは地域間競争に勝って永続的に地域を発展させていくことはできない。戦略のベースとなるのが、経営理念であるミッション、ビジョン、ゴールだ。自分たちの地域は観光によって何を実現するのか（ミッション）、どのような地域を目指すのか（ビジョン）を決め、どういう状態を実現したら成功（ゴール）といえるのかを明確にし、関係者間で認識を揃えることが大切である。その上で、すべての打ち手や日常の意思決定が、ミッション、ビジョン、ゴールに照らし、ブレることがないよう常に確認しながら事業を進めていかなければならない。DMOのような公共性をおびた組織では、売上や利益といったわかり易い指標を設定しにくい側面もあり、組織を作ることや維持することが目的化してしまい、本来の役割を果たせなくなる可能性が高い。最初にしっかりと背骨を通しておくとはとても重要だ。せとうちDMOはミッション、ビジョン、ゴールを以下のように定めた。

来訪者を増やし、宿泊数を伸ばし、旅行消費額を上げることで、地域に経済効果をもたらすことをプロセス指標としつつ、最終ゴールを「住民満足度」に

図表８

『ミッション（使命）』

せとうちブランドの確立による地方創生（地域再生と成長循環）の実現

せとうちの魅力を国内外に向けて発信し、来訪者の増加を図るとともに、
せとうちブランドを確立する。そのことで域内事業者と住民の意欲を喚起し、
新しい産業と雇用の拡大を促進し、定住人口の増大につなげ、
自律的・永続的な成長循環を創り上げる

『ビジョン（2020年の在りたい姿）』

せとうちが一度ならず、二度、三度と訪れてみたい場所として定着し、
国内外から人々が集まり、地域が潤い、輝かしい未来に向けて、
住民の間に誇りと希望が満ちている

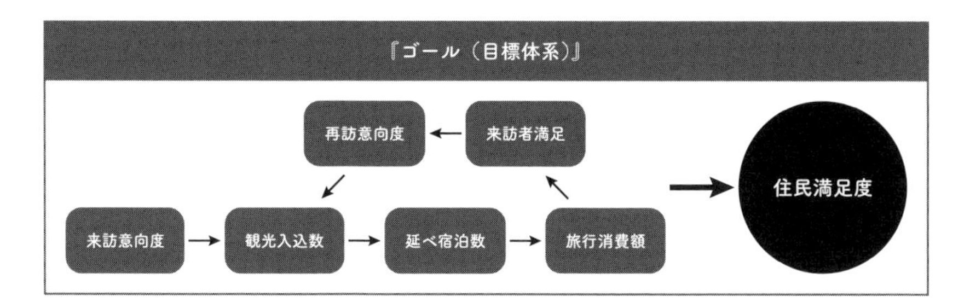

設定し、観光によって、持続可能な「住んでよし、訪れてよし」の地域づくりを推進していくことを内外に表明したのだ。

７－２．戦略に沿って組織と機能をデザインする

「組織は戦略に従う（アルフレッド・チャンドラー著）」という歴史的名著があるが、まさに戦略を遂行し、成果に繋げるためには戦略に合った組織が必要である。どれほど立派な戦略を作っても、それを実行できる組織が整備されていなければ、まさに絵に描いた餅だ。せとうちDMOは「一般社団法人せとうち観光推進機構（行政が主導　以下STA）」と「株式会社瀬戸内ブランドコーポレーション（地銀が主導　以下SBC）」という２つの法人から構成されている。STAは地域のマーケティング全般を担い、瀬戸内エリアへの来訪者を増やし、域内消費額の向上を目指す。そして高まったマーケットの可能性に反応し、事

図表9　せとうちDMO　組織と機能

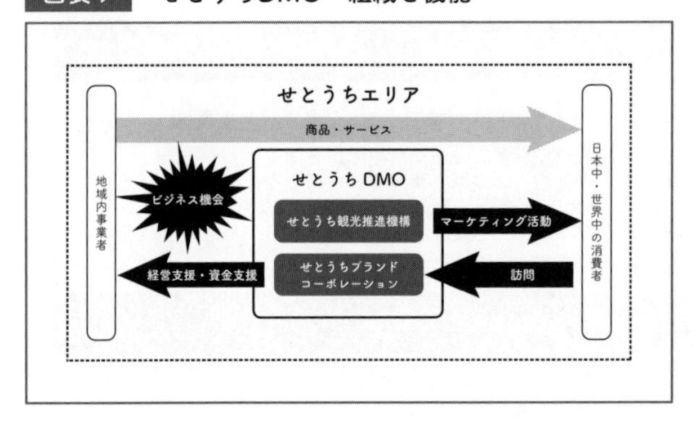

業拡大や新商品・新サービスの開発にチャレンジする域内の事業者を資金面（投資や融資）も含めて支援するのがSBC。このように顧客（需要）の創造・拡大とビジネス開発（商品・サービス供給）を一体的に進めることができる機能を合わせ持つのが「せとうちDMO」の特徴だ。交流人口の増加を確実にビジネスに繋げ、良質な商品・サービスを生み出し、顧客満足を上げ「せとうちブランドを確立」し「地域の自立的・永続的な成長を実現する」ことを可能にしている。

7－3．戦略的マーケティング・・・継続的な顧客獲得の仕組み作り

前述した通り観光は「ビジター産業」である。顧客の大半は日常的に域外（外国人であれば海外）で暮らしていて、当該観光地についてはほとんど知識が無い。もちろん商品（観光経験）を事前に見ることも触ることもできない。情報だけを頼りにそれなりの金額の購買について意思決定しなければならない。選ばれる地域になるには、的確な情報発信（マーケティング）が極めて重要だ。「的確な」というのは費用対効果が高いということと証拠に基づいた科学的アプローチであるという意味である。費用対効果を高めるには、地域戦略に合った顧客候補（望ましいターゲット）にしっかり届き、確度高く旅行行動（意思決定）につなげられる方法を取らなければならない。効果の持続時間にも留意が必要だ。事業費を国や自治体からの補助金に頼っている場合、単年度で成果を求められることが多い。しかし、観光マーケティング（プロモーション）の

効果は短期間で出るものではない（短期間で出せる効果は短期間で終わるとも言える）。せとうちDMOでは一過性のプロモーションで瞬間風速的な効果を追うのではなく、じっくりと市場を育てていく仕組みを構築するやり方を選択した。現地（欧米）のマーケティング会社と提携し、現地の事情に精通したプロを介して旅行会社やメディアとの関係性を深め、「適切な情報」を「適切なターゲット」に「適切な表現」で定期的に届けることで、プロモーション効果の持続性を担保したのだ。また、様々なマーケティング活動から得たユーザー情報や現地情報を一元管理するためのデジタル（インターネット）インフラを構築し、データベースを活用した科学的アプローチを可能にし、マーケティング活動にPDCAサイクルを埋め込んだ。

７－４．プロダクト（商品・サービス）開発
—プレーヤー発掘とモチベーション喚起の仕組み作り

観光は「時間消費型産業」でもある。顧客誘致に成功しても、それだけではビジネスにならない。しっかりと稼げるプロダクトが必要だ。DMOみずから商品・サービス開発をするケースもあるが、１組織の商品開発力では多様化したニーズや変化の激しい市場の期待に応え続けるのは難しい。せとうちDMOでは魅力的なプロダクトが域内から生まれ続ける仕組みを構築する方法を選択した。域内事業者が積極的にプロダクト開発に取り組む意識（モチベーション）を高めることと、そのビジネスの成功確率を上げる仕組みを用意した。１つは会員制度の創設・運用である。「せとうちDMOメンバーズ」という会員組織を創り、域内事業者の参加を募った（会費は１ヵ月5千円）。交流人口の増加を自社の事業拡大や成長のチャンスと捉え、積極的にチャレンジしようという事業者を発掘するのが目的だ。事業者同士のマッチングやインバウンドビジネスの学習の機会を設け、会員企業同士のコミュニケーションを促進し、切磋琢磨する環境を作り上げた。また、中小零細企業ではノウハウがなかったり、１社ではコスト高になってしまうサービス（海外への物販や電話通訳サービス等）を安価で提供するなどのメニューを用意した。結果、会員企業同士のコラボレーション商品に繋がったり、SBCの活用（資金支援）に結びつくケースが複数生まれた。

訪日外国人の旅行消費額の30％以上を占めるのが買い物（お土産）。魅力的な土産品の開発を後押ししたのが「せとうちブランド登録制度」だ。域内の資源を使い、瀬戸内らしさを体現している加工食品や工芸品にブランドマークを付与し、プロモーションや流通面でのサポートをするもの。登録数はすでに1000を超え、「数は力」の言葉通り、棚取りなど流通面で有利なポジションを得ている。登録商品の中から全国的なヒット商品も出現している。

一方で、数が多くなってくると十把一絡げ的な見方をされ、エッジが立たなくなるという弱点も見えてきた。そこで「瀬戸内おみやげコンクール」を実施し、１位、２位、３位というランキングを公表した。意図的に競争環境を創り出し、切磋琢磨の中で、より良い商品が生まれてくるという仕組みだ。コンクールでグランプリを獲得した商品は引き合いが爆発的に増え、出荷量を確保するため生産拠点を拡充した。地域に新たな雇用が生まれるという副産物もついてきたのだ。

７－５．地域住民の機運醸成（関係者の合意形成、ビジョン共有）

観光産業は地域資源（公共の財）を活用（借用）することで成り立っている。観光振興を推進する際に地域との共生や協調が求められるのは当然のことだ。自分だけが儲かれば良いという姿勢や態度は厳に慎まねばならない。しかし、実際には外国人観光客の急増をあてこんで、景観を破壊するようなハコモノを建てたり、地域に不似合いな粗悪品を乱造したり、自然環境に負荷をかけるサービスを展開する事業者が後を絶たない。また、観光は地域内の多くの人や企業が関わる総合サービスだ（複雑性）。地域としての品質管理がとても難しい。自然・景観も素晴らしく、宿泊したホテルのサービスにもレストランの料理にも満足したが、移動に使ったタクシーで嫌な思いをして、その地域の印象が最悪になってしまうというような話はよくあることだ。そうした行為は、観光客離れや地域ブランドの崩壊につながりかねない。だからといって、法律や規制でがんじがらめにして、自由競争によるイノベーション創出や産業活性化を妨げることは避けたい。持続可能な地域づくりのためには、長期的な視点に立って、適切な地域マネジメントをしていく必要がある。そこで、DMOには域内の多様な関係者の利害調整、合意形成の役割が期待されている。

また、前述したように観光産業は裾野が広く、地域内の多くの産業や組織が関係している（149ページの図「観光地域づくり法人（DMO）の形成・確立」参照）。「地産地消」といって、旅館や飲食店では、できる限り地元産の食材を使うことで、その地域らしさを演出し多くの観光客を惹きつけるとともに、地域の農業・漁業の振興を支えている。また、近年、観光客のニーズが物見遊山タイプから、地元の生活や慣習に触れたり、体験や交流を重視する方向に移行している。新たな観光資源として、農業･漁業体験、スポーツ、ものづくり（伝統産業）体験、祭りへの参加などが注目されている。観光産業の新たな担い手として、農業・漁業従事者や商工業者、住民の積極的な参加が地域の魅力向上に欠かせない。そうした観光客のニーズの変化や、観光が地域のあらゆる人にチャンスをもたらすという「気づき」を与え、多くの人を巻き込み、地域全体での観光振興の機運を高めていくこともDMOの大切な仕事である。

せとうちDMOでは年に2回の交流会（1回あたり500名程度の参加）、月1回程度の勉強会（1回あたり50名程度）、業界別、地域別の情報交換会（部会）を開催し、前述したミッション、ビジョンの浸透やインバウンド市場の現状等の情報共有、事業者同士、住民間の相互理解を図った。また、積極的にメディア（テレビ、新聞）へ情報を提供し、報道を通してDMOへの理解を深め、インバウンド市場への期待値を高め続けた（年間のメディア登場回数は200を超えた）。このように、せとうちDMOは多様な方法で、地元とのコミュニケーションラインを確保し、機運醸成に努めた。

8．観光地経営（DMO）の課題

鳴り物入りで登場した全国のDMOだが、思うような成果が上がっていない組織がほとんどだ。どこも同じ2つの課題を抱えている。活動に不可欠な安定「財源」と「人材」だ。

多くのDMOは活動資金を加盟自治体の負担金および国の補助金に頼っている。中にはみずから収益事業（着地型旅行商品の販売など）を行い、その収益から運営資金を捻出したり、会員制度を創設し会費徴収によって事業費の一部をまかなっているケースもある（田辺市熊野ツーリズムビューロー、南信州観光公社など）が、その数は少ない。自治体の財政状況も逼迫しており、また他の政策課題とのバランスの中で負担金の額が決まってくるので、十分な額が充当されるとも限らない。また、国の補助金も税金である以上、単年度での執行が義務付けられる上、使途が限定されていたり、時限的なものがほとんどで事業の継続性は担保されない（成功している施策でも翌年は予算が計上できず、事業を断念せざるをえない場合もある）。持続可能な観光地域づくりを担う組織の財源としてはあまりに不安定だと言わざるを得ない。

そこで、近年、各地で導入もしくは導入の検討が進んでいるのが宿泊税（ホテル税）である。これは地方自治体が特定の目的に使用するため条例で設定できる税で、税率や税額についても独自に決定できる。宿泊施設が宿泊者から特別徴収（代わりに預かること）し、地方自治体に納める。使用目的を観光振興に限定できるため、他の政策課題との綱引きがなく、DMOなどの観光振興組織の安定財源として適しているが、その導入事例はまだまだ少ない。2020年9月現在、導入されている自治体は東京都、大阪府、京都市、金沢市、倶知安町（北海道ニセコ地区）、福岡県、福岡市、北九州市の9自治体にとどまっている。顔ぶれを見ればわかる通り、宿泊税を導入している自治体は全国的に名の通った「強い」観光地だ。一方、相対的に「弱い」地域で宿泊税の導入が進まないのは、課税が旅行者にとっては宿泊料金の実質的な値上げとなり、より競争力を落としてしまうことへの懸念が払拭できないからだ。当然、宿泊事業者からの反発もある。しばらくは議論が続きそうだ。

受益者負担の原則を強く意識した資金調達の方法として最近注目されているのが「TID（Tourism Improvement District 観光改善地区）」という仕組みだ。先行する仕組みとして「BID（Business Improvement District ビジネス改善地区）がある。特定の区域（District）内において、商業的な発展（ビジネス収入や不動産価値の向上）のために、不動産所有者や事業主が資金（分担金）を出し合って組織をつくり、環境や治安の改善、マーケティング活動などを行うものだ。BIDの設立は区域内の受益者の投票によって決まる。設立が決まれば反対者も資金の負担を免れることはできない。これによって、何も負担せずに利益だけ享受するフリーライド（ただ乗り）を防ぐことができる。区域内の受益者が自主的に資金を供出するという点で、国や自治体が強制的に徴収する税とは一線を画す。受益者負担を徹底することで、資金提供者の事業に対する関心や要求は当然高まる。BID組織の結果責任が厳しく問われることになる。このBIDの観光に特化したものがTIDだ。区域（適切な事業エリア）や受益者（観光振興でメリットを受ける者）の特定が難しく、解決しなければいけない課題は多い。しかし、地域に根差した事業者が自らの責任で、主体的に地域の未来を創造していける優れた仕組みであることは確かだ。

人材については、多くのDMOが行政や参画企業からの出向に頼っていて、プロパー(直接雇用)社員の比率は極めて低い。２～3年でほとんどのメンバーが出向元に帰り、組織の継続性は担保しにくい。スキル・ノウハウの組織内への蓄積は難しく、せっかく築いた域内外のステークホルダー（利害関係者）や協力者とのリレーション（良好な関係）も途切れてしまう。採用や教育の自由度もない上に、人事評価も出向元が行うケースがほとんどなので、組織の求心力や事業へのコミットメントを引き出すのは難しい。観光のプロとして持続的な地域づくりの責任を担う組織としては余りに心許ない。海外の成功しているDMOではプロパー社員比率が高いことからしても、プロパー化は必須と言える。人材の問題は行きつくところ財源（人件費負担）の問題だと言える。

今後、日本の観光産業の成長、発展をDMOが牽引する存在になるには「財源」と「人材」の課題は早急に解決しなければならない。

９．観光起点で地域の未来を考える

かつて日本の高度経済成長を牽引したモノづくり（工業）。地域の経済成長と雇用対策の特効薬は工場誘致であった。しかし、それらは海外に出ていき、残ったのは海、山、川、湖、美しい田園風景などの自然環境と昔ながらの生活やその地ならではの文化や風習。すべて貴重な観光資源である。時代が移っても観光は地域に根差し、決してなくならないものだ。

また、人口減少社会の中で、消費減を交流人口でまかなうことは地域経済にとって必須である。観光振興を避けて通ることはできない。そして、ここまで見てきたように、観光は地域の多くの人や企業、団体が関わり、経済や雇用面の効果だけでなく、住民の生活や郷土への愛着、地域の文化形成へも大きな影響を及ぼす。かつてのマスツーリズム時代とは異なり、地元民との交流や地域の生活体験が新しい観光資源として脚光を浴び、観光サービスの担い手として、その地に住む「人」そのものが重要な役割を期待されている。また、SNSの発展にともなって、これまで観光地として無名だったような場所や地域にも観光客が集まるようになった。今や観光に無縁な地域は1つもなく、無関係な人はいないと言える。観光振興には地域（住民）の総合力が問われているのだ。

観光を行政と一部の観光関連事業者だけで進める時代ではない。多くの人を巻き込み、地域一丸となって、観光を推し進めていくことが持続可能な地域づくりにつながる。「観光を考える」ことは「地域の未来を考える」ことだ。

（村橋克則）

参考文献

- アレックス・カー、清野由美（2019）『観光亡国論』（中央公論新社）
- 佐滝剛広（2019）『観光公害─インバウンド4000万人時代の副作用』（祥伝社）
- 高橋一夫（2017）『DMO 観光地経営のイノベーション』（学芸出版社）
- せとうちDMOホームページ（https://setouchi/ourism.or.jp/ja/）

第⑨章 生物多様性・野生生物保護を考える

１．はじめに――After Coronaにおける野生生物との関わり

2020年初頭から世界中で新型コロナウイルスの感染拡大が大きな課題となっている。現時点でいつ収束するのか不確実であり、社会のあり方を大きく変えつつある。

現時点では新型コロナウイルスの発生源や感染経路について正確な特定には至っていないが、野生生物が由来の可能性が高い。これまでもさまざまな感染症が野生生物との接触によりもたらされてきたことは周知の事実であり、これらの感染症はズーノーシス（動物由来感染症）と呼ばれる。井田（2020）によると、ズーノーシスは2000年代以降に多発しており、背景には熱帯林破壊等の自然破壊や「ブッシュミート」と呼ばれる野生動物食の急拡大が指摘される一方で、畜産の拡大や地球温暖化の進行も影響を与えている。今回の新型コロナウイルスの感染拡大が収束したとしても、これらの問題が改善されない限り、第２・第３の新型コロナウイルスが登場することは想像に難くない。

野生生物との関わりについて考えることは、After Coronaの課題の１つといえる。本章では私の専門分野である生物多様性や野生生物保護について取り上げ、今後の野生生物との関わりを考える一助としたい。

２．生物多様性について

京都新聞2020年５月４日付の社説[1)]によると、人に感染する可能性があるウイルスは最大60万種ともいわれ、その多くが寄生する野生動物の生息域は地球温暖化で広がり、接触するリスクが高まるとされる。生物多様性が損なわれることで、人や家畜が病原体の標的になりやすくなるとの指摘が述べられて

１）京都新聞「社説：コロナと地球　環境破壊の影響を省みよ」、2020年5月4日、朝刊

いる。そこで、私たちは改めて生物多様性について考える必要がある。

2－1．生物多様性とは何か

2008年に施行された「生物多様性基本法」を見ながら、生物多様性について考えてみる。第2条には、生物の多様性として以下の記載がある。

「生物の多様性」とは、様々な生態系が存在すること並びに生物の種間及び種内に様々な差異が存在することをいう。

生物多様性は３つのレベルの多様性、生態系の多様性、種（種間）の多様性、遺伝子（種内）の多様性から成る。生態系の多様性については、さまざまな自然環境である森林、草原、湖、干潟等をイメージしてもらうとよい。森林といっても気候に応じて多様な森林があるように、自然環境は多種多様である。そして、そのような多種多様な自然環境に多くの生物が生息しているのである。地球上には約174万種[2)]の生物が確認されており、これが種の多様性である。

遺伝子の多様性については、生物は異なる遺伝子により、形や模様、生態等に多様な個性があるとされる。よく例に挙げられるのがナミテントウやゲンジボタルである。ナミテントウは、200以上の異なる斑紋を持つとされ、その多様な斑紋は1つの遺伝子によってもたらされることが示されている[3)]。ゲンジボタルについては、東北グループ・関東グループ・中部グループ・西日本グループ・北九州グループ・南九州グループと、地域ごとに異なる遺伝子レベルでの違いをもっており、例えば発光の点滅のリズムの違いは遺伝子レベルでの違いによるものだと考えられている[4)]。

生物多様性について考える上で注意しなければならないのは、現在の生物多様性は完成形ではなく、現在進行形であるということである。前述のように約

2）国立科学博物館筑波実験植物園「生物多様性とは」（2020年５月５日閲覧）
http://www.tbg.kahaku.go.jp/diversity/variety/

3）基礎生物学研究所「テントウムシの多様な斑紋を決定する遺伝子の特定に成功」（2020年５月５日閲覧）https://www.nibb.ac.jp/press/2018/09/21.html

4）環境省自然環境局生物多様性センター「蛍の光の『方言』と遺伝子の違い ゲンジボタル」（2020年５月19日閲覧）http://www.biodic.go.jp/reports2/parts/5th/5_gdiv/5_gdiv_09.pdf

174万種の生物についても、これは長い歴史の中での進化の途中経過であり、これからもこれらの生物種が進化を続けていくことを保証しなければならない。「生物多様性基本法」の前文にも進化についての記載がある。

> 生命の誕生以来、生物は数十億年の歴史を経て様々な環境に適応して進化し、今日、地球上には、多様な生物が存在するとともに、これを取り巻く大気、水、土壌等の環境の自然的構成要素との相互作用によって多様な生態系が形成されている。

「これからの進化を保証する」という視点は重要であり、生物多様性を単に「種の多様性」だけで認識していると、外来種をめぐる認識も揺らいでしまう。例えば、ある場所で２種の外来種が導入され、結果的にその場所で１種の固有種がその外来種２種の侵入により絶滅したとしよう。結果として、その場所は＋－（プラスマイナス）で「１種増えた」ことになるが、はたして生物多様性を考える上でこの「１種増えた」ことはよいことなのだろうか。

そして、生物同士のつながりで考えれば、１種の絶滅によって、生態系への波及効果も考えられる。例えば、1905年を最後に生息が確認できず、絶滅したと考えられているニホンオオカミについて、その絶滅は、現在農作物被害や森林等で植生被害を与えているシカが増加した背景の一つと考えられている[5)]。私たちは生態系の変化による波及効果は予測しきれない、ということを真摯に受け止める必要がある。自然の中では、どのような生物も１種だけでは生きてはいけず、いろいろな生物とのつながりがあってこそ生きることができる。「つながりを守る」ことこそが「生物多様性を守る」ことといえる[6)]。

５）例えばNHK for Schoolの動画を参照のこと。
NHK for School「ニホンオオカミがいなくなると…」（2020年5月22日閲覧）
https://www2.nhk.or.jp/school/movie/clip.cgi?das_id=D0005301996_00000

６）「生物多様性ちば県戦略」（2008年策定）では、生物多様性を「生命（いのち）のにぎわいとつながり」と表現している。「生物多様性ちば県戦略」（2020年5月20日閲覧）
http://www.pref.chiba.lg.jp/shizen/keikaku/kankyouseikatsu/documents/strategy.pdf

2−2．生物多様性が意味するもの〜「生態系サービス」と「4つの危機」

生物多様性を保全する重要性について、「生物多様性基本法」の前文には以下の記載がある。

> 人類は、生物の多様性のもたらす恵沢を享受することにより生存しており、生物の多様性は人類の存続の基盤となっている。また、生物の多様性は、地域における固有の財産として地域独自の文化の多様性をも支えている。

この「生物の多様性のもたらす恵沢」、「人類の存続の基盤」、そして「地域における固有の財産」、「地域独自の文化の多様性」を説明する概念として「生態系サービス」がある。生態系サービスには、基盤サービスが土台にあり、供給サービス・調整サービス・文化的サービスの３つがある（Millennium Ecosystem Assessment編2007）。

供給サービス・調整サービス・文化的サービスは、私たちの暮らしに密接に関わっている。食を例に考えてみたい。例えばみそ汁の具材にはさまざまな食材が入っている。さまざまな自然環境がなければ、それらの食材を私たちは味わうことができない。これは供給サービスである。次に日本酒をみると、さまざまな酒米によって多種多様にある。日本酒造りにはきれいでおいしい水が欠かせないが、森林がもたらす水源かん養の役割、すなわち調整サービスが関わっている。また、食は供給サービスだけではなく、食文化にもつながり、食文化の多様性は文化的サービスである。このように食を例にとっても、私たちは生物多様性の恵みを受けている。生物多様性があるからこそ、生態系サービスも充実するのである（図表１）。

しかし、現在私たちの生活に恵みをもたらしてくれる生物多様性は脅かされている。「生物多様性基本法」の前文では以下の記載がある。

> 生物の多様性は、人間が行う開発等による生物種の絶滅や生態系の破壊、社会経済情勢の変化に伴う人間の活動の縮小による里山等の劣化、外来種等による生態系のかく乱等の深刻な危機に直面している。また、近年急速に進みつつある地球温暖化等の気候変動は、生物種や生態系が適応できる

図表１　人間生活と生物多様性・生態系サービスとの関連

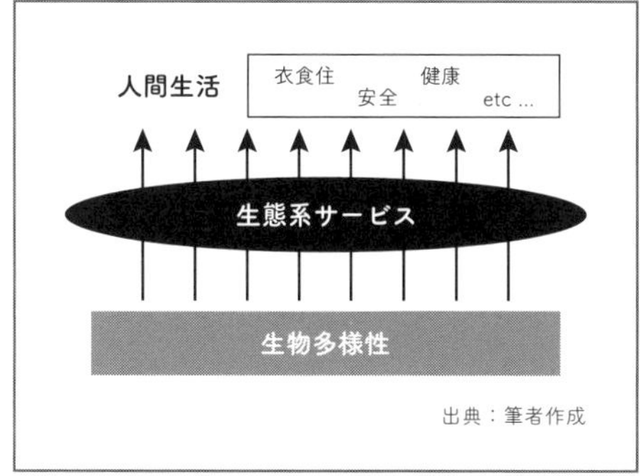

出典：筆者作成

速度を超え、多くの生物種の絶滅を含む重大な影響を与えるおそれがあることから、地球温暖化の防止に取り組むことが生物の多様性の保全の観点からも大きな課題となっている。

生物多様性には「４つの危機」、すなわち、第1の危機「開発や乱獲による種の減少・絶滅、生息・生育地の減少」、第2の危機「里地里山などの手入れ不足による自然の質の低下」、第3の危機「外来種などの持ち込みによる生態系のかく乱」、第４の危機「地球環境の変化による危機」があるとされる[7)]。第１の危機が人間によるオーバーユースだとすれば、第２の危機はアンダーユースである。なお、第４の危機は、地球温暖化をはじめとする気候変動があり、近年では地球温暖化だけではなく、海洋酸性化の問題も生物多様性にとっての危機とされている。第１から第４の危機まで、人間の活動・社会のあり方が関係しており、私たちの社会のあり方が問い直されているといってよいだろう。

生物多様性を考えることは私たちの社会を考えることであり、私たちの社会を考えることは生物多様性を考えることであるといえる。「生物多様性基本法」の前文にも、生物多様性がもたらす恵みを将来世代も享受できるような社会を目指していくことが述べられている。

７）環境省「生物多様性に迫る危機」（2020年5月19日閲覧）
https://www.biodic.go.jp/biodiversity/about/biodiv_crisis.html

我らは、人類共通の財産である生物の多様性を確保し、そのもたらす恵沢を将来にわたり享受できるよう、次の世代に引き継いでいく責務を有する。今こそ、生物の多様性を確保するための施策を包括的に推進し、生物の多様性への影響を回避し又は最小としつつ、その恵沢を将来にわたり享受できる持続可能な社会の実現に向けた新たな一歩を踏み出さなければならない。

生物多様性がもたらす恵みを将来世代も享受できるような社会を目指していく上で指標となるのがSDGs（Sustainable Development Goals：持続可能な開発目標）である。SDGsとは、2015年９月の国連サミットで採択された「我々の世界を変革する：持続可能な開発のための2030アジェンダ」に記載された、2030年までの国際目標である。持続可能な世界を実現するための17のゴール・169のターゲットから構成され、17のゴールは「経済」・「社会」・「環境（生物圏)」の３つの分野に分けることができる。17のゴールは相互に関係しており、土台は「環境」となる[8)]。「環境」があってこそ、「社会」が成立し、「経済」活動ができることが示されている。土台に「環境」があるという考え方は、「生態系サービス」にも通じるものである。

生物多様性の保全を推進することはSDGsの達成にも大きく関わる。今後SDGsの取り組みの推進と併せて、生物多様性の保全についての議論が深まっていくことが望まれる。

３．野生生物をめぐる問題

３－１．そもそも「野生生物」とは？

「野生生物」と聞いて、どのような生き物を思い浮かべるだろうか。これまで大学の講義で「『身近な野生生物』と聞いて、どのような生き物がいるをイメージする？」と学生に聞いてきたが、多くの学生が「カラス」、「スズメ」、「ハト」

8）WWFジャパン（2019/09/19）「SDGs（持続可能な開発目標）とは？ WWFの取り組みと、これからの環境保全」（2020年5月31日閲覧）
https://www.wwf.or.jp/activities/basicinfo/4087.html

と答える。「三大身近な野生生物」と言えるかもしれない。ただ、数年に１人か２人、「イヌ」や「ネコ」と答える学生がいる。話を聞けばペットとして飼育されているイヌやネコを「身近な野生生物」として回答しているようだ。では、ペットとして飼育されているイヌやネコはなぜ「野生生物」ではないのか。そもそも野生生物とは何だろうか。

ここではわかりやすく動物で考えてみたい。なぜある動物が野生動物で、ある動物が野生動物ではないのか。私たち人間が狩猟採集生活をしていた頃はすべての動物は野生動物であっただろう。農耕の開始により定住生活をするようになったことで、近くにいる野生動物を手なずけて、飼いならすようになったことから家畜化が始まり、野生動物を飼育するようになったのである。このように動物は人間の所有・管理下におかれた「飼養動物」とそれ以外の「野生動物」に分けられることになった。人間がえさを与え、繁殖をコントロールしている。それが野生動物へはない、人間の関わりである[9)]。

「動物の愛護及び管理に関する法律」に基づき定められている「動物の飼養及び保管に関する基準」[10)]では、飼養動物は以下の4つに整理され、(1) 家庭動物、(2) 展示動物、(3) 実験動物、(4) 産業動物となる。(1) の家庭動物とは前述のイヌやネコのようにペットとして飼育されている動物である。(2) の展示動物とは、例えば動物園やふれあい施設等で展示される動物である。(3) 実験動物や (4) 産業動物とは実験や畜産のために飼育されている動物である。そして、(1) ～ (4) にあてはまらない動物が、野生動物といえる。同じ動物でも状況が違えば異なってくる。例えば、動物園にいるニホンザルは展示動物になり、実験のために飼育されていれば実験動物になるし、許可を得て個人で飼われていれば家庭動物になる。それ以外のケース、すなわち、本来の生息地にいれば野生動物と扱われる。

野生生物は日本では無主物とされるが、「野生生物＝誰のものでもない」という認識には注意が必要である。野生生物が「誰のものでもない」ということは「何もしなくていい」わけではない。「誰のものでもない」野生生物に対して、

---

9) ただし、野生動物に人間がえさを与える問題もある。
10) 環境省自然環境局「動物の適正な取扱いに関する基準等」(2020年12月23日閲覧)
http://www.env.go.jp/nature/dobutsu/aigo/1_law/baseline.html

私たち人間は食肉や皮革等で利用してきた長い歴史があり、現在ではその生息状況に応じて時には保護をし、被害が発生すれば時には駆除をする。その主体も環境省や農林水産省や林野庁、さらには地方自治体等とさまざまであり、時に曖昧である。野生生物が「誰のものでもない」ことから出発し、野生生物とどう関わっていけばいいのか、野生生物とどう付き合っていけばいいのかについて、広く議論していく必要がある。

3－2．野生生物をめぐる3つの問題

IUCN（世界自然保護連合）が発表するレッドリストによると、世界で絶滅のおそれのある野生生物は30,000種を超える[11]。レッドリストで評価された種のおよそ4分の1が絶滅のおそれがある状況である。また、絶滅に至るスピードが速くなっているとの指摘があり、1600年～1900年には1年で0.25種だった生物種の絶滅速度は、1975年以降は、1年に40,000種と急激に上昇し続けているとのことである[12]。

野生生物の減少の原因としては前述の「生物多様性の4つの危機」を参照されたいが、それらの原因が「野生生物の減少」だけではなく、特定の「野生生物の増加」を引き起こし、生態系のバランスが崩れ、生活にも被害をもたらす。

農林水産省の資料[13]によると、シカ（北海道は除く）の生息数は1989～2017年の29年間で約9倍に増加、イノシシの生息数は1989～2017年の29年間で約3.5倍に増加したと推定されている（いずれも中央値での推定）。そして、2018年度の野生鳥獣による農作物被害額はおよそ158億円であり、約7割がシカ（約54億円）、イノシシ（約47億円）、サル（約8億円）である。森林の被害面積は全国で年間約6,000ha（2018年度）であり、シカによる被害が約3/4を占める。また、道路や線路に出てくることによる交通事故も多く発生している[14]。

11）IUCN (2020)The IUCN Red List of Threatened Species. Version 2020-2（2020年7月9日閲覧）
https://www.iucnredlist.org.

12）環境展望台（国立環境研究所）「生物の多様性」（2020年5月22日閲覧）
http://tenbou.nies.go.jp/learning/note/theme2_1.html

13）農林水産省農村振興局「鳥獣被害の現状と対策」（令和2年9月）（2020年9月1日閲覧）
https://www.maff.go.jp/j/seisan/tyozyu/higai/attach/pdf/index-364.pdf

14）野生生物と交通「気を付ける」（2020年9月6日閲覧）http://www.wildlife-traffic.jp/carefulness/

シカやイノシシ等の野生生物の増加には農山村の過疎高齢化が背景にあり、耕作放棄地の増加や未収穫作物の放置が野生生物を人里に引き寄せる要因になっている。個体数をコントロールする役割のある狩猟については狩猟者の減少・高齢化が進んでいる。さらに、近年では農山村だけではなく、シカやイノシシ等は都市に出没するようになってきている。例えば、2020年６月に東京都足立区の荒川河川敷で捕獲されたシカについては、東京23区に出没したことで注目を浴びて多く報道されたが、実際には都市での出没は珍しくなく、背景にある特定の「野生生物の増加」という現実を忘れてはならない。

「野生生物の減少」も「野生生物の増加」も社会の変化が大きく関係している。戦後、都市への人口集中により、社会構造が大きく変化した。総務省が2018年12月に公表した「過疎対策の現況」[15] では、いわゆる過疎地域の人口は全国の8.6％を占めるに過ぎないが、過疎地域の面積は国土の６割弱を占めている。国土の約６割である過疎地域は人口減少による管理放棄により自然環境が影響を受ける一方で、国土の約４割である非過疎地域には人口の約９割が集中し、開発による自然環境の減少が起こっていると考えられる。

産業構造については、戦前は一次産業（農業・林業・漁業）従事者の割合が多かったが、戦後はその割合が大きく減少し、二次産業（鉱業・建設業・製造業）や特に三次産業（運輸通信業・金融保険業・サービス業等）の従事者の割合が増えた。絶滅危惧種の集中分布地域の５割以上が里地里山であり[16]、維持管理には一次産業である農林業が大きく関わる。そのため、農林業の衰退は野生生物の生息環境である里地里山に大きな影響を与える。

「野生生物の減少」、「野生生物の増加」と並んで、近年大きな問題となっているのが「外来種の侵入」である。外来種は、環境省の定義[17] によれば、「導入（意図的・非意図的を問わず人為的に、過去あるいは現在の自然分布域外へ移動させること。導入の時期は問わない。）によりその自然分布域（その生物

15）総務省地域力創造グループ過疎対策室「平成 29年度版 過疎対策の現況（ 概要版 ）」（2020年5月22日閲覧）https://www.soumu.go.jp/main_content/000591840.pdf

16）環境省自然環境局自然環境計画課（2008）「里地里山保全再生計画作成の手引き」（2020年5月22日閲覧）https://www.env.go.jp/nature/satoyama/tebiki.html

17）環境省「日本の外来種対策用語集：外来種」（2020年8月30日閲覧）https://www.env.go.jp/nature/intro/1law/yougo.html

が本来有する能力で移動できる範囲により定まる地域）の外に生育又は生息する生物種（分類学的に異なる集団とされる、亜種、変種を含む）。」とあり、「人為的な導入」がポイントとなる。人為的な導入には、（1）天敵、観賞用、緑化用として導入、（2）ペットの遺棄、（3）動物園からの逃走等過失による野外への逸出、（4）人、物資に付着しての非意図的導入[18]が考えられる。

外来種問題でよく取り上げられるアライグマは、北米～中米が本来の生息域であるが、現在日本各地に生息している。1977年に放映されたテレビアニメ「あらいぐまラスカル」の影響でアライグマの飼育ブームとなったが、飼育するのが難しく[19]、各地で飼育個体の遺棄等があり、繁殖力が強く、天敵がいなかったこともあり野生化し、数を増やしていった。環境省の発表（2018年）[20]によると、アライグマの分布域が、約10年前と比べ全国で３倍近くに広がり、生息情報がなかったのは秋田県、高知県、沖縄県の３県だけとの結果が出ている。アライグマは、農作物被害や養殖魚への被害、また家屋に侵入し、爪痕を残し、糞尿による被害をもたらす。また、アライグマ回虫や狂犬病等、人や動物に共通する感染症を引き起こす危険性も指摘されている[21]。

在来種を捕食する等の生態系への被害も深刻である。例えば、アメリカザリガニによる捕食によって、水生昆虫が減少し、絶滅危機の原因になっていることも指摘されている[22]。また、近縁の在来種との交雑も指摘されている。私たちにとって身近な植物であるタンポポを例に挙げると、道端で見かけるタンポポの大半は外来種のセイヨウタンポポである。東京でいえば、在来種であるカントウタンポポはごくわずかな場所でしか生育していない。さらにセイヨウタ

18）服・靴等に付着してしまうこと、貨物と一緒に入ってくること、バラスト水（船舶が安全確保のため重しとして積載する海水のこと）の排出等が挙げられる。

19）実際にはアニメの中でも飼育する難しさは描かれているが、ラスカルのかわいらしさばかりが伝わってしまったと思われる。また、アニメでは最後ラスカルを森に帰す場面があるが、飼育できなくなった場合は森に帰せばいい（＝捨てればいい）という誤解を与えてしまったことも後に飼いきれなくなったアライグマが捨てられた背景にあると考えられる。

20）環境省報道発表（平成30年8月31日）「アライグマ、ハクビシン、ヌートリアの生息分布調査の結果について」（2020年5月23日閲覧）https://www.env.go.jp/press/105902.html

21）環境省省自然環境局生物多様性センター（2018）「分布を拡大する外来哺乳類アライグマ　ハクビシン　ヌートリア」（2020年5月23日閲覧）https://www.env.go.jp/press/files/jp/109906.pdf

22）NPO法人シナイモツゴ郷の会：西原昇吾・苅部治紀「アメリカザリガニ防除と昆虫類の保全」（2020年5月23日閲覧）
https://www.shinaimotsugo.com/ivent/yousi/yousi_2017_10/%EF%BC%93-2-2nisihara.pdf

ンポポの８割以上は在来タンポポとの雑種であるとの報告もある[23)]。

ここで注意しなければならないのは、被害をもたらしている外来種は駆除が必要であるので、対象となる外来種は「悪い」存在といえるが、本当に「悪い」のは人為的に持ち込んで、それを野外に放した（逃げたにしても、きちんと管理しなかった）私たち人間である。ペットとして外来種を飼育している場合は、その生物が死ぬまで責任をもって、飼育することが責務である。

外来種対策としては2005年に施行された「外来生物法」（特定外来生物による生態系等に係る被害の防止に関する法律）がある。この法律では、生態系等への被害が認められる生物を「特定外来生物」として指定し、飼育、栽培、譲渡、運搬、輸入、さらに野外への放出等を規制する。2020年11月２日時点で156種[24)]が特定外来生物に指定されており、前述したアライグマも2005年に特定外来生物に指定されている。

外来種に限らず、前述のようにシカやイノシシ等のもともと生息していた野生生物も駆除しなければならない状況にある。さまざまな野生生物が絶滅の危機にあるような社会も、シカやイノシシが増えて被害をもたらすような社会も、外来種が侵入するような社会も、私たち人間が作り出したのである。社会のあり方が変わらなければ、第２、第３のニホンオオカミ、シカ、アライグマが登場するだろう。

４．野生生物をどうやって保護していくのか？ ――実際の調査事例から考える

ここからは、私がこれまで調査で関わってきた２つの事例を紹介し、日本での野生動物保護の最前線を知ってもらいたい。

４−１．事例①コウノトリの野生復帰が目指す共生のあり方

コウノトリは、明治時代以前は日本中どこにでもいる鳥であったが、狩猟や営巣木の伐採、農薬の使用・ほ場整備といった農業環境の変化等を背景に数を

23）国立環境研究所侵入生物データベース「セイヨウタンポポ」（2020年７月９日閲覧）
https://www.nies.go.jp/biodiversity/invasive/DB/detail/80640.html
24）環境省「特定外来生物一覧（指定日別）」（2020年12月23日閲覧）
https://www.env.go.jp/nature/intro/2outline/files/shiteibi_list.pdf

減らし、1971年に日本では野生下で絶滅した。最後の生息地であった兵庫県豊岡市では1965年より人工飼育を開始しており、1985年に旧ソ連から６羽の幼鳥が贈られ、1989年に人工繁殖に成功した。以降、飼育数を増やし、2005年9月に豊岡市で初めて野外へ放鳥された。千葉県野田市や福井県越前市でもコウノトリの飼育・放鳥が実施され、2020年12月31日時点で220羽が野外で生息している[25)]。近年では全国各地に飛来し、徳島県鳴門市や島根県雲南市、京都府京丹後市、福井県越前市や福井県坂井市、鳥取県鳥取市、栃木県小山市等でも野外での繁殖が成功している。

コウノトリの野生復帰は、単に絶滅危惧種であるコウノトリを保護・増殖するという目的にとどまらない。羽山（2019）は絶滅した種を過去に生息していた地域に再び定着させるための野生復帰を再導入として、「再導入とは、１種の絶滅危惧種を救うためだけに行うものではなく、生態系の復元を行うための手法であり、まさに自然再生事業のひとつなのである」（p150）と述べている。コウノトリは食物連鎖の頂点であることから、コウノトリの生息環境を整備することは多くの生物が生息できる環境を整備することであり、コウノトリは生物多様性保全のシンボルとして位置づけられる。そして、兵庫県豊岡市での「コウノトリとの共生」をまちづくりの柱にした取り組みは、さらに「コウノトリ育む農法」にみられるように「コウノトリとの共生」が無農薬や減農薬栽培の農作物の付加価値になっており、環境と経済を両立させた地域活性化の事例として注目を集めている[26)]。従来の野生生物保護では、対象となる生物のみに焦点をあてた取り組みが中心であり、住民からの反発を招くこともあったが、豊岡市のように「コウノトリも人も」という視点での取り組みは新たな野生生物保護のあり方を考える契機となったといえる。

４－２．事例②ツシマヤマネコの保護をめぐるボランティア活動

ツシマヤマネコは長崎県対馬市にのみ生息する、推定生息数70 ～ 100頭の

25）兵庫県立コウノトリの郷公園「野外個体数」（2021年１月25日閲覧）
http://www.stork.u-hyogo.ac.jp/in_situ/in_situ_ows_num/

26）環境省自然環境計画課生物多様性主流化室（2016）「生きもの・人・暮らし　生物多様性の主流化で元気になる地域」（2020年5月22日閲覧）
http://www.biodic.go.jp/biodiversity/about/library/files/living%20with%20nature.pdf

絶滅危惧種である。減少原因の一つに交通事故があり、多い時で年間10件前後発生し、2019年度は７件発生した（2020年3月10日時点）[27]。私は2008年からツシマヤマネコに関する住民意識の調査を継続的に行ってきたが、交通事故で毎年ツシマヤマネコが死亡している現状から実践の必要性を感じ、2017年・2018年・2019年の３年間、４泊５日の日程で大正大学人間学部人間環境学科３年生の有志とともにボランティア活動に取り組んできた。活動は、環境省対馬野生生物保護センターおよび対馬市の協力を得て実施しており、現地ではさまざまな作業に取り組んできた。具体的には、ツシマヤマネコが道路を横断する代わりに利用できるようにカルバート内の土砂撤去作業、ツシマヤマネコへの注意喚起を促す標識や移動式看板の清掃・補修作業、新たな移動式看板の設置、レンタカー店等でのツシマヤマネコへの注意喚起を促すチラシの配布等多岐にわたる。移動式看板やレンタカー店等で配布するチラシのデザインは出発前に学生たちが考え、韓国人観光客も多いため韓国語を併記したものとなる（図表２・図表３）。学生たちは出発前にツシマヤマネコや対馬について勉強する事前学習会を複数回行う。活動終了後には大正大学学園祭「鴨台祭」での活動報告を行っている。

このようないわゆる「よそ者」が現地の野生生物保護にかかわる活動は、現地の人たちにとって「東京からわざわざ来ている」という驚きとともに、ツシマヤマネコのもつ価値に改めて気づく機会になり得る。また参加する学生たちにも教育効果がある。学生たちは野生生物の保護政策の現状と課題を学ぶだけではなく、学生同士が協力することの大切さ、現地の人たちと議論する力等、さまざまな気づきや成長が得られる機会となっている（本田2018）。2020年度はコロナ禍でボランティア活動は実施できなかったので、今後After Coronaの新たなボランティア活動のあり方を模索していく必要がある。

４－３．どのような野生生物保護が必要か？

私は2019年２月と2020年２月に、日本語学校に在籍する中国人留学生を対象に生物多様性や野生生物保護について講義する機会があり、コウノトリの

27）環境省対馬野生生物保護センター「ツシマヤマネコ エコドライバーをめざして」（2020年8月30日閲覧）http://kyushu.env.go.jp/twcc/accident/index.html

図表2　学生たちが作成したチラシ（2017年度、日・英・韓の３種類）

図表3　学生たちが作成したチラシ（左 2018年度・右 2019年度、日韓併記）

野生復帰の取り組みを紹介した。講義後には、「なぜ国がコウノトリのための保護区を作らないのですか？」と、普段の大学の講義では挙がらない質問が寄せられた。中国では例えばトキの生息数増加に成功した経験（蘇・河合2002）もあり、国家体制の特徴から実現可能と思われるが、日本では多くの野生生物の生息環境と人の生活環境が重複するため、特定の野生生物の保護のために保護区を設定することは、多くの人々の生活を制限することになり容易ではない。例えば、交通事故を防ぐためにツシマヤマネコがよく横断する道路を通行止めにできるだろうか。住民にとっては生活に必要な道路であり、住民を排除する

ような保護政策を展開すればかえって住民からの反発を招き、ツシマヤマネコに対してネガティブな認識が生じてしまう可能性がある。西表島にしか生息しないイリオモテヤマネコの保護をめぐって、かつて「人かヤマネコか」という論争が起こった。保護の対象生物にのみに焦点をあててしまうと、そこで暮らす住民は、その生物との共生を求められる、すなわち「強いられた共生」がもたらされてしまう（本田2008）。持続可能な「野生生物との共生」を考える上では、住民の視点から「野生生物との共生」を考えていくことが望ましい。

それには、住民が対象生物をどのように捉えているのか、現場に行き、話を聞くという作業が重要となる。実際に対象生物の生息地で暮らす住民がどのように考えているのか。野生生物保護を「絶滅から救う」や「生物多様性を守る」という視点だけで考えると、住民に「強いられた共生」を求めることになりかねない。「住民との関わり」や「住民の捉え方」という視点にも着目していくことが持続可能な「野生生物との共生」を実現する上で必要となる。

5．おわりに――持続可能な社会を目指して

自然は私たちに、時には災害や今回のような感染症という形で負の影響をもたらすが、それを上回る恩恵を与えてくれるからこそ、私たちは長い歴史を通じて自然とともに生活してきた。私たちの生活は生物多様性がなくては成り立たない。現在、生物多様性の危機が叫ばれ、そして、野生生物をめぐる問題もさまざまなものが存在している。そこには私たちの社会のあり方が大きく関係している。冒頭でAfter Coronaの課題の１つとして「野生生物との関わり」を挙げたが、どのように「野生生物との共生」を実現していくのか。唯一の回答や模範回答があるわけではなく、試行錯誤の中で野生生物とのつきあい方を模索していく必要があるだろう。その際に野生生物をめぐる諸問題の背景にある社会のあり方に着目して、「問題が発生している社会はどのような社会か？」や「どのような社会が持続可能な社会といえるのか？」という「問い」を持ち続けて、野生生物との関わりについて考えていく必要がある。

これからの社会を考える上で、SDGsはますます重要なキーワードとなるだろう。野生生物保護においてもSDGs の視点は非常に重要である。「野生生物

の減少」の原因に、生息地の開発や外来種の侵入等が挙げられるが、最大の原因は「戦争」である。戦争は生息地を大規模に破壊し、人心の荒廃もあって野生生物に関心が向かなくなる。コウノトリが1971年に日本で野生下絶滅した原因には、明治時代以降の狩猟や戦後の農業環境の変化に加えて、戦時中の生息環境の破壊がある。SDGsには、ゴール16「平和と公正をすべての人へ」とゴール17「パートナーシップで目標を達成しよう」が掲げられている。現在、新型コロナウイルスの感染拡大もあり、国際情勢や日本を取り巻く情勢にも不透明さが増し、さまざまな懸念もあるが、平和の実現のためにもSDGsの17のゴールへの取り組みとその実現が急務であり、その認識が世界共通となることが望まれる。

6．参考——卒業研究ではどのようなテーマに取り組むか？

本章を読んでいる学生の多くは数年後に卒業研究に取り組むことになり、中には野生生物保護や「人と自然・動物とのかかわり」をテーマに研究したい学生もいるだろう。私は大正大学人間学部人間環境学科で2014年度から卒業研究の指導を担当してきた。卒業研究は大学生活の集大成であり、社会に出る上での必要なスキルを身に着ける重要な作業である。自分の「問い」を持つこと、それに対して、文献調査・現地調査を重ね、自分の「答え」（考察）を出すこと。正解のない社会を卒業後歩んでいく上で出発点ともいえる重要な作業といえる。

大正大学人間学部人間環境学科で2014年度～2019年度に私が担当した学生49人の卒業研究題目一覧を掲載する（図表４）。コウノトリやツシマヤマネコといった絶滅危惧種に着目したもの、シカやサル等による獣害に着目したもの、アメリカザリガニやカミツキガメ等の外来種に着目したものもあれば、セミの鳴き声について調べたり、フクロウの文化的サービスに着目したり、養蜂やシカ肉のジビエ料理利用、森林浴等の新たな取り組みに着目したものもある。他には動物園の展示・解説、ペットの適正飼養の課題、また、フェアトレードの普及や、熱帯林の減少原因の１つであるパームオイルの認知状況等、学生の興味関心はさまざまである。このように自分の「問い」を出発点に研究とし

図表４　大正大学人間環境学科本田ゼミ 2014年度～ 2019年度の卒業研究題目一覧

年度	題目
2014年度	対馬におけるネコの問題について－ツシマヤマネコの保護のために
	東日本大震災による三陸海岸の変化と復興について
	動物の命－毛皮製品について
	動物と自動車－お互いに良い関係を築くには
	千葉県野田市におけるコウノトリの野生復帰計画をめぐる現状と課題
	環境保全における地域社会のズレ
	外来生物問題について
	現代日本における犬の飼育環境に関する研究－ペットブームによる弊害－
	伊豆大島の観光と環境について－ジオパークと災害－
2015年度	大学生の海離れについて
	パームオイルへの消費者意識－大学生へのアンケート調査から－
	動物園における環境エンリッチメントの現状と課題
	千川上水公園内のビオトープについて
	獣害の現状とその対策
2016年度	高齢の飼い主とペットの現状と課題について
	森林浴のストレスの低減効果について
	日本における米離れの現状を踏まえた米にまつわるフリーペーパーの作成
	化学物質が生物に与える環境影響
	展示から見る水族館の社会的機能
	アメリカザリガニの食利用の可能性
	生物を呼び込む為の公園ビオトープ造りについて
	動物園における解説板の有効性について
	屠畜業に対する差別の実態と意識啓発について
2017年度	多摩川の外来魚問題の現状と課題
	外来種の食利用～ホンビノス貝が東京湾に与える影響～
	フクロウの文化的サービスと現代社会に与える影響に関する研究
	東京都における里地里山の現状と保全活動
	観光客から見た佐渡島の観光資源
	埼玉県における河川再生の実態
	東京23区における生態系サービスの評価
	千葉県銚子市における人とイワシの関わり
	シカ肉が置かれている現状とさらなる普及拡大に向けての提案・課題
2018年度	地域ごとの酸性雨の影響と森林汚染について
	森林浴の心理的効果に関する研究
	綾瀬川流域の環境政策と地域とのかかわり
	ミツバチの養蜂活動による地域活性化への取り組みについて～東京都23区の養蜂活動の現状と今後の課題～
	これからの日本におけるエコ・ファースト企業の役割
	自然環境保全における外来種の位置づけ
	千葉県印旛沼とその周辺水域におけるカミツキガメの防除の実施状況と課題について
	ニホンザルの被害対策としてのモンキードッグの現状と課題
2019年度	昆虫食は日本で再び普及できるのか～昆虫食の可能性に着目して～
	日本におけるRSPO認証パーム油の現状と課題～企業へのアンケート調査と若者への啓発活動から～
	カラスと人の付き合い方～人の生活変化で悪者に
	フェアトレードショップから見る日本でのフェアトレードの現状と課題
	長野県阿智村の星空観光についての研究～星空観光が地域づくりに果たした役割～
	被害をもたらすシカと人間との共存実現の可能性～東京都奥多摩地域におけるシカによる被害をふまえて～
	動物介在教育を実施していく上での課題の検討
	対馬市ノラネコ不妊化事業をめぐる住民意識の把握と今後の事業実施に向けた課題
	セミの鳴き声は騒音となり得るのか～公園におけるセミの鳴き声調査～

て発展していくのである。一覧表を見て、「私もこういった研究をしてみたい」と思ってもらえると幸いである。

（本田裕子）

参考文献

- 羽山伸一（2019）『野生動物問題への挑戦』（東京大学出版会）
- 本田裕子（2008）『野生復帰されるコウノトリとの共生を考える―「強いられた共生」から「地域のもの」へ』（原人舎）
- 本田裕子（2018）「ツシマヤマネコの交通事故対策をめぐるボランティア活動と環境教育的意義について」（『環境情報科学学術研究論文集』32巻p329-p334）
- 井田徹治（2020）「アフターコロナの自然保護　自然破壊が遠因に。生態系配慮の復興投資を」（『自然保護』576号p30-p31）
- Millennium Ecosystem Assessment編・横浜国立大学21世紀COE翻訳委員会訳（2007）『生態系サービスと人類の将来―国連ミレニアムエコシステム評価』（オーム社）
- 蘇雲山・河合明宣（2001）「人間・野生動物の共生と農山村経済振興：中国洋県トキ保護の事例（第３報）」（『放送大学研究年報』19号p19-p45）

第⑩章 公共政策における非政府組織の役割

1. 公共政策の中で重要性な役割を果たすNGO

現代社会が抱える諸課題の中で、地球温暖化や生物多様性喪失などの環境問題は貧困や開発、感染症などの問題と並んで国境を超えた地球規模の課題の一つとなっている。こうした地球規模の課題に対しては、各国の政府が単独で対処することが難しいことから、国際条約などを通じた政府間の協力や国際機関、環境NGO、企業、市民など様々なアクターが連携、協力しながら対応していく必要がある。

皆さんの中にも、2019年ごろに気候変動問題の問題について積極的な発言や学校ストライキ活動を行うことで世界中から注目を集めたスウェーデン人の少女グレタ・トゥーンベリさんのことを覚えている方もいるだろう。彼女は、国連気候変動枠組み条約などの国際会議などに積極的に参加し、政治家や企業などに対して気候危機に関する科学者の声を聴くよう強く訴えた。こうした彼女のアプローチについては賛否両論があるものの、彼女の行動は若者をはじめとして多くの人々に大きな影響を与えたことは間違いない。彼女の例が象徴するように、地球温暖化のように、国家だけではうまく問題に対処できない地球規模の問題に対して、特にグローバルからローカルなレベルまで、政府による取り組みの弱点を補う役割を担う政府以外の様々な主体の役割はますます重要なものとなっている。政府だけでなくこうした多様な主体によって構成される世界の在り方はグローバル・ガバナンスとも呼ばれる。

こうした様々な主体からなるグローバル・ガバナンスの中で重要な役割を担っているアクターの一つにNGO（Non-governmental organization=非政府組織）がある。NGOという言葉を聞いたことがあるが、NGOとは何か、そして具体的にどのような役割を果たしているかについて説明できる人は少ないだろう。NGOという言葉から特定の企業や国をターゲットに新聞やテレビ、インターネットを使って世界的な派手なキャンペーンを行う国際的な団体を思い浮かべる人もいれば、世界中の多数の個人や企業から多くの資金を集めて多数の正規職員を雇用しつつ途上国で大規模なプロジェクトを実施している団体を想像する人、またはボランティア中心に地道に活動を行う草の根的な団体を思い浮かべる人もいるだろう。

実際、一口にNGOといっても、その内実は、規模やカバーする地理的範囲、活動内容、哲学、アプローチ、職員の質や数、資金源、ガバナンスのあり方などの観点から非常に大きな多様性がある。環境分野以外においても、経済開発、教育、人道支援、人権などの様々な分野で活動を行っているNGOがある。また、その果たす役割も、国際条約の草稿作成、交渉・執行支援、科学的知見の集約、グローバルな課題設定やキャンペーン、国際的な基準の形成、企業や政府との協業の場の提供、現場レベルでのプロジェクト実施等多種多様であり、特定のイメージでNGOを一般化してとらえることはできない（古田2015）。

一方で、これらの組織に共通している要素もある。それは、政府を代表する組織ではないこと、営利目的の組織ではないこと、犯罪や暴力にかかわる組織でないことなどである。NGOに類する用語としては、NPO（Nonprofit Organization=民間非営利組織）やCSO （Civil Society Organization=市民社会団体）などもある。NGOは国際的で大規模な組織であり、NPOやCSOはより小規模な国内の団体というイメージもあるが、これらの間に厳密な区別があるわけではない。したがって、本稿においてはこれらの組織を総称してNGOという呼び方を用いる。

このほかにも、NGOを主に国内で活動するNGOと国際的なネットワークを有して国際的な活動を行う国際NGO（INGO: International non-governmental organization）に分類することもある。国連機関のように各国の政府が取り決めによって設立し、加盟する機関を政府間組織（IGO: Inter Governmental Organization）と呼ぶが、政府とNGOの双方がかかわり、国際NGOと政府間組織の両方の性格を併せ持つハイブリッド組織も存在している。後述するように、政府とNGOがメンバーとなっている国際自然保護連合（IUCN）は、そうしたハイブリッドな組織の代表例のひとつである。ほかにも国際労働機関（ILO）、国際赤十字赤新月社連盟、国際科学会議（ICSU）、国際標準化機構（ISO）などが、こうしたハイブリッドの性格を有している。

本稿では、ローカルからグローバルまで様々な分野の公共政策の中で役割を果たすNGOの中から、特に筆者が当事者としてかかわっている自然環境保全分野を例にとり、その実際の役割や活動の概要を紹介したい。

2．環境NGOと国連

環境分野におけるNGOの草分け的な組織としては、英国で1889年に設立された英国王立鳥類保護協会（RSPB: Royal Society for the Protection of Birds)、米国で1892年に設立されたシエラクラブなどが挙げられる。1903年には、現在のファウナ&フローラインターナショナルの前身となる組織が世界最初の国際的な環境NGOとして誕生した。IUCNは、第二次世界大戦後の1948年に設立され、1961年には世界自然保護基金（WWF）がスイスに設立された。1969年には米国で地球の友（FoE: Friend of the Earth）が1971年にはグリーンピースが設立されている。世界中にある環境NGOの正確な数は把握されていない。しかし、1970年から世界的に急激に増加し、現在も増加し続けていると考えられている。

そもそもNGOという言葉が最初に使われるようになったのは、1945年に採択された国連憲章がきっかけである。国連憲章の第71条にNGOという用語が記載され、ECOSOC（国際連合経済社会理事会）を通じて国連との関係が規定されたことにより、NGOという言葉が国際政治の世界で広く用いられることとなった。当初、国連とNGOの関連はこのECOSOCを通じたものに限られていたが、1970年頃から国連が開催する世界会議にNGOが直接参加したり、各種の国際条約の会合にNGOが参加するなど、NGOが国際政策にかかわる方法が多様化した。この点で転機となったのが、1972年にスウェーデンのストックホルムで開催された「国連人間環境会議」（UNCHE：United Nations Conference on Human and Nature）であった。同会議では会議を成功に導くためNGOの参画を積極的に促す戦略をとり、国連とスウェーデン政府、NGOは共同でNGOフォーラムを開催した。NGOは、会議で公式発言を行うことが許され、また毎日会議の様子を伝えるニュースレターを発行した。この結果、会議は政府関係者だけではなく、NGOやメディアそして一般の人々の大きな注目を集めることに成功し、その後の国連が開催する世界会議のモデルとみなされるようになった。

「国連人間環境会議」の20年後にブラジルのリオデジャネイロで開催された「リオ地球サミット」（UNCED: United Nations Conference on Environment and Development）では、一層大規模にNGOが参加し、その役割も深化した。例えば、UNCEDで大きく取り上げられることになった「持続可能な開発」というコンセプトは、もともとIUCNとUNEP（国連環境計画）、WWFが1980年に発表した「世界保全戦略」（World Conservation Strategy）の中で提起されたものであった。このコンセプトは、その後1987年に「環境と開発に関する世界委員会（通称ブルントラント委員会）」の最終報告書「われら共有の未来」の中で大きく取り上げられより広く知られることとなった。このように、環境NGOは国連の開催する国際会議のアジェンダにも大きな影響を与えるようになった。

UNCEDの10年後に南アフリカのヨハネスブルグで開催された「持続可能な開発に関する世界サミット（通称ヨハネスブルグサミット）」（WSSD: World Summit on Sustainable Development）、さらにその10年後の2012年にリオデジャネイロで開催された「国連持続可能な開発会議（通称リオ＋２０）」においては、さらに多数のNGOが参加した。ヨハネスブルグサミットでは、環境NGOのグリーンピースと産業界を代表するWBCSD（持続可能な開発のための世界経済人会議）が同じテーブルに着き、各国政府に対して温暖化ガス削減を呼びかけるイベントなども催された。「リオ＋２０」では、「いまや政府はリーダーではなく、フォロワーである。市民社会と企業こそが持続可能な開発をリードしなければならない。」というフレーズが繰り返し聞かれた。このように、国連の環境問題に関する世界会議が開催されるごとに、NGOの果たす役割は次第に拡大し、また深化してきた（古田2015）。

3．IUCNの概要と歴史

筆者が日本事務所の代表を務めているIUCNは、前述のように第二次世界大戦後の国際秩序が形成されつつあった1948年にUNESCO（国際連合教育科学文化機関）の後押しによってフランスのフォンテヌブローで設立された。設立の目的は、自然保護分野において政府とNGOが共通のビジョンのもとで協力し、国際協力を促進して自然保護に役立つ科学的知見やツールを提供することとされ、当初、23の政府、134のNGOと国際機関をそのメンバーとして発足した（IUCNホームページ）。

設立から最初の10年間、IUCNの主な活動は人間活動の自然界に与える影響を評価することに置かれた。例えばIUCNは農薬の生物多様性への悪影響について警告を発し、また、環境影響評価の活用を推奨したが、これらはその後世界各国に広まった。1960年代と1970年代は、IUCNの活動の重点は生物種やその生息地の保護に向けられた。1964年にIUCNは「絶滅の恐れのある種のレッドリスト（以下、「IUCNレッドリスト」と呼ぶ）」を発表した。このIUCNレッドリストは、その後も発展を遂げ、今日では、後述するように地球上の生物種の絶滅リスクを示す最も包括的なデータソースとして幅広く認知されている。

IUCNは環境分野の国際条約の設立においても大きな役割を果たした。これには、1971年に誕生した「ラムサール条約（正式名称：特に水鳥の生息地として国際的に重要な湿地に関する条約）」、1972年に誕生した「世界遺産条約」、1974年に誕生した「ワシントン条約（正式名称：絶滅のおそれのある野生動植物の種の国際取引に関する条約）」、1992年に誕生した「生物多様性条約」などの例が挙げられる。前述のように、1980年に、IUCNはUNEP、WWFと協力して「世界保全戦略」を発表し、この戦略に登場した「持続可能な開発」のコンセプトは、国連のブルントラント委員会で取り上げられ、1992年に開催されたリオ地球サミットの中心的テーマになった。

その後、1992年のリオ地球サミットに先立ち、IUCNは「世界保全戦略」の後編となる「Caring for the Earth」を公表した。この報告書は、その後の国際環境政策の方向性を基礎づけるとともに、「生物多様性条約」や「気候変動枠組み条約」、「砂漠化対処条約」の誕生の礎ともなった。

さらに、1999年にIUCNは国連総会のオブザーバーステータスを獲得した。これにより、IUCNは国連総会のオブザーバーステータスを有する唯一の環境団体として、世界の環境団体を代表してその見解を国連総会で述べることができるようになった。なお、IUCNは前述のようにハイブリッドの性格を持つ組織であるため、時と場合によって、国際NGOに区分される場合と、政府間組織に区分される場合がある。国連においては、1998年までは国際NGOとされていたが、1999年の国連総会においてオブザーバーステータスを獲得したことで、以降は政府間組織（IGO）に区分されるようになった。

2000年代に入ると、IUCNは産業界との連携にも積極的に取り組むようになる。特に、鉱業や石油ガス開発など、自然に対して大きなインパクトを与える業種を対象に、自然資源の持続可能な利用が担保されるよう協働を行っている。例えば、世界中の鉱業・金属会社やその関連団体から構成されるICMM（International Council on Mining and Minerals）との継続的な対話を行ったり、サハリンにおける天然ガス開発によるコククジラへの影響を客観的に評価し、対処方策を勧告するための独立科学パネルの設置などに協力している。なお、持続可能な開発を目指す企業の世界的組織であるWBCSD（World Business Council on Sustainable Development）など、持続可能な開発や自然保護に取り組む企業団体もNGOメンバーとしてIUCNに加盟するようになった。

2000年代の後半に入るとIUCNは、気候変動や食料安全保障、水の安全保障、人間の健康、自然災害、社会と経済の発展などのグローバルな社会課題への解決策を自然の機能をもとに提供していこうという自然保護に関する新たなコンセプトNbS（Nature based Solutions＝自然に根差した解決策）を生み出し、これを強力に推進しながらSDG sの各種ゴールの達成への貢献を目指した活動をしている（古田2019）。

4．IUCNの組織構成とガバナンス

現在IUCNは、200以上の国家および政府機関会員、1400以上のNGO・先住民族団体会員に加え、15,000人以上のボランティアの専門家が６つの専門家委員会に所属し、これをスイスの本部を中心に全世界に分散する約900名の事務局職員が支える世界最大の環境ネットワーク組織となっている（図表１）。

2016年にハワイで開催された総会では、国家、政府機関会員、NGOに加え、新たに先住民族団体（IPO: Indigenous Peoples' Organization）がIUCNの会員カテゴリーに加わることが決まった。日本では、外務省が国家会員、環境省が

政府機関会員で、そのほかに15のNGOがIUCNの会員となっている。この中には、経済界を代表する経団連自然保護協議会も含まれている。なお、IUCNの会員は、予算規模や国の経済状況に応じて設定された年会費を支払う義務があり、その一方で、総会に出席し、決議を提案したり投票を行う権利を有している。

また、IUCNの規約では、各国・地域のIUCN会員団体が集まって、国別、地域別に「IUCN委員会」という組織をつくることができることになっている。国別・地域別委員会の役割は、各国・地域のIUCN会員団体同士の協力を促進し、また、後述する専門家委員会や事務局など他のIUCNの要素との連携を図ることにある。日本でも、IUCNに所属する会員団体がIUCN日本委員会を組織し、その事務局はIUCNのNGO会員団体のひとつである日本自然保護協会に置かれている。現在、全世界に65の国家委員会と７つの地域員会が設立されている。

会員に次ぐIUCNの二つ目の構成要素は専門家委員会（コミッション）である。IUCNには自然保護に関する様々な分野をカバーする６つの専門家委員会が常設されており、世界中から1500人以上の専門家がボランティアとして参加し、様々なテーマについて会員団体や事務局と連携しながら科学的知見の集約や政策提言活動を行っている。

例えば、後述するIUCNレッドリストにおける絶滅リスク評価は「種の保存委員会」の専門家を中心に行っており、世界遺産条約における自然遺産の評価は「世界保護地域委員会」の専門家がその評価を実施している。なお、６つの専門委員会の名称は、「コミュニケーション・教育委員会（CEC: Commission on Education and Communication)」、「生態系管理委員会（CEM: Commission on Ecosystem Management)」、「環境、経済、社会政策委員会（CEESP: Commission on Environmental, Economic and Social Policy)」、「種の保存委員会（SSC; Species Survival Commission)」、「世界保護地域委員会（WCPA: World Commission on Protected Areas)」、「世界環境法委員会（WCEL: World Commission on Environmental Law)」であり、これらの名称からも、いかに幅広い分野の専門家がIUCNの活動にかかわっているかを伺い知ることができるであろう。

IUCNの三つ目の構成要素は事務局である。事務局の業務は、事務局長をトップに約900人の事務局職員が本部のあるスイスのグランに加え、世界50か国

図表1　IUCNの3つの構成要素

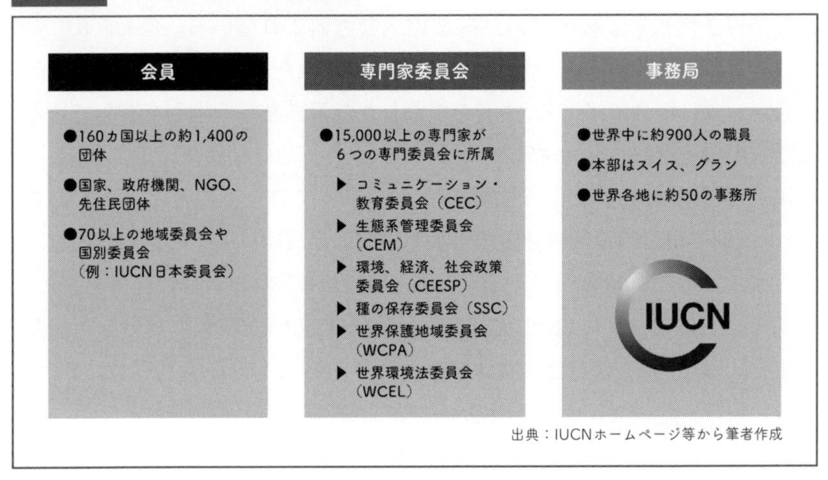

出典：IUCNホームページ等から筆者作成

図表2　IUCNのビジョンとミッション

＜ビジョン＞自然を尊び、保全する公平な世界

＜ミッション＞自然が持つ本来の姿とその多様性を保護しつつ、自然資源の公平かつ持続可能な利用を確保するため、世界中のあらゆる社会に影響を及ぼし、勇気づけ、支援していくこと

出典：IUCNホームページより筆者作成

にある事務所で遂行している。本部のあるスイスのグランは、国連機関などが集まるジュネーブから電車で約20分ほどの距離にあるレマン湖湖畔の小さな町であり、このほか先進国では英国（ケンブリッジ）、ドイツ（ボン）、ベルギー（ブリュッセル）、スペイン（マラガ）、米国（ワシントンDC）にも事務所があるが、事務局職員の約８割は途上国の事務所で業務を行っている。日本では2009年にIUCN事務局が開設され、現在はIUCN日本リエゾンオフィスとして大正大学地域構想研究所内に置かれている。

IUCNは民主的な手続きで運営されている組織であり、その最高意思決定機関は４年に一度、会員団体が集まって開催されるIUCN世界自然保護会議（IUCN World Conservation Congress）の際に開催される会員総会である。この会員総会では、次の会員総会まで期間を対象にしたIUCNの事業計画が承認されるほか、会長や地域理事、専門家委員会議長などの理事会を構成するメンバーが選挙で選任され、また、国際的にみて重要な自然保護上の各種課題についての決議が採択される。世界自然保護会議ではまた、会員総会に先立ち数日間かけて世界自然保護フォーラムが開催される。参加者が数千人規模にも上るこのフォーラム期間中には大小さまざまな数百ものイベントが並行して開催され、プロジェクトの成果や新たなアイディアやコミットメント（約束）の発表などが数多く行われる。こうして世界自然保護会議で選任された理事会の構成メンバーが、次の世界自然保護会議が開催される４年後までの間、IUCNの組織運営に関わる各種の重要事項の決定を理事会を通じて行うとともに、事務局長以下の事務局組織が承認された事業計画に沿って日々の業務を実施していく。

ちなみに、IUCNの公式言語は英語、フランス語、スペイン語の３か国語である。したがって、IUCNの公式文書はすべてこの３か国語で用意される。また、総会などの重要な会議ではこの３か国語の同時通訳が行われる。国連の公式言語6か国語には及ばないものの、IUCNではその設立時に中心的役割を果たしたのが欧米各国であったことなどの歴史的経緯から、英語、フランス語、スペイン語の３か国語が等しく公式言語とされている。

なお、IUCNの年間予算の規模はおよそ1.4億スイスフラン（2019年実績：日本円で約160億円）である。このうち、約１割は会員が納入する会費収入によって、さらに１割はフレームワークドナーと呼ばれる10あまりの政府から提供される使途に縛りの無い運営資金によって賄われている。それ以外のほとんどは、様々な政府や財団、国際機関などから個別のプロジェクト実施のために提供される資金が原資となっている。NGOは団体によってその資金源に大きな多様性がある。個人による寄付金を中心にしているところや、民間企業からの寄付が中心の団体、政府資金や財団の資金を中心に運営しているところなど、さまざまである。ハイブリッドの性格を有するIUCNは、その成り立ちの経緯からも、政府の影響力が強く、その設立にかかわった欧米を中心とした各国政府が提供する資金がその活動原資の中心となっている。

5．環境NGOの果たす代表的な役割とIUCNの事例

１．でNGOが果たしている役割として国際条約の草稿作成、交渉・執行支援、

図表３　環境NGOの果たす代表的な役割とIUCNに関連した事例

役割	例
国際条約の草稿作成	・「ラムサール条約」は、1950年代の終わりにIUCNがIWRBとICBPという２つの国際NGOとともに開始したプロジェクトの一環として1962年に開催した国際会議でその必要性が最初に提起され、IWRBによって条約の草稿が準備された。 ・「世界遺産条約」は、UNESCOが準備していた文化遺産に関する条約案と米国が準備していた自然遺産に関する条約案が一つにまとめられて作られたが、IUCNの環境法委員会の専門家が条約の草稿作成に寄与した。 ・「ワシントン条約」は1960年と1963年のIUCN総会での決議（決議7.14、決議8.5）がきっかけとなりIUCNによって条約の草稿が作られた。 ・「生物多様性条約」は1981年のIUCN総会決議がきっかけとなり、IUCNとUNEPによって条約の草稿が作成された。
国際条約の交渉・執行支援	・「ラムサール条約」は条文にIUCN内に事務局を設置することが規定されている。 ・「世界遺産条約」では、諮問機関としてのIUCNとICOMOSの役割がその条文に規定されている。 ・「ワシントン条約」では、IUCNとWWFの共同プログラムであるTRAFFICが様々な情報分析を行っている。 ・「生物多様性条約」では、IUCNが条文や議定書の解説書や各種ガイダンスを発行している。
科学的知見の集約	・IUCNでは、生物種の絶滅リスクを体系的に評価して「レッドリスト」としてまとめ、公表している。このレッドリストの情報はワシントン条約などの国際条約を執行する上での重要な情報源となっている。 ・IUCNではUNEP-WCMCとともに世界の保護地域のGISデータベースを作成しており、こうしたデータは生物多様性条約の実施状況を判断する情報源となっている。
グローバルな課題設定	・IUCNとUNEP、WWFが1980年に発表した「世界保全戦略」の中で「持続可能な開発」というコンセプトが使われ、その後国連の報告書に取り上げられ広まった。
国際的な基準の形成	・IUCNが作った保護地域カテゴリーは、保護地域を世界基準で分類するために世界各国で広く使われている。 ・IUCNでは、NbSが正しく現場で実施されることを保証するためのグローバルスタンダードを作成し、公表している。
企業や政府との協業の場の提供	・鉱業・金属会社やその関連団体から構成されるICMM（International Council on Mining and Minerals）との継続的な対話を実施している。 ・サハリンにおける天然ガス開発によるコククジラへの影響を客観的に評価し、対処方策を勧告するための独立科学パネルの設置の設置、運営に協力している。 ・持続可能な開発を目指す企業の世界的組織であるWBCSDや経団連自然保護協議会など、持続可能な開発や自然保護に取り組む企業集団もIUCNの会員となっている。
現場レベルでのプロジェクト実施	・IUCNは全世界の現在事務局職員の80％は本部（スイス）以外の事務所、主として途上国の事務所に勤務しており、これら途上国にある事務所は主要先進国が途上国で実施する自然補保護関連プロジェクトの実施機関としての役割も果たしている。 ・IUCNは、他の国連機関や国際NGOなどと並んで環境分野の国際条約の資金メカニズムであるGEF（地球環境ファシリティ）とGCF（緑の気候基金）の実施機関ともなっている。

出典：古田（2015）「環境NGOと国際環境政策」『環境を担う人と組織』などから作成

科学的知見の集約、グローバルな課題設定やキャンペーン、国際的な基準の形成、企業や政府との協業の場の提供、現場レベルでのプロジェクト実施などの項目を挙げた。前節まででその概要を示したIUCNの活動を、これらの項目に当てはめると図表３のように示すことができる。本節では、こうさした様々な活動のなかからさらにIUCNの代表的な活動の例として、IUCNレッドリストと保護地域にかかる活動を取り上げ、さらに詳しく紹介をしてみたい。

5－1．IUCNレッドリスト

IUCNの活動で最も良く知られている例の一つとして、IUCNレッドリストを挙げることができるであろう。IUCNレッドリストは、動植物、菌類をカバーする、世界で最も包括的な生物種の保全状況を示す情報ソースとして知られている。IUCNレッドリストは、IUCNの種の保存委員会が1950年代にカードに絶滅の恐れのある哺乳類と鳥類のデータを記載して体系的に整理を始めたことがルーツとなっている。この間、当初は単なる絶滅の恐れのある種をリスト化したものであったものが、現在では地図情報を伴った包括的データベースとして構築され、種の分布や生息地の情報、絶滅の脅威をもたらしていている要因、保全活動の概況などの多数の情報がインターネットから自由に検索できるようになっている。2019年9月時点で、約12万種の評価が終わっており、そのうち3万2千種が絶滅危惧種と評価されている。分類群別にみると、両生類の41%、針葉樹の34%、造礁サンゴの33%、哺乳類の26%、鳥類の14%が絶滅危惧種となっている。なお、IUCNレッドリストでは、対象とした種を「未評価（NE)」、「データ不足（DD)」、「低懸念（LC)」、「準絶滅危惧（NT)」、「危急（VU)」、「危機（EN)」、「深刻な危機（CR)」、「野生絶滅（EW)」、「絶滅（EX)」の9つに分類する。このうち、「危急」、「危機」、「深刻な危機」の3カテゴリーに分類さてたものを総称して絶滅危惧種と呼んでいる（図表４)。

IUCNレッドリストは数多くの専門家や組織の貢献によって作成、運営されているが、その中心となっているのは、前述した6つの専門家委員会の一つである種の保存委員会に所属する9,000人を超えるボランティアの専門家とIUCN事務局である。そのほか、バードライフインターナショナル、コンサベーション・インターナショナル、ネイチャーサーブ、ロンドン動物学会、キュー植物園などの団体がレットリストパートナーシップとして組織的にレッドリストの作成に貢献している。

このようにして整備されたレッドリストのデータは、ワシントン条約やボン条約の付属書改定や生物多様性条約の目標達成状況の評価など国際条約を執行するうえで重要な情報として活用されている。このほか、レッドリストのデー

図表4　レッドリストのカテゴリー

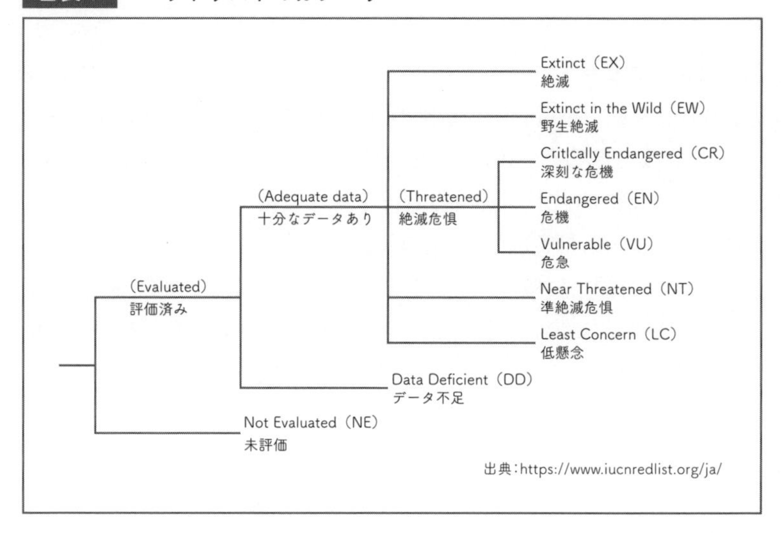

出典：https://www.iucnredlist.org/ja/

タは自然保護に関する資金配分の判断の参考情報として、科学的研究の優先順位を決める上での指針としても活用されている。たとえば、地球環境ファシリティ（GEF）では、2008年からIUCNレッドリストを資源配分の際の参考情報の一つとして活用している。さらには、世界各地の動植物園、水族館でレッドリストのカテゴリーやロゴなどが展示の一環として活用されるなど、教育や普及啓発にも役立てられている。また、経済的に重要な価値を持つ生物種が絶滅危惧種のカテゴリーに掲載されたりする場合には、大きなニュースとして報道され、人々が問題に気づくきっかけともなる。ニホンウナギや太平洋クロマグロが絶滅危惧種にランク付けされ、日本のマスコミでも大きなニュースとして報道されたことを覚えている読者もいるだろう。

5－2．保護地域データベースとカテゴリー

IUCNは、世界遺産の「自然遺産」について、その評価を行う諮問機関として条約上に位置付けられている。このため、すべての「自然遺産」候補地はIUCNの専門家が詳細な調査と評価・勧告を行い、その報告書は世界遺産委員会に提出され、自然遺産への登録可否についての重要な判断材料とされる。こ

図表5　IUCNレッドリストのホームページ（日本語版）

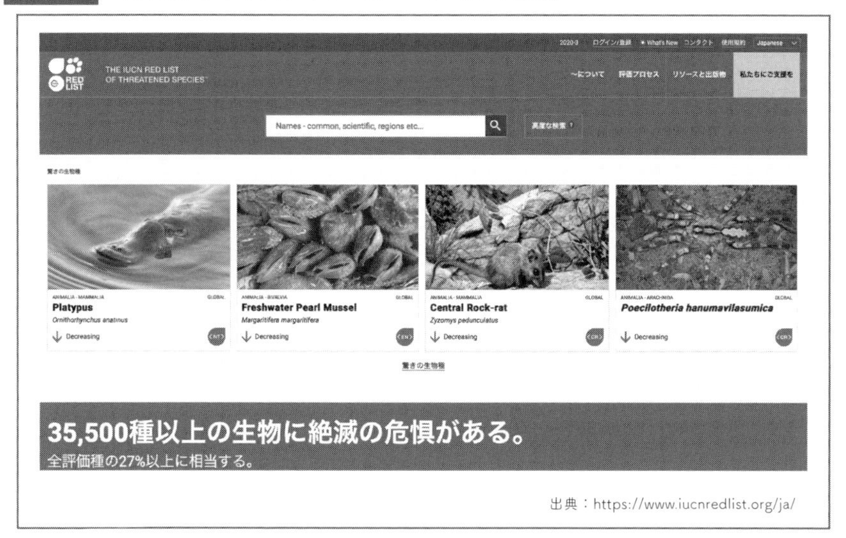

出典：https://www.iucnredlist.org/ja/

のほか、IUCNが保護地域に関して果たしている代表的な役割の一つとして、世界の保護地域に関するデータ集約を挙げることができる。これは1959年に国連ECOSOCにおいて、国立公園やそれに類する区域の重要性を鑑み、国連事務総長がこれらの地域のリストを作成することをIUCNが支援するよう要請したことに端を発している。これに基づき、1962年に最初の保護地域に関する国連リストがIUCNによって取りまとめられた。1981年以降、この世界の保護地域のデータはIUCNとUNEPの共同プロジェクトとして収集されるようになり、現在では世界保護地域データベース（WDPA: World Database on Protected Areas）と名づけられ、UNEP-WCMCが管理するGISデータベースとしてインターネットからアクセスできるようになっている（世界保護地域データベースウェブサイト）。

実は、この国立公園をはじめとしたこうした保護地域は、国によって制度や使われている用語が大きく異なるため、そのままでは他国との比較や集計を行うことができない。そこで、IUCNではまず、保護地域の定義を定め、さらに、保護地域をその管理目的に応じた6つのカテゴリーで分類することを提案している。さらに、各カテゴリーにはどのような基準で分類すればよいのかについ

図表6　IUCNの保護地域の定義とカテゴリー

定義
「自然および関連する生態系サービス、文化的価値の長期的な保護を成し遂げるために、法令その他有効な方法を以て認められ、特定の目的のために用いられる、管理された明確に境界が定められた地理的な空間」

保護地域のカテゴリー
Ia：厳正保護地域 Ib：原生自然地域 II：国立公園 III：天然記念物 IV：種と生息地管理地域 V：景観保護地域 VI：自然資源の持続可能な利用を伴う保護地域

出典：Dudley, N編（2012）「保護地域管理カテゴリー適用ガイドライン」

て細かなガイドラインを定めており、このIUCNの保護地域カテゴリーは現在世界的に使われている（Dudley, N編2012）。

2010年10月に愛知県名古屋市で開催された生物多様性条約COP10では、条約全体の中長期目標となる「愛知目標」が採択された。この目標11では「2020年までに、少なくとも陸域及び内陸水域の17％、また沿岸域及び海域の10％、特に、生物多様性と生態系サービスに特別に重要な地域が、効果的、衡平に管理され、かつ生態学的に代表的な良く連結された保護地域システムやその他の効果的な地域をベースとする手段を通じて保全され、また、より広域の陸上景観又は海洋景観に統合される。」ことが目標として掲げられ、保護地域の重要性が確認されるとともに、さらなる拡充の必要性が合意された。この愛知目標11の目標値を設定する際や、進捗状況を図るうえでWDPAのデータは重要な役割を果たしている。

6．おわりに

以上環境分野におけるNGOの役割としてIUCNを例にとって見てきたが、IUCNに代表されるNGOの公共政策の中における役割は時代とともに変化し、かつ多様化してきたことがわかるだろう。その全体像を詳細に示すには、本稿の限られた紙幅だけではとうてい難しい。このため、本稿ではその幅広い役割や活動の広がりについて少しでも身近に感じることができるよう、代表的な例をいくつか挙げ、具体的なイメージをつかんでもらうことを目指した。その役割は、国連総会や国際条約に関するものなど国際的なものから、世界各国に置かれた事務所を通じて、国レベルやさらにはプロジェクト実施を通じてさらにローカルなレベルまで重層的に活動が及んでいる。

21世紀半ばには、地球の人口は約90億に達し、食料や水の確保や気候変動による様々な影響が発生するなど、地球環境問題の顕在化が懸念されている。多様化し、深刻化する地球規模の様々な課題に対して公共政策が対応していくためには、ローカルからグローバルに至る様々なレベルにおいて、政府だけでなく、NGOや企業などそのガバナンスを構成する多様な主体が連携し、それぞれの取り組みを深めるとともに、一層の協力を進めていくことが不可欠であろう。

（古田尚也）

参考文献

- IUCNホームページ（http://www.iucn.org、2019年9月7日）
- 古田尚也（2015）「環境NGOと国際環境政策」『環境を担う人と組織』（岩波書店）p115-136
- 古田尚也（2019）「環境保全と地域創生」『地域創生学への招待』（大正大学出版会）p171-182
- Dudley, N編（2012）「保護地域管理カテゴリー適用ガイドライン」日本語訳：古田尚也・山崎厚子、世界保護地域委員会日本委員会
- 世界保護地域データベースウェブサイト（https://www.protectedplanet.net/、2019年9月7日）
- IUCNレッドリストのホームページ（日本語版）（https://www.iucnredlist.org/ja/、2019年9月7日）

第⑪章

環境教育論の基層

1．はじめに

かつてアフリカで誕生した人類の祖先は、次第に世界に広がっていったということらしい。しかも、人類は世代を重ねながら移動を続けていたのであり、移動した先で定住した人と、そこからさらに移動を続けた人とがいて、その結果人類が世界中に広がった。それはとにかく気の遠くなるほどの年月と世代を経た長い道程であって、人類はそれぞれの地域の環境に適用したり、さらにその環境を改変したりしていきながら、世界中での今日の繁栄を迎えた、ということのようである。

ところで人類がある土地に定住するには、そこの土地の気象条件に適応した暮らしを新たに構築しなければならない。しかし定住者が例えばそこで農耕に取り組むとしたら、従来の土地を農耕に適するように改変するという作業が必要になる。複数の古代文明ではしばしば大規模な土木工事が行われていることが知られているが、それは環境に適応して定住した結果、多くの人口を養えるようになった土地において、当時の社会システムに即して環境をさらに大きく作り替えていく試みに取り組んだ、ということである。そのことは古代だけでなく、今日までずっと続いていることであり、さらに現代においても環境への適応と改変は行われている。例えば感染症の拡大に対して、ライフスタイルを従来のものから変化させていくのはいわゆる適応であるし、感染症の原因をつきとめワクチンや医療技術を開発することは環境の改変、ということになる。つまり人類の長い歴史を振り返れば、環境への適応と環境の改変というこのふたつは、人類が人類として繁栄してきたことを支える人類なりの生存戦略であったと考えられる。

ところで、野放図な環境の改変は、環境破壊などといった問題を引き起こす。過去においては日本国内を吹き荒れた公害問題があり、それらはその後公害問題のみならず環境の問題を生じさせ、今日では環境の問題が国境を越えて地球規模に拡大していくような、いわゆる地球環境問題がある。環境の破壊は環境の改変によってもたらされることでもあることから、人類によって環境の改変が行われる際には、環境への深刻な影響が出ないよう極めて慎重な計画とそれにもとづく厳正な管理が重要となってくる。またその一方で環境に過剰に適応を図っていくということは、その環境に適応しなければならないことが余儀なくされた集団や個人の独特のルーツやアイデンティティを、過度に喪失させてしまうことにもつながり、場合によっては個および集団的な適合不全をもたらしてしまう危惧もあり得る。

したがって、環境の改変と環境への適応は、どちらにおいてもそれぞれのバランスをとることが求められる。改変が大きくてその環境に適応しなえればならないことがゼロということはないであろうし、反対に環境への適応が極めて大きな部分を占めるとしても改変が全く行われないということもない、ということは想像に難くない。つまり、改変と適応のバランスをとること、それぞれ過度過剰な改変や適応をセーブしながら、それこそ環境との適切な付き合い方をしていかなければ、環境の破壊もしくは適切な環境の維持ということが難しくなってしまう。

したがって環境教育というものは、大局的には人類による環境の改変と適応という、いわば相反する行為のどこかの部分で調整を図り、適切な環境を構築するように支援していく仕組みの一つであるといえる。もちろんその大部分は公共政策が担うことになるが、その一翼が環境教育である、ということである。

2．日本における環境教育の成立と発展

日本の環境教育にはいくつかの源流があるが、それらのうちで特に大きなふたつを挙げるとすれば、公害教育と自然保護教育である。つまり日本で環境教育という名前での教育実践が始まる前に、いわゆる環境教育的な実践として行われていたのが、公害教育と自然保護教育ということである。環境教育が成立する前の日本国内で、大気汚染や水質汚濁などといったいわゆるブラウンイシューが顕在化しその改善が喫緊の課題となっていたような地域では、環境教育の萌芽は公害問題に鋭く切り込んでいく公害教育として成立したであろう

図表1　環境教育の成立と発展の流れ

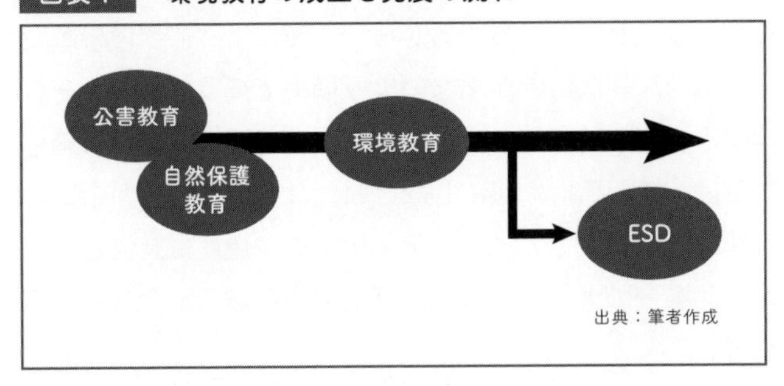

出典：筆者作成

し、その一方で緑豊かで水質の良い水辺のあるような環境を有する地域であれば、そのような自然を次世代に残していく価値を取り上げるために環境教育はまず自然保護教育として取り組まれるようになったであろうということは十分予想できる。

そこで、まず環境教育というものを理解するために、その前史に出現してくるこれら公害教育と自然保護教育がそれぞれどういうものであったのかについて整理し、それが環境教育の発生を準備し環境教育の発展につながったこと、さらには環境教育がESD（持続可能な開発のための教育）を準備したことについて、概要を把握しておきたい。

2－1．公害教育の成立

公害教育とは、「激甚であった日本の公害の発生を起点として、日本独自の教育として成立した教育運動および教育思潮」である。「1950年代末から1970年代にかけての高度経済成長期には、いわゆる四大公害と呼ばれる水俣病、イタイイタイ病、新潟水俣病、四日市ぜんそくなどで多数の健康被害者が出て、社会問題として深刻化していった。それら以外にも局所的に様々な公害問題が発生していった。それらの公害発生地では様々な公害反対運動が展開されたが、その公害反対運動の中で醸成されてきたのが公害教育である」とされている（環境教育辞典）。

公害問題は、汚染物質をきちんと管理したり無害化する手続きを省いたりして、環境中にそれらを放出しつづけた企業側に、非が認められる場合が多い。

しかしそのような大規模な企業は、立地している自治体内において経済的に有利な立場を有していることから、健康被害を受けた住民が企業に対抗していくには大きな力の差があったのである。そのような場で、それでもなんとか被害者やそれに寄り添う住民の側に立った公害教育によって、公害問題の構造や被害者が置かれている状況の理解がすすんでいくことになった。

健康被害をもたらすような公害問題は克服され、公害が過去のものとなった今日では、公害教育は各地に設置されている公害資料館などの拠点において取り組まれている展示や社会教育としての活動が中心である。しかしながら「四大公害」とか「水俣病」という言葉は今日でも必ず学校教育の中で子どもたちは学んでいる。なぜなら公害という課題を子どもたちは必ず学習することが学習指導要領の中で位置づけられているからで、そのことをもって公害教育は今日の環境教育として制度化していると理解することができる。

2－2．自然保護教育の成立

自然保護教育とは「1970年代に入って全国に広がる自然破壊の波に対して自然保護の裾野を広げるという目的をもって、自然保護団体によって協力に推進されるようにな」っていった教育活動であり、今日では「主に自然の中における教育活動を通して、生物多様性や生態系に関する知識のみならず、自然を守る態度や行動をとることができる人を育てることを目指した教育」として「自然を愛し、畏れ、観察し、学び、賢明な利用を行う謙虚な姿勢が求められ」、「自然と人間の関係のあるべき関係に重点を置いた教育である」とされている。（環境教育辞典）

自然保護という言葉は、それだけであるひとつの価値観を示しているといえる。特定の自然を開発することで、そこを経済的に価値の高い土地に転化していこうという価値観と、そこは保護され維持され守られるべきという価値観は、当然対立している。したがって環境教育の萌芽段階における自然保護教育には、開発か保護かという対立の一方の立場、つまり自然保護の立場を代表する活動として成立したわけで、構造としては公害教育の成立段階の状況と似ていることがわかる。そして自然保護が必要とされるような開発の波にさらされている場では、当然ながら開発側の力が保護側の力をはるかに凌駕していて、自然保護の価値観を持つ側にとっては圧倒的に形成不利な中で、それでも微力を尽くしながらの教育実践が強いられていったのである。

今日では自然の重要性はすでに広く理解され、さらに生物多様性や持続可能な開発といったキーワードが一般的になったため、これらの正確な理解をもたらす教育をも自然保護教育と呼ぶことができるようになってきている。しかし自然保護教育が成立した頃は立場の弱い側の価値観を代表していた、ということになる。

2－3．環境教育への合流と展開

公害教育や自然保護教育というものが成立し、次第に社会の中で一定の役割を担っていくようになったのは、公害問題や自然破壊の課題が重要であるという認識が人々の中に広がっていくプロセスと軌を同一にしている。そして公害教育や自然保護教育といったイシューごとに分断している流れを合流させ、さらに大きな潮流にしていこうというものが、いわゆる環境教育と呼ばれる教育活動の成立にあたる。

つまり環境教育は、それ以前に成立していた公害教育と自然保護教育の流れを受けて発生したものであるが、公害とか自然保護といった個別の領域のみを範囲とするものとしてではなく、環境というより広範な分野に注目した教育活動であるということが特徴である。

2－4．ESD（持続可能な開発のための教育）への分岐

1992年の国連環境開発会議（地球サミット）以降、持続可能な開発というキーワードは世界が取り組む課題となっていった。環境教育がその持続可能な開発を担っていたが、1997年のテサロニキ会議（環境と社会に関する国際会議）にて、「これまで環境教育と呼ばれてきた活動は、環境と持続可能性のための教育と呼んで差し支えない」という確認がなされ、環境教育とそれと並行する形での持続可能な開発のための教育という概念が登場するようになった。それは次第にESDという呼称で確立するようになり、2002年のヨハネスブルグサミット以降、ユネスコを中心とした「国連持続可能な開発のための教育の10年」というプロジェクトが2005年から2014年にかけて実施された。ESDの認知度

向上が課題であったが、国際的なキャンペーンも行われ、次第にESDについての理解も高まるようになっていた。

この時、環境教育とESDの関係については、いくつかの考え方のバリエーションがある。環境教育とESDはほぼ同じであるというもの、環境教育よりもESDがより広範囲をカバーしたものであるというもの、環境教育とESDは重なる部分もあるが異なる部分もあるというもの、などである。本章では、図表1で示したとおり環境教育とは別の、ESDは環境教育という本流からもちろん発生したものであるが、ESDとしてひとつの新たな流れを形作っている、という考え方を採用しておきたい。

3．環境教育の基礎的理解

3－1．環境教育の定義

環境教育の定義は、これまで法律や行政文書、各種媒体等でさまざまなものが提示されてきている。それらのひとつひとつは、環境教育が必要とされたり要請されたりするケースや状況が異なるため、定義自体の表現や力点等についても異なったものとなっているのは当然である。

主たる環境教育の定義としては、例えば環境教育等促進法（2012）の中では、「持続可能な社会の構築を目指して、家庭、学校、職場、地域その他のあらゆる場において、環境と社会、経済及び文化とのつながりその他環境の保全についての理解を深めるために行われる環境の保全に関する教育及び学習をいう」とされていて、環境教育辞典では「環境教育とは、教育によって環境問題の解決をねらう試みで、人々や生き物とそれを取り巻く環境との関係に様々な課題が生じてきたことから、その必要性が高まってきた教育活動である」とされている。どちらの定義でも、環境保全に結びつけていく活動を総花的に表現したものとなっていて、もちろんこれらで十分ではあるが、かつて成立した公害教育や自然保護教育を受けて発生したのが環境教育であるということを踏まえれば、本章では、環境教育の定義を「環境保全／持続可能な開発を達成するための教育を通じた努力および取り組み」としておきたい。環境教育はそもそも環境破壊や環境保護といった課題に直接関係があるということ、そういった課題が顕在化しなければそもそも誕生しなかった活動であるということを踏まえたものであること、そして今日では環境保全の地平の先に「持続可能な開発」の達成というさらに大きな目標が示されていることから、「環境保全／持続可能な開発を達成するための」というようにより広汎な方向性を示していることが特徴である。そして環境教育を狭義の「教育」の枠内だけで考えるのではなく、教育が扱われるさまざまな「努力および取り組み」にまで範囲を広げて捉えているということがもうひとつの特徴である。

3－2．「作為と自然」論からの視点

多様な形態多様な目的で存在している環境教育の諸活動の中から、例えば何かひとつの取り組みを取り上げてそれを観察し、深く分析をしようと試みる場合に、注目すべき観点は、そもそも環境問題が「自然／作為」（丸山、1961）という二項対立の図式の中に位置づけられていて、その位置づけを正確に見つめることである。そしてこの自然／作為の観点でもって、環境教育の諸活動を読み解くことが、環境教育を何かひとつの方向性に収斂させて考えようとしてしまう一律化のメンタリティーを打ち破るために重要な示唆を与えてくれる。

環境教育が発生する条件には環境問題の存在があったわけであるが、その元となる環境問題が発生するに際しては、人類による「作為」において何らかの問題が生じていたということが承知される。そしてその一方で、「自然」の側においても問題が生じるということも当然とされる。人類による作為としては、環境を改変するプロセスで破壊をしてきてしまったということが容易に理解されるとして、自然の側における問題の発生としては、例えば甚大な自然災害の発生が挙げられる。地震や津波、台風といった、あらかじめ予期することも避けることも難しい自然からの一瞬の巨大な力は、自然の中にもしくは自然の側に備わっているものである。他にも、人類の活動に起源をもたないけれども過去に発生した気候変動問題（もちろん今日の気候変動は産業革命以降の人類の諸活動にもとづく温室効果ガスの大量排出に起因する）として、例えば縄文時代に温暖な時期が日本列島に発生していたこと（いわゆる縄文海進）は、貝塚などの存在によってよく知られているが、この縄文海進は人類の活動の影響ではなく、そもそも自然の状態の中で発生した現象のひとつである。つまり環境

問題を考える際には、どうしても人類の「作為」に目が行きがちであり、その理由はもちろんそれがわかりやすいからなのであるが、実は「自然」そのものの側にも問題を発生させる機能が備わっていることをよく理解する必要がある。

環境問題の起因に目を向けるとこの自然／作為といった二項対立があって、これは環境問題へのアプローチの中で解消しなければならないが、自然／作為をどう止揚するかということについては、それを明らかにするのは簡単な作業ではなく、時間をかけて取り組む必要があろう。その時注目すべきは環境教育の役割であって、自然／作為を要素に分解して、その各要素をどういうように捉えて、そして最終的な課題として解決に持っていくことができるか、ということに取り組むことである。

そういうことであれば、自然と作為の間の視点を縦横無尽に変化させつつ環境教育の課題を把握し取り組んでいくことになるので、視点が固定された環境教育のスタンダートが存在するわけではない、ということに気付かされる。自然／作為を止揚しようとする作業の中で環境教育が行われないといけないのであるから、それは当然であるが固定的なものであるはずがない、ということを理解することができるのである。

「それでは環境教育ではいったい何をしたらよいのでしょうか」という質問とか、「環境教育はつまりはこういうことをすれば良いのですね」という半ば確信を持った意見とかは、しばしば尋ねられたり断定的に発言されたりする。しかしながら環境教育というものを、何かたったひとつこれをすれば良いものである、とか、絶対こういうものでなければならない、と認識することは、環境教育が持つ多彩で深厚な可能性を狭めてしまうことにつながる。つまり環境教育とはなにかに固定されたものではない、ということを理解することが重要である。このことは、今日あらゆる場で試行され実践されている環境教育が示すバリエーションの広がりを見れば容易に理解することができるのだが、「ガイドライン」とか「マニュアル」というものを環境教育の分野においても必要とするメンタリティーが大勢的となれば、何か権威によってあらかじめ示されたものが環境教育であると捉えたい、という状態に陥ってしまうこととなる。この点は努めてそうならないよう留意しなければならない。

環境教育が固定的なものではないということについて納得するためには、先に挙げた環境問題は自然／作為という二項対立の中で分析されるものであって、したがって取り組まれる環境教育の要素も最低限「自然／作為」の中で分化してくるものとなるわけだし、そうした原理的な発想を踏まえれば環境教育が固定的なものとして存在するものではない、ということを容易に理解することができるのである。

4．環境教育の特色

4－1．環境教育は古典的な教育観にとらわれがち

そもそも、日本の環境教育は、一定程度、極めて古典的な教育観すなわち抽象的な考えに囚われている、と捉えられる。環境教育は例えそれがどんなによいものであると認識されているとしても、何らかの思考の鋳型に人間を当てはめていこうとする行為である、といった考え方をする人が一定程度存在することが避けられないからである。

極めて古典的な教育観といった場合、大体いつ頃の教育観かというと、例えばもう本当に古代ギリシャくらい以前の教育観であると想像してもらえれば良いであろう。西洋教育史の直積などによれば、古代ギリシャはどうやらとても自由で明るく、人間中心の時代であって簡単には良い時代であったと認識される傾向がある。とても明るくて精神的に豊かさを発現させた時代であったのだと考えられていて、例えば人間の精神の解放とか、自由市民などといった言葉が出てきて、その自由市民を育てるために真理を追究する必要があり、そのための教育というものが行われなければならない、と古代ギリシャでは一般的に考えられていたようである。つまり人類が、自由に真理を追究することが可能となる探究を前提とした教育が、古代ギリシャでは行われていたということである。確かにこれは理想的な教育の発想であろう。しかし光の部分があるのであれば、その一方で影の部分もある。それは古代ギリシャでは、権威づけられた答え、それを導くためのものを指導する、という教育観があったということである。そこではいわゆる服従を強いる教育も行われたらしい。古代ギリシャでは自由市民と奴隷という２つの階級に分かれており、その結果階級を固定す

るためそういった教育観が出現したと考えられる。つまりある定められた権威によって定められた正解に辿り着くという教育が、古代ギリシャの時代からすでに重視されるようになっていた、ということである。

教育という営みには、確かに多かれ少なかれ、ある定められた正解に向けて誘導していくプロセスやいわゆる教化を目指していくという側面がある。例えば日本では、高等学校までの教育はある意味、このような部分が強く前面に出ている。それは、テストなどでたった一つの正解を導くための勉強を学校の中でしてきている、ということである。例えば数学の授業では、たった１つの答えを導くことまでしか高校までの教育では行われない。反対に答えの出ない数学の問題については、高校までの教育の中では決して出てこない。だから試験の５択の問題などで、正解が1つもないとか、逆に正解が3つもある、などという選択肢は作られない。つまりたったひとつの正解というものにたどり着くことを教えていくことが高等学校までの教育である、と考えて良い。したがって日本の学校教育の多くの部分は、いかに既にある正しい答えを導き出す手続きを、みんなが理解できるように行われるというものになっているのである。

このようなたったひとつの正解を導くことが教育として強く選択されると、その正解を導くプロセスを理解できなかったり正解できなかったりするような子どもは簡単にドロップアウト状態になってしまう。学校教育からいわゆる落ちこぼれていく生徒が増えていくことになる。そしてそのような生徒たちによる不適応行動、例えば非行とか不登校などといったことがまた学校教育の問題になって浮上してくることになる。そのようなことは別に日本だけの問題ではなく、世界でも同様である。環境教育がそのような過度に古典的な教育観を持つと、ある特定の行動を無批判に採用することだけが唯一の正解という教育が行われることになってしまう、ということになる。

このことについては、筆者もかつてとある中央省庁を退職した人物と話していた時、「環境教育とは国や環境省の設定する環境目標を達成するために存在するものである」という発言をしたことを強烈に覚えている。この発言は、ある環境政策が掲げている目的に国民のマインドを合致させるような取り組みが必要であって、そのために環境教育が存在し行われる、という考え方を如実に示している例である。

ただし、環境教育のこれまでを踏まえ、かつ環境教育の今後を考えると、古典的な教育観でのみ環境教育を捉えることには大きな問題がある。まず、環境問題の解決や改善のために環境教育が必要であることは当然であるが、誰かが定めた唯一の正解というものが存在しないことが環境問題の特質であるからである。一見正解に見える環境問題の解決方法も、もちろんであるがその事例における状況下においてのみある程度妥当するという程度の相対的なものであって、いわゆる絶対的なものではないからである。

このように日本の環境教育および世界の環境教育でも、環境教育はまずは「教育」なのだ、ということが前提で理解されたとしても、やはり環境教育が古典的な教育観に非常に強く囚われている、ということを我々は把握しておくことが重要である。

４－２．環境教育には恣意性があることを否定できない

環境教育が古典的な教育観を持つものである、ということと並行して、環境教育を構想し実践する立場にある人は環境教育が教化力、つまり人の思考を鋳型にはめていくものとなり得る力を根本的に持つものである、ということについて踏まえておくことも重要である。すなわち古典的な教育観を持つものであるということから出発して、環境教育には恣意的な教育を行うことができるポテンシャルが十分あるということを理解しておくことも必要であろう。

仏教の考え方の中には、悪を自覚させ正しいことを知らしめることを目的とした「折伏」という行いがある、と言われている。折伏という言葉を使わない宗派であっても、布教といった行為を行っているところではそれも同様の行為ということになる。仏教の外に目を向けるとすれば、例えば1970年代新左翼がよく党派拡大に向けた人材獲得として「オルグ」という言葉を使って活動していた事例もある。大学などで新入生を勧誘する際にオルグする、というようにこの言葉は使われている。そうすると、これを環境教育に引きつけて考えてみれば、折伏としての環境教育、もしくはオルグとしての環境教育、というものが存在するであろうことは容易に想像できる。このような環境教育を一概に否定するものではないけれども、このような発想での環境教育、つまり「折伏としての環境教育」や「オルグとしての環境教育」では、その内容や教化す

る目的が極めて「恣意性」の高いものとなってしまうということが危惧される。そのような環境教育が主流化しスタンダートとなることについては、否定していくことが必要である。なぜなら恣意的な方向性を持つ価値観を持った環境教育が行われるということは、環境教育を行おうとしているアクターの価値観に左右される環境教育で良いのだ、ということにつながるからである。

現代行われている環境教育には、当然その傾向が強く出てくる。例えばある環境問題を解決するためには、人々は必ずこのようにふるまわなければいけない、そうふるまうための価値観を一人ひとりが持たないといけない、全員がそのようにしなければいけない、などといったある行動パターンに人々をまるで鋳型にはめこむような環境教育となりがちである。この時の環境教育は非常に恣意的である。これからはある正しい行動様式をとりなさい、という環境教育が押し付けられがちであり、またそういう環境教育が行われがちである。

例えば、ゴミはポイ捨てしてはいけない、ペットボトルはリサイクルしなければいけない、キャップを外してボトルの周りのビニールを剥がして捨てなければいけない、などのメッセージを伝えるための環境教育は容易に行われる。こうしなければいけない、そうしないとリサイクル社会は成り立たない、とか現状のままでは資源の無駄遣いになる、などといった○○しなければいけない、というような環境教育がとても多くの場で、現在もいわば主流となって取り組まれている。そういうものが、恣意性のある環境教育というものになりがちであることを押さえておくことが必要である。

環境教育が重要であることの理由に、環境の改善や保全にはとにかく人々の協力と参加が絶対に必須だから、その人々の協力と参加を求めることが可能な環境教育はとりわけ重要なアクションなのである。その際、ゴールがあり、ある権威がそのゴールに向けて採用すべき行動様式の正解をつくり、その正解に導くような教育を環境教育として採用されがちという点に、環境教育を学ぶ我々が理解しておく構造的な問題があるのである。

確かに絶対に必須なのは、人々の参加と協力であるが、それには人々はみな同じように物事を考えてもらおう、そういった思考の鋳型に全員をあてはめるという方向性を持つべきものであるとは考えてはいけない。ここが極めて混同されがちな点であって、ロジカルな理解が難しいかもしれないが、特に注意しなければならないところである。

私たちは、教育について「教える」という側面は理解しているけれども、もうひとつ「育つ」という側面をつい忘れがちである。育つということを考える場合、それは何かにはめ込まれるようすると、育たないと思われるのは当然である。自分自身が育ってきたプロセスを思い返せば、自分がやりたいようにとか、自分が考えていたことや自分の興味関心を伸ばすよう、自分自身でこれまで育ってきたわけである。だから人から教えられてきただけでなく、自分自身の「育つ」という内発的なエネルギーがあって、ようやく人格として確立しようとしてきているわけであって、その双方が重要であったと考えられる。

そうしたら、ひとりひとりはこれからどういう仕事をするかわからないが、自分がやりたいことをやる人生が幸せなのだから、その道を取れる方向性を目指していて、そのために、本を読む、経験を積む、サークル活動、授業を履修したりしているのである。そういうことを考えれば、国が作った政策その通りに動いてもらうための国民を作るための教育だとか、それを環境政策に当てはめてそういった環境政策を支持する国民を育てる環境教育だとかを考えていたら、そんなものはいわば教育の原理を根本のところですっとばしてしまうことになる。つまり環境教育とはそういうものではない、そういうものであってはならない、ということである。

ただし環境教育には、誰かが正解はこうだと考えて主張したことをついついそれが正解だと教えてしまいがちのものでもある。環境教育者が、例えば子どもの前に立ったそのとき、その環境教育者がどういう風に伝えるか、そこを重視することが環境教育では重要なのである。環境教育者が、自分が思っている環境の価値観をそのまま伝えてしまうことに終始するようなものが行われるのではないか、ということである。例えばゴミはリサイクルできるように分別して捨てましょう、という内容を伝えるとすると、それは果たして恣意的であるかどうかを考えてみ泣けばならない。それは恐らく恣意的なのである。もちろんどこまで、そのような恣意的なものいいのか、また悪いかは、ひとつひとつ判断に悩むものである。例えばゴミ問題であれば、東京は分別が曖昧だけれども、地方にいくほど分別がもの凄く細かく指定されている自治体もある。例えば紙ごみでも種類によって分けていて、瓶、缶、ペットボトル、アルミ、スチール、アルミ缶のキャップがアルミ、プラスチックで細かく分けるという自治体もある。そういうリサイクルに協力するのは、当然、環境政策への協力を促すという意味で、環境教育としてはあり得るのかもしれない。しかし、では例えば原子力発電についてはどうであろうか。

原子力発電について、それを取り上げる教師が賛成の意見を持っているかもしれないし、反対の意見を持っているかもしれない。どちらかの立場の教師が、自分の考えにしたがって、こういうメリットがあるから本当はいいものであるのだ、みんなは反対するが、あれは重要なものであって、ここで使われている電気だって原発から届くものだよ、だから無くなったら困る、という話を子どもにしたら、先生の環境教育は、先生の考える環境を当てはめるものとなる。もちろん反対の考えに即して行われる教育というものもあり得て、その場合のしかりである。教師が、原発は危険だ、福島を見てみろ、だからいけないものだ、と教えたら、それが生徒をその先生の恣意的な考え方にあてはめようとする取り組みになる。先生の価値観、教える側の価値観、環境教育指導者になる側の価値観は、教育実践の中にそのまま反映されるので、環境教育には、恣意性がある、という限界があるのである。

それでは恣意性を廃したより公平な環境教育があり得るのだろうか。おそらく公共政策学の中の制度論を使いながら解きほぐしていくことが必要であると考えている。

4－3．人間開発分野中の環境教育の優先度は低い

世界にはあらゆる改善していかなければならない課題がある。生活課題や開発課題のさまざまなバリエーションをひとまとめに人間開発分野と呼ぶとすれば、その人間開発分野の中において環境教育の優先度は極めて低い、ということを理解しておく必要がある。環境教育というものが、国のレベルの政策だけでなく自治体における行政課題としても、なかなか重要な課題には上がってこない。さまざまな政策課題を書いた膨大なリストがあって、その中に１つあるかどうか、といったレベルが環境教育の実態である。人間開発の中で環境教育の優先度が低いというのは、政策的な限界につながってくる。

中央政府や自治体行政において、環境教育が取り上げられるとしたら、その

際の予算については意識啓発の分野に置かれることが多い。しかしながら意識啓発というものはその効果が明確でないとされるため、政策の効果がかけた費用に比べてどのくらいあったかなどを取り上げて批判しようとすれば容易に批判できてしまうものであって、そのため当該施策のための予算は削減されやすい。

例えば意識啓発のためのポスターを何枚貼ったら、果たして何人に対してどの程度の効果があると見なされているのかを示すこと、などというコメントがある中央省庁の予算折衝の折りにあったと聞かされたことがある。ある時、新しい形の環境に関する問題の存在を一般の人々に啓発するためのポスターを刷って、いろんなところに配布して貼って貰おうと予算を付けようとした。すると予算の審査をする役人が、一体このポスターを何人が見て内容を理解し、そういう人たちがその内容を他の人に伝えていくという効果が数字としてどの程度あるのかを示せ、ということになったという。つまりこのポスターを作ることで、意識啓発の成果がどの程度上がるのか、その数字を出すこと、もしそれを出さなければ予算は認められない、と言ったとのことである。しかしながらそんなことは無理だということは誰でもわかる。つまり審査をした役人は、環境意識を啓発するためのポスター制作を予算化する意識がない、ポスターで環境意識の啓発なんてする必要がない、と考えているので、そういう無理難題をして予算化の動きを止めているのである。そのことが本当であったとすれば、ポスターを掲示するというような形式での意識啓発は、効果をとても数値化できるものではないため、いとも簡単に当該予算は削減される。環境教育はいわばそのような分野である。したがって環境教育は、人間開発の分野の中で優先度は低いものという立場に甘んじていることになる。

これまで多くの自治体における環境教育の実態調査を行ってきたところ、我が自治体こそは環境教育を重視し推進している、と自信を持ってアピールすることができるところはほぼない状況である。つまり自治体レベルで環境教育を重要な政策課題であると見なしているところは殆どないのが現状である。

それでは自治体はいったどのような政策課題を重視しているのであろうか。例えば、福祉、子育て、交通整備、高齢者対策、医療支援などといった分野については、たいていどの自治体においても政策課題としての優先度は高いと言える。しかしながら教育分野では子育て世代の支援などといったニーズは確かに出てくるものの、教育の中での環境教育という政策課題へのニーズはとたんに低くなる。そのため、国や自治体における環境教育への予算もたいへん小額な状態である。環境についての意識啓発をする、ということについてもそれほど重視されていない。なぜなら意識啓発の活動を行ったとして、その成果を数値で示して納得することが難しいからである。

ところが現在、環境分野で何が問題かということを考えると、意識啓発を通じて問題の所在を広く知ってもらうことである。そのため自治体では広報誌などを発行し、いろいろなところに配布掲示して、その自治体の中で何が問題かを啓発するということが行われるべきである。その中に環境の意識啓発は当然入ってくるので、その程度の扱いはもちろんすでに存在している。しかしそれが中心的な政策課題にはなっていないという状況下に置かれているのが、環境教育の現状なのである。

環境分野における意識啓発や環境教育は、こういったロジックでどんどん削減縮小されていく分野でもある。それは、環境教育が環境学の中も教育学の中でもそれぞれで傍流である、ということも影響している。したがって環境教育自身も、人現開発の分野の最も端に位置しているのである。だから環境教育はその優先順位を全体の中で低く見積もられ、いつも極めて小額の予算、少ないスタッフしか確保できず、いずれなくなってしまうのではないかと考えられるレベルに置かれているのである。

しかしその一方で、環境教育は重要だとも言われ、例えば法律や国の計画野中でも重視されるべき、とも指摘されているのである。環境教育等促進法の存在や、国の環境基本計画の中に環境教育が必ず記載されているということを見れば、そのことはよくわかる。つまり一方では低い位置づけであり、それにも関わらず重要であるとも言われている、そういう立場に立つのが環境教育なのであり、ここにも環境教育にはおのずから厳しい立場にあることがわかる。

現時点では環境教育にはこういう限界がある、と認識さえしてもらえば良い。しかしながらこういった限界を乗り越えようとするのが、環境教育の実践であって、その環境教育の制度をどう構築していくかという努力の方向性を検討することが今後さらに必要になってくる。

5. 公共政策としての環境教育──「公共の福祉の増進」論

環境教育にはさまざまな限界や乗り越えなければならない課題がある中で、それでも環境教育の重要性を確信しそれを推進しようとする場合、その時どのような公共政策の考え方をしていくべきであろうか。人権の保障、そして無制限な人権の拡大ではなく、一定の制限はあるとする考え方に依拠するとしたら、個別の事例ごとに人権を考えるのではなく、公共の福祉という観点から、一般的な、個人として尊重されることを確保したという人権保障観があるが、それを今日の環境教育を考えていく際に参考にしよう、という試みがこれである。つまり環境教育の新たな目的に、「公共の福祉の増進」を含めていくことである。

公共の福祉の増進という文言は、実は「電波法」や「建築法」といった法律の目的に明記されている用語である。それらの法律は、電波利用や建築物の設置などといったことが公共の福祉の観点から考えるべきものである、ということを意図しているし、それらの活動が公共の福祉を増進するものであると認識している点に留意しておく必要がある。このところをはっきりとさせると、環境教育の定義の持ち方にも関連してくることとなる。

そもそも環境教育等促進法では、「…国民の健康で文化的な生活の確保に寄与することを目的とする」と明記されている。もちろんこれはこれで良いし何の批判する点もないが、公共の福祉の増進という考え方には、公共の福祉という観点から人権を環境教育の目的とすることによって、公共の範囲において保全とか保護とか、サスティナビリティーとかを検討することができるようになる。国民同士の軋轢に解決のめどが立たない場合、また人と自然との関係においては自然を人間が利用するという考え方において、環境教育は公共の福祉そのものではなく、公共の福祉を「増進」する機能を持つものである、という立場でその実践や制度を構想すべきものである。

そもそも人権的な発想では、個人の人権を制限できるのは国益とか社会益とかではなく、誰かの人権なのであって、国とか集団の利益に個人が無制限に人権を制限されるということはあり得ない。この時、具体的な人々、ピープル、人民というものを公共という言葉の中に感じ取ることが必要である。そうすると、環境保全や環境保護は、社会のためではなく個人の集団のためにあるものであって、そしてそれは現在の人々だけでなく未来の人々も含まれてくるのである。環境教育はまずひとりひとりの個人を立地点にして、公共の福祉を増進するために行われるべきもの、ということになる。

6．おわりに

本章では、環境教育をその発生と展開の様態からどういうものであるかを押さえること、そして環境教育がどういった特色を内包しているかによってその可能性と限界を把握しておくという作業を行い、さらにこれからの環境教育、今後の環境教育を公共政策の一分野として構築していく際の考え方の試みを行ってきた。これらの作業のすべてが十分な議論をつくせわけではないが、初めて環境教育という用語を知り、その内容を理解しようとする際には、このような環境教育の捉え方についてのいわばガイドが参考になるであろう。

しかし最後にもうひとつだけ指摘しておきたいことがある。それは、環境教育というものをあれこれ「考えているだけ」では面白くない、ということである。つまり環境教育は、何かを伝えたり知らせたり環境を分析したりする力を身につけたりといった作業をやってみなければ、面白くないのである。環境教育の理論や制度などを勉強したり研究したりするだけでは環境教育を価値あるものと理解するには不十分なのであって、それよりも重要なのは環境教育の実践に具体的に取り組んでみる、ということなのである。それでは具体的な環境教育とはいったいどのようなものであるのだろうか。本章を読んだ人々には、是非ともひとりひとりがそれを考えに考え抜いて、何かの切り口を見いだしてから自分なりに環境教育を開始してみる、というチャレンジに、積極的に取り組んでもらいたいと願っている。

（高橋正弘）

参考文献

- 日本環境教育学会編（2013）『環境教育辞典』（教育出版）
- 丸山真男（1961）『日本の思想』（岩波書店）

第⑫章 社会を調べる

1. 社会調査とは何か

1－1. 社会調査の歩み

社会を調べることは、社会調査と呼ばれている。社会調査がどのようなものか、その歴史を振り返ってみる。18世紀後半からイギリスを先頭にヨーロッパの社会は、農業や漁業など第一次産業を中心としたものから、工業、商業、鉄道や銀行などのサービス業など第二次、三次産業を中心とするものに変化する。いわゆる産業革命である。このような社会では広い意味での自営業、自分と家族で仕事をするのではなく、人に雇われて仕事をする人が増加する。自営業の場合、職場が自宅ということもあるが、人に雇われると、工場や商店などに働きに行くことになる。工場や商店が集まると都市が出来上がり、人口が農村や漁村から都市に移動し、大都市が出来上がる。このような繁栄の陰で様々な社会問題が発生した。典型的なものは貧困である。都市には狭く、不衛生な家屋が密集し、貧しい人々が大勢生活するスラム街などが形成された。

このような状況の下でいろいろな実態調査が行われるようになった。一番有名なものはブースの行った「ロンドン市民の生活と労働」である。当時ある社会主義者がロンドンの人口の25％は貧困であると主張した。ブースは当初は、当時の最先進国であるイギリスの首都であり、最も豊かな町であるロンドンにそんなに貧困者がいる訳はないと考え、当時の最先進国イギリスの首都であるロンドンで貧困が多いのかどうかという問題意識から調査を始めた。

ブースの優れていた点は、先進国イギリスだから、首都だからといった観念的な議論をするだけでは足りないと考え、現場で調査を行って実態を調べようとしたことである。これが社会調査に欠かせない発想である。実態調査をしてみると、当初の予想とは異なり労働者の3分の1が貧困であるという結果が得られた。感覚で議論するのではなく、エビデンス、証拠に基づいた議論が必要だということも明らかになったのである。

この調査の大きな特長は貧しい人というような一般的な概念、イメージで語られていた貧困に対して誰でも分かるような具体的な定義、例えば何人以上の家族なら週何ポンドの収入以下の世帯といった定義（操作的な定義と呼ばれる。後述）、を与えたことである。これにより貧困について共通の理解が得られ、客観的な議論ができるようになった。これが、日本でも議論されている貧困線、相対的貧困、貧困率の淵源である。

もう一つの特長は、単に貧困な人の数を調べただけではなく、その原因も調べたことである。その結果、不規則にしか就労できない、賃金が低い、病気や大家族といったことによって貧困になっている割合が高く、その当時の常識であった飲酒や怠惰などが貧困の原因であるという考えが間違っていることも明らかになった。貧困は自己責任ではないことが示されたのである。社会がどのような状態にあるのか、そしてなぜそうなっているのかを調べ、明らかにするのが社会調査の二本の柱である。

その後、ラウントリーなどの調査も行われ、貧困は都市では一般に見られる現象であることが広く認識されるようになった。引き続き調査が行われ、貧困問題が議論され、対策が取られるようになっていった。

日本でも明治になってから社会調査が行われた。内務省の行った『職工事情』が有名である。

現在、社会調査は盛んに行われている。また、社会調査とは別の起源、目的を持つ調査も存在する。

古くからあるものは公的統計である[1)]。行政機関は昔から自らの活動を記録しており、たとえば関税を徴収する場合、自ずから輸出額、輸入額が記録されていく。このような記録をまとめたものは、業務統計と呼ばれる。近代に入ってから、人口や経済活動の規模を把握するための統計調査も行われるようになった。ちなみに日本の国勢調査は1920年に初めて行われた。

より新しい調査は、世論調査や市場調査である。世論調査は多くの国民が選挙での投票という形で政治に参加するようになってから始まった。新聞社などの報道機関、政党、シンクタンク、調査会社などが様々な世論調査を行ってい

1）日本の公的統計のポータルサイトはe-Statである。
（https://www.e-stat.go.jp/stat-search?page=1）

る。現在の日本では大きな報道機関が定期的に、内閣の支持率、政党の支持率、政策に対する評価、時々の政治課題に関する意見を調査し、公表している。選挙の前には投票するかどうか、投票先の調査も行われる。また、国や地方自治体も調査を行っている。市場調査は企業が生産や販売、製品の開発などのために行うものである。どのような購入者に売れているか、商品がどのように評価されているか、どのような商品が売れそうかなどを調べて、商品の開発や宣伝、販売の促進に役立てられている。このような調査は、商品が大量生産され、大量販売されるようになってから盛んになった。

1－2．社会調査と政策

社会調査は社会政策と密接な関係を持って発展してきた。社会問題が発生してから社会政策が実行され、その効果が評価されるまでの過程を考え、社会調査がそのプロセスの中でどのような役割を果たしているのかを整理しておく。

まず、農業などを中心とする身分制の社会から雇用されて働く人の増加、都市集中などを特徴とする近代化（産業化）した社会の中で、何らかの問題を抱えている個人、家族、集団が発生する。社会調査は、この社会の状態を明らかにし、共通の理解を持てるようにする。

次に、社会の問題は、問題を抱えている個人などが自ら対処すべきものでもなく、富むものの慈善や有力者の恩恵などだけで対処でるものでもないという認識に基づいて、国（政府）も対策を講じるべき課題だ、社会政策が必要だという主張が現れる。社会調査は、事実の提示によりこの主張を支える。

なお、このような主張の根拠には次のようなものがある。

①伝染病や犯罪など問題を抱えている人の存在、行動が社会にとって問題をもたらす。

②問題を抱えている人（仲間）を助けなければならない。

③問題を抱えている人は助けられる権利（憲法で謳われた社会権、健康で文化的な最低限度の生活）があり、社会は助ける義務がある。

そして、このような主張が社会にある程度受け入れられるようになる。社会政策は、事実の提示によりこの認識の理解を進める役割を果たす。

その後、政治家に対策の必要性が理解される。その理解にも幅があり、「仕方がないから対策を取る」という政治家から、「これこそ政治家の仕事」と信じるものまで差はある。いずれにせよ、社会政策が必要であると理解が得られれば、その実施に正当性が与えられ（権限)、対策を講ずるためのリソース（予算と人員）が割り当てられ、行政組織が、直接、場合によってはNPOや自治体とともに社会政策を実行する。社会調査は、社会問題がどのような原因で起こっているかを調べ、政策の立案に寄与する。最後に、政策の実施後の状況を把握し、政策の有効性を事後的に検証・評価することにも活用できる。

2．社会調査の基本

2－1．社会調査の進め方

研究の最初の段階では、研究者が何らかの問題意識、あるいはやや漠然とした問いを持っているのが普通である。例えば、「高齢者はどのような問題を抱えているのだろうか」という問題意識、問いである。社会調査を行い、データを集めることによって、これをより具体的で明確な問いに変え、その答えを考えてみることができる。そしてその答えが正しいといえるかどうかを、調査で得たデータで検証することもできる。

最初に取り組むのは、先行研究の探索・検討である。これまでその問いについてどのような研究や調査が行われてきたかを調べ、その内容を批判的に検討することである。

先行研究の探索は、まず、関連のある文献（一般書、学術書、調査報告書や論文）を読むことから始まる。先ほどの例では、高齢者に関する文献を読むことになる。多くの場合、このような文献には関連のある参考文献が記載されているので、これを手掛かりに範囲を広げて調べていく。また、近年はITを利用して先行研究を探索することも可能になっている。このような探索によって、例えば、現在の日本の高齢者は、生活をする上で、収入、住居、健康、介護、社会的な人とのつながりなど様々な問題を抱えていること、その原因などが分かるかも知れない。

先行研究を読んで、それぞれの研究の良いところと不十分なところ、すでに明らかになっていることと今後解明するべきことを確認し、これまでの研究に何を追加すべきか、できるかを考える。（これを先行研究のクリティークという。）多くの論文では最後に、今後の課題ということが書かれているので、これも参考になる。このようなプロセスを通じて、これまでの研究の流れ、そのテーマの基本的な文献、代表的な研究者を知ることができる。なお、このような先行研究の探索の過程で調べた文献は、文献リストとしてまとめておくべきである。

ある程度、先行研究の探索が進むと、この探索と並行して観察や面接の手法（これらについては後述）により社会調査を行うのも有効である。そのような調査で得られた知見も活用して、徐々に問題を絞り込み、先行研究とは別な視点、意義を持つより限定され、具体化された問い、研究のテーマとその答えの候補、検証すべき理論仮説を見出すことができる。高齢者の問題であれば、現在の日本では高齢者では、性（ジェンダー）によって社会的に孤立する割合が異なるのだろうか、という問と、女性に比べ男性の高齢者の方が社会的に孤立しがちであるという答えの候補、理論仮説を考えることができる。

さて、理論仮説は、調査票（質問紙とも言う）を用いた社会調査によって得られた現実のデータに基づいて検証することが望ましい。しかし、理論仮説は、通常そのままデータで検証することはできない。なぜなら、理論仮説が地位、役割、幸福感、能力、性格、人柄、社会的孤立、困難、貧困、高齢者など抽象的で直接測れないもの、人によって受け止め方が異なるもの、つまり構成概念を用いて記述されているからである。

例えば、「現在の日本では女性の高齢者に比べて男性の高齢者の方が社会的に孤立しがちである。」という理論仮説を調査票による調査によって直接調べることはできない。どのような人間を「高齢者」と考えるかは人によって違う。どのような年齢の人間であるかを決めておかないと、調査票を誰に配るか、つまり誰を調査対象にするかが決められない。調査員に、調査票を高齢者に配るように指示しても、ある調査員は80歳以上を高齢者と考え、他の調査員は60歳以上を高齢者と考えるかもしれない。このような統一性のない選び方でデータを集めても、その集計・分析には意味がない。調査結果を報告書にまとめても、その報告書の読者には「高齢者」がどのような人なのかが分からない。同様に、「社会的に孤立していますか？」という抽象的な言葉で訊くと、調査対象者が人によってさまざまな感覚で「社会的孤立」を受け止め、答えることになる。やはり、データの分析には意味がなくなってしまう。

このような事態に陥らないようにするためには、理論仮説を社会調査によって検証することのできる作業仮説に変換しなければならない。そこで必要なのが､概念の「操作化」である。例えば65歳以上を高齢者とすると決めたとする。これを高齢者の「操作的定義」と呼ぶ。このような定義をすると、調査に携わる人、報告する人、報告書を読む人に「高齢者」とは何かについて共通の認識が得られる。同様に「社会的孤立」も操作的に定義しなければならない。操作的な定義の仕方にはいくつかの選択肢が存在しえるが、それらは調査票などによってデータを集めることのできるものでなければならない。1週間に会って、言葉を交わした人の数などを指標にして、例えば、１週間に会って、言葉を交わした人の数が10人以下の場合、社会的に孤立していると操作的に定義すれば、データを調査票による調査で集めることができる。どのようなものを社会的孤立の指標とするかは、先行研究やこれまでに行った観察、面接から考えることになる。

「現在の日本では女性の高齢者に比べて男性の高齢者の方が社会的に孤立しがちである。」という理論仮説を、操作的定義を用いて書き換えると、「現在の日本では65歳以上の男性は、65歳以上の女性に比べて１週間に会って、言葉を交わした人の数が10人以下のものの割合が高い。」というものになる。このような仮説であれば調査によって収集できるデータにより検証ができる。

作業仮説とは、このように調査によってデータを集め、集計し、分析できるような形に、抽象的な理論仮説を具体化したものである。調査票で調査を行って、１週間に会って、言葉を交わした人の数が10人以下の人の割合が男性では8割、女性では2割となれば、「現在の日本では65歳以上の男性は、65歳以上の女性に比べて１週間に会って、言葉を交わした人の数が10人以下のものの割合が高い。」という作業仮説は受け入れられることになる。そしてこの作業仮説が「現在の日本では女性の高齢者に比べて男性の高齢者の方が社会的に孤立しがちである。」という理論仮説ときちんと対応していれば、理論的仮説も受け入れられることになる。

さて、この仮説の場合、男であるか、女であるかを原因となる「独立変数」と、結果である社会的孤立の程度を表す指標（1週間に会って、言葉を交わした人の数など）を「従属変数」と呼ぶ。

独立変数、従属変数などを聞く「調査票」を作って、65歳以上の高齢者を対象にして調査をすると、そのデータをもとに、統計的な処理をして作業仮説を検証することができる。さらに、1月に一回は連絡を取る友人、知人の数、手紙やメールのやり取りをする人の数や回数、1週間に外出する回数などを使って、作業仮説を作ることもできる。一つの理論仮説に対応する作業仮説は一つとは限らないのである。1月に一回は連絡を取る友人、知人の数が例えば20人以下であれば社会的孤立、手紙やメールのやり取りをする人の数が5人以下であれば社会的孤立、月に手紙やメールのやり取りをする回数が50回以下なら社会的孤立、1週間に外出する回数が7回以下なら社会的孤立などと作業的に定義して、調査を行い、集められたデータから作業仮説が受け入れられれば理論的仮説も受け入れられる。なお、一つ一つの指標ではなくこれらを組み合わせて社会的孤立を操作的に定義することもできる。

このような調査を一度行って、作業仮説、理論仮説が受け入れられていたとする。その後、別の集団を対象に選んで調査をしたとき、作業仮説が受け入れられないという結果が出ることもありえる。その場合、理論仮説も受け入れられないことになる。数学のような、経験に基づくものではない純粋な理論の場合、例えば「三角形の内角の和は180度である。」ということを証明すれば、それが覆ることはない。このようなものは「一般法則」と呼ばれる。これに対して、経験に基づく理論、実証的な理論では覆ることのない「一般法則」を見出すことはできない。いったん理論仮説が受け入れられても、それを否定する調査結果が出てくる可能性が常にあるからである。これを「反証可能性」があるという。

このように反証可能性があるとしても、何度も調査を行いそのたびに作業仮説が受け入れられ、理論仮説も受け入れられるという結果が得られば、その理論仮説をおそらく正しいものと考えることができる。これを、理論仮説が正しい「蓋然性」が高まると表現する。蓋然性の高い理論があれば、それに従って政策を決めたりしても問題は少ないと判断できる。

２－２．社会調査の種類

社会調査の歴史の中で、いろいろな調査方法が開発され、現在、さまざまな調査方法が用いられるようになっている。調査を企画するときには、研究・調査の目的や仮説に照らして、どのような手法が実行可能か、適切であるかを考えて選択する必要がある。

収集するデータの種類に着目すると、社会調査を大きく質的調査と量的調査に分けることが多い。質的調査とは、基本的には数や量を表す数値に換算できない言葉をデータとして集めて分析を行うものである。量的調査とは、数値、または数値に置き換えることのできる言葉などのデータを収集、分析するものである。量的調査では比較的大量のデータを集めることが多く、集計を行うことにより全体の傾向を掴むことも、統計的分析を行って仮説の検証をすることもできる。ただし、特定のケースについて洞察を深めていくことは難しい。質的調査の場合は、うまくいけば個別の事例を深く理解することができる反面、社会全体の傾向を把握することや仮説を統計的に検定することは難しい。

データ収集の古典的な手法の代表的なものとしては、面接法、観察法、調査票がある。面接法、観察法は主に質的調査に用いられ、調査票による調査は、量的調査に用いられる。ただし、量的調査のために、面接法、観察法を用いることもある。

データの種類、収集方法と分析方法は密接なつながりがあるが、社会調査の方法は以上の分類に尽きるものではない。特定の集団と行動を共にして観察を行う参与観察、会話を記録して、非言語的な部分も含めてきめ細かく分析する会話分析、日記などを材料とするドキュメント分析、社会の構成メンバーの間の相互作用を捉えて、分析するグラウンデッドセオリーアプローチ、複数人の参加を得て行うグループインタビューなど、調査の目的を達成するために様々な方法がある。近年、IT技術の進歩により言語で表される質的データや画像データをコンピュータで統計的に分析する手法が発展してきている。

繰り返しになるが、データ収集を始めるときには、その目的をはっきりさせておくことが重要である。現在、研究はテーマを探している段階なのか、理論や仮説を作ろうとしている段階なのか、できた仮説を検証しようとしている段階なのか、テーマは何か。それによってデータの集め方は、観察が適しているか、質問紙によるべきか、面接がふさわしいのか、が決まる。

以下では面接法、観察法、調査票による調査の方法を説明する。

3．面接法

面接法とは、調査者が調査対象者との対話を通じてデータとなる情報を収集する方法である。様々な面接の手法があるが、ここでは、非構造化面接、半構造化面接、構造化面接の概要と面接調査の流れを説明する。

(1) 主な面接法

①非構造化面接

あらかじめ具体的な質問と解答の選択肢を決め、それに対する回答を求めるのではなく、調査対象者にテーマについてなるべく自由に話してもらう方法である。最初の質問をした後は、相手が話しやすいように相槌を打ったり、「それから？」といった言葉をはさんだりする程度で構わない。また、話を広げるような質問をその場その場に応じて追加していけばよい。

この方法は、研究や調査の初期の段階で用いて、問題を発見したり、仮説や理論のアイディアを得たりするのに適している。同じテーマで何人かの非構造化面接を行うと、研究テーマや問題の共通の見取り図が出来上がってくることが期待できる。

②半構造化面接

非構造化面接などで得られた共通の見取り図、あるいは先行研究から得られた知見などを活用して、ポイントとなる質問項目はあらかじめ決めておく。そして、最初はテーマに関する一般的な質問から始め、会話の流れの中に用意した質問を織り込んでいく。質問する順番も、質問の表現の仕方も柔軟に変更して差し支えない。用意した質問する前に、相手が自分から答えを言ってくれれば質問をする必要もない。何人かに半構造化面接をするのであれば、質問の仕方も相手に応じて変えて構わない。

この方法は仮説を作るのに適している。このような面接を繰り返し、問題の共通の見取り図がはっきりしたもの、具体的なものになってくれば仮説が固まってくる。十分なものになれば、構造化面接、調査票による調査に進むこともできる。

③構造化面接

質問項目と回答の選択肢、質問の順番などを決め、調査票にしておく。面接の際にはこれに厳格に従って質問をし、選択肢の中から回答を選んでもらう。何人かで手分けをして面接を行い多数の回答を集めれば量的な分析もできる。仮説の検証に適している方法である。なお、研究者が自分で面接を行うのではなく、多数の面接者を訓練して実行させる場合、面接者の訓練をしっかり行う必要がある。

(2) 面接調査の流れ

面接調査の流れは概ね次の通りである。

①事前準備

面接法で調査を行うと決めたときは、まず、面接の設計（デザイン）と面接の準備を行う。様々な面接法の特性に応じてどの方法を取るかを決める。仮説を見出したいと考えているときは、非構造化面接、半構造化面接が、仮説を検証するのであれば構造化面接が有力な選択肢となる。

方法を決めたら、何人程度面接を行うかを決めなければならない。研究に費やすことのできる時間のすべてを面接に充てることはできない。面接の準備を行う時間、アポイントを取るために時間、面接結果を書き起こすトランスクリプション（後述）や分析の時間も必要であるので、面接できる人数には限界がある。

次に、調査を実施する地域、分野を選び、研究目的にかない、面接に応じてくれる人を探し出して面接を申し込み、同意を得る。話を聞いてもらいたいという人がいることもあるが、多くの場合、お願いをして、面接に応じてくれる人を見つけなければならない。適当な人を見つけられないのであれば、面接法による調査は不可能であり、他の調査方法を考えなければならない。

面接の前に、質問項目を選定する。研究目的に照らして過不足のないように決めなければならないし、対象者が面接に割いてくれる時間内で質問できる範囲にとどめる必要もある。非構造化面接の場合は最初の質問だけでいいが、構造化面接であれば詳細に具体的な質問、回答の選択肢の文言、質問の順番まで決める必要がある。

次に、面接の記録をとるための用紙（記録用紙）を作る。回答を記入する欄以外に調査対象者の性、年齢、学歴、職業など個人の属性、場合によっては住んでいる地域、勤め先の企業の産業や規模などを記入する欄を設ける。これらの情報は、報告書に記載する必要がある。

面接に対する協力度を記録する欄も設ける。いやいやながら、義理で応じたり、面接者の態度が気に食わないなどの理由で非協力的であったり、わざと混乱させるような答えをしたり、まじめに対応しない対象者もいる。このような場合にはデータとして利用する場合に注意が必要であり、データから除外しなければならないこともあるためである。

調査を依頼するときの説明文を作成する。調査対象者には調査目的をきちんと説明し、面接の条件を示す。録音、動画撮影の許可を得るとともに、個人のプライバシーなど秘密の保持などの条件も示すべきである。

②面接の実施

事前の準備も含めて面接をする者は、調査の対象者に本当のこと、重要なことを話してもらうという目的を達成するために行動する必要がある。

面接の始めには初対面の挨拶と自己紹介を行う。できるだけいい印象を与えようにする。服装なども相手に合わせる方がよい。言うまでもないが、遅刻は厳禁である。

用意した質問を始める前に、面接者と面接対象者の間の信頼関係（ラポールと呼ぶ。）の形成を図る。面接者は何度も面接をしているので面接に慣れているが、対象者は面接に慣れていないのが普通であるので、緊張を解きほぐすようにする。ラポールがまだ完全に成立していないと、最初のうち警戒して差しさわりのないことしか話してくれない可能性がある。友好的な関係にならなければ深い話は聞けない。ただし、オーバーラポールの状態、面接対象者に同一化してしまってもいけない。この面接者であれば、本当のことを率直に話してもいいという気持ちを、相手に持ってもらうようにする。録音など記録が残る場合には、人は固くなったり、当たり障りのない範囲でしか語らなくなってしまう傾向がある。信頼感を与えるとともに、秘密保持、データの利用者の範囲、公表、面接を中断する権利を説明し、確認しておく。

面接中は、話しやすい条件を作るようにする。その条件は相手次第であり、臨機応変の対応が望まれる。相手の話してくれたことの意味が分からなかったり、曖昧だったりしたときには、確認の質問をする。特有の専門用語があったり、独自の言い回しがあったりするのは普通であるので、質問をためらう必要はない。なお、特定の分野について面接調査をするなら、事前にその分野について勉強をしておくべきで、その分野では普通に使われている言葉の意味を知らないと、相手が話す意欲を失ってしまう。最悪の場合、途中でインタビューを打ち切られることもあり得る。質問をする際に、相手に対して攻撃的であったり、言葉尻を捕らえたり、問い詰めたりするようなことはしてはいけない。答えを誘導してもいけない。相手の価値観が自分のものとは違うときも、自分の感情を表に出してはいけない。受容、共感の態度で臨むことが大事である。

面接の最後には、「言い残したことはないか？　何か言いたいことはないか？」と確認する。調査者の設計した質問の枠組みが妥当なものであったかが、ここで分かる。

面接時は、相手の了解を得た上で、録音、録画をする。最初に、いつどこで、誰にインタビューしているかを記録しておく。忘れないためでもあり、証拠とするためでもある。

インタビューをしながら、要点をノートにメモしておく。単語だけでも良い。完全な記録を取ることは不可能であるので、メモを取ることに集中せずに、相手の発言をよく聞くことが重要である。なお、ノートにもいつどこで誰が誰にインタビューしたのかを記録しておく。

相手の発言だけではなく、緊張した感じであったり、言いよどんだり、答える前に考える時間を取ったり、ため息をついたり、いらいらしたそぶりを見せたり、話すのが楽しそうであったり、辛そうであったりすればそれもメモを取る。

面接を終了するときには、挨拶をし、感謝の意を表す。もう一度面接をお願いするかもしれないので、好感を得るように努める。

③面接後

面接中につくるノートでは､完璧な記録はできない。聞き漏らしもある。時間が経つと忘れてしまうこともある。そこで、録音したものを、すべて文字にする。この作業をトランスクリプションと、文字になった記録をトランスクリプト（逐語記録）と呼ぶ。トランスクリプションをしているときに、面接の際には気が付かなかった相手の発言の意味に気づくこともある。インタビューの仕方の反省材料にもなる。

トランスクリプトができた後には、フィールドノートを作る。現場メモに調査者の観察や考察を加えた聞き取り記録である。これは後で再現できるように、時系列に従って細かく作っていく。

なお、例えば、水産加工場でインタビューをするような場合には、漁村の様子や加工場の写真、ビデオがあると理解しやすい。映像、写真、地図などの場合もある。ただし、プライバシーに注意し、プライバシーを侵害しないように配慮する必要がある。

フィールドノートには小見出しを付ける。小見出しをコードと呼び、その作成をコーディングという。内容を上手く表す。これは整理でもあり、どのようなコードを付けるかは分析の第一歩でもある。

4．観察法

観察とは、注意深く対象を把握し、言葉だけではないデータを集めることであり、観察によって調査対象の姿を把握しようとするのが観察法である。

社会調査の観察対象は、人間やその集団、社会などである。

観察を行う際に留意すべきことがある。まず、他の観察者が観察しても同じ結果が得られること、つまり観察結果に客観性があることが重要である。また、観察者の存在や行動が被観察者の行動に影響する恐れがある。最後に観察対象は人間であるので、人権やプライバシーへの配慮が必要である。

観察法はいくつかの観点で分類することができる。まず、自然な状態を観察するか、研究者・調査者がコントロールした状態を観察するかで分類できる。前者を自然観察法、後者を実験観察法と呼ぶ。

観察者と被観察者の関係では、参与観察法と非参与観察法に分けることができる。

参与観察法とは、調査者が調査の対象となる現場、あるいは集団に、一定期間住み込んだり、一定の行事や活動に参加したりして観察する方法である。観察者が調査対象に受け入れてもらえることが前提となる。参与観察には、交流的観察と非交流的観察がある。交流的観察の場合、観察者は、例えば、一緒に同じ職場で働いたり、祭りに参加したりして、被観察者と交流を持ちながらデータを収集する。自分自身で体験することにより、外部から観察していては分からないこと、参加者が何を感じているか、どのようなつもりで行動しているかといった内面の動き、感情や心理も経験でき、集団の中の人間関係なども分かる。豊富なデータが得られ、新しい発見につながる可能性があることが、この方法の長所である。非交流的観察の場合には、観察者は被観察者との交流を最小限に抑えながら観察を行う。

参与観察を行うためには、かなりの期間観察を続けなければならないことが多い。また、観察者の存在や行動が被観察者の集団の行動を変えてしまう危険性が高い。

参与観察を行う場合には、まず、観察計画を立てる。これは、参加させてくれそうな場、集団があることが前提となる。次にアポイントメントを取って、訪問、見学を行う。このような準備を行った後、参与観察を行い、記録を取り、分析を行う。参与観察の場合には、記録をその場で取ることは難しく、なるべく観察から時間を置かずに、観察の場から離れたところでメモを取る必要がある。フィールドノートの作成、整理は、面接法と同様である。

これに対して、非参与観察法とは、観察者が、非観察者の活動に参加せずに客観的・自然的に観察を行う方法である。非参与観察法にも様々な方法があるが、ここでは、時間見本法と事象見本法を紹介する。

①時間見本法

時間見本法は、一定の間隔で短時間観察を行う方法である。例えば、特定の園児が幼稚園に朝来てから帰るまで、1時間ごとに5分間、どのような行動をしているか、その時、友達と一緒にいるか、教諭と一緒にいるかなどを記録し、これによって、例えば孤立気味なのかどうか、特定の子供とのつながりが強いのか、大勢の友達とつながっているのかなどを知ることができる。

時間見本法では、予備的な調査に基づき被観察者と被観察者のどのような行動を把握するかを決める。観察者によって記録内容が変わってしまわないように、予め観察すべきその行動を操作的に定義しておく必要がある。「友達のそばにいた。」では不適切であり、「一番近い子供との距離が1メートル以内だった。」は妥当である。「人形やおもちゃに話しかけていた。」、「テレビに向かって友達と話していた。」、「教諭と話していた。」を「発語していた」とするのも可能であるし、別々に記録しても構わない。調査の目的によって決めていくべきである。

また、事前に、適切な時間間隔、観察の回数と観察時間の長さを選んでおく必要がある。

観察の際には、二人以上の観察者が観察を行い、観察結果の一致度を検証することが望ましい。時間見本法の記録手法はいくつかある。自由記述法は、記録する行動を特定せずに何をしているかを記録する。これを行った後、どの行動に集中して観察するかを決める場合、予備的な観察になる。1/0 サンプリング法は、一定の幅のある観察時間中におしゃべりなど特定の行動、それについて知りたい行動、をしているかどうかを記録する。事前にチェックリストを作っておき、行動をとっていればチェックする。これによって調査員の間での不整合が防げる。ポイントサンプリング法は、ある一瞬に何をしているか、複数の行動があればそのすべてを記録するものである。

観察が終わると記録をもとに、データ処理を行う。量的なデータとして処理することができる。

時間見本法には、狙いが明確であれば、観察対象者の特定の行動の生起頻度を決定できる、量的なデータが得られる、短時間に多くの観察ができる、正確で客観的なデータが得られるなどの長所がある。

しかし、高頻度で起こる行動しか観察できない、記録の対象にしなかった行動や環境や状況の変化を捉えられないなどの限界もある。

②事象見本法

事象見本法とは特定の行動をその始まりから終わりまで観察する方法である。例えば、授業中に席を離れて勝手な行動をしたり、大声を出したりして、結果的に授業を阻害する児童を観察し、その回数やパターンを調べたりした研究がある。明らかな始まりと終わりがある行動を対象とする。

事象見本法で調査を行う場合の手順は次のとおりである。予め、観察すべき事象を設定し、予備的な観察を行って、観察する事象を操作的に定義する。調査の現場で事象を記述するためのフォーマットを作成しておく。その上で、観察を行い、記録する。観察が終わると、得られたデータを元に分析を行う。

事象見本法の長所として、時間を追って観察しているので、因果関係を把握しやすく、得られた結果も理解しやすいことが上げられる。

しかし、観察者から見えないところで起こっている事象には適用できない、被観察者が偏る虞があり、一般的な結果が得られるとは限らないという問題もあり、多くの観察を積み重ねることが重要となる。低頻度の事象の観察には時間がかかるという短所もある。

5．調査票による調査

調査票調査は、主に、多数の対象から、大量の定型的なデータを収集し、そのデータを統計学的な手法で分析するときに用いられる。次章で詳しく取り上げるので、ここでは概略を示す。

ある地域の人口・世帯や企業の数、生産量などの実態を表す基礎的な資料作るために行われることも、社会問題の背景や原因についての仮説の検証をするという目的に絞って調査することも、政策効果の判定のために行われることもある。ここでは、仮説の検証を念頭に置いて説明する。

ある集団がどのような性質、特徴を持っているかを知りたいとすると、その集団（母集団）に属するすべての人間や企業などを調査する全数調査とその一部だけを選んで調査する標本調査（サンプル調査）がある。標本調査の場合、選ばれたものを標本（サンプル）と呼ぶ。以下では、標本調査について説明する。

標本の性質、特徴から母集団の性質、特徴を確実に知ることはできないが、標本を無作為に抽出すると（母集団を構成するどの要素も抽出される確率が等しくなるように選ぶと）、標本が母集団の性質、特徴をある程度反映するようになり、標本の性質から母集団の性質、特徴を推測することができるようになる。

調査は次のように進めていく。

①調査のテーマの決定、先行研究の探索

研究のテーマを決め、研究テーマについてすでにある文献や調査結果を収集しよく読み込む。

②仮説を立てる

何が起こっているのか理論仮説を立て、次に作業仮説を設定する。

③調査票の作成

作業仮説に含まれている操作的に定義された変数（独立変数、従属変数）を確認できるように調査票を作る。必要な変数を漏らすと作業仮説の検証ができなくなる。質問は分りやすく、回答の選択肢は回答者が迷わないように作る。

④標本の抽出（サンプリング）

既にある調査対象の母集団の名簿があればそれを利用して、なければ作って、そこから調査対象とする標本を無作為に抽出する。抽出する標本の大きさ（サンプルサイズ）が大きいほど（調査対象の数が多いほど）、仮説の統計的な検定がしやすくなる。

⑤調査の実施

調査票を、調査対象者に届け、記入してもらい、回収する。配布、回収にはいろいろな方法がある。古典的な方法として調査員が行う、郵送で行うという方法がある。前者は費用が掛かるが回収率が高く、質の良い回答がえられることが期待できる。後者は費用が安いが、回収率や回答の質に問題があることが多い。調査票は従来、紙であったが、タブレットの画面、インターネットを利用した端末の画面などが用いられるようになっている。これらは、プログラムの開発、端末の購入などのコストはかかるが、回答のしやすさなどの長所がある。

⑥データの整備

実際に調査をすると、きれいに回答が書かれているとは限らない。未記入があったり、矛盾した答えが書かれていたりする。エディティング、コーディング、データクリーニングと呼ばれる作業を行った上で、データをコンピュータに入力する。

⑦データの分析

回帰分析などの多変量解析、統計的検定を行う。

4．社会調査の倫理

社会調査を行うものの倫理の基本は人を尊重することである。主に考えなければならないのは、協力してくれた人もしてくれなかった人も含めて調査対象者である。特に、調査対象者が未成年である場合は特別の配慮が必要になる。

調査対象者を紹介してくれた人も含まれる。報告書を読む人、一緒に研究や調査をしている人、先に研究や調査をしていた人も尊重しなければならない。

基本は、盗まない、だまさない、人を自分の道具にしない、無理強いをしない、傷つけたり苦しめたりしないことである。

4－1．一般的な研究倫理

（1）盗用

研究を行うときには先行研究を参照する。それを参考にしながら報告書を書くのは当然である。ルールに従って先行研究を引用するのは全く問題がなく、自由に引用して良い。しかし、それを自分の研究の結果として発表してはいけない。[2)]

（2）捏造と改ざん

研究者は調査を始める前に一定の仮説を立てる。得られたデータを用いて検証して仮説が受け入れられないとき、データをねつ造したり改ざんしたりする誘惑にかられる。存在しないデータをあることにしたり、恣意的なデータの改ざんをしたりしてはならない。

（3）データの非公開

調査や実験でデータを取ったとき、かけ離れた異常値（外れ値とも呼ぶ。）が出ることがある。異常値が出たとき、これを分析対象から外すことは許されるが、その場合どのようなものを異常値として分析対象から外したかを示すことが必要である。なお、場合によっては異常値が意味を持っていることがあるので、分析の際には注意が必要である。

4－2．社会調査に特有な倫理

社会調査に特有の倫理が必要とされる根本的な理由は、調査対象は動物や植

2）大正大学教育開発推進センター『完全引用マニュアル2.0』参照。
引用の仕方については日本社会学会のこのページが参考になる。
（http://www.gakkai.ne.jp/jss/bulletin/guide3.php）

物ではなく調査者と同じ人間であることである。社会調査では、しばしば何らかの問題を抱えている人を調査の対象とするが、その場合は、特に配慮が必要である。調査する側が調査対象者より偉い訳ではない。強制したり、うそをついたり、情報を与えなかったり、だましたり、相手の了解を得なかったり、相手に害を与えたりしてはいけない。

（1）被調査者への配慮

個人情報保護法の施行以来、個人情報に対する感覚は敏感になってきている。[3] 住民同士が対立している地域で研究、調査を行う場合など、調査内容の公表がその対立を激化させたり、人間関係を壊したりすることになる恐れがあるので、注意が必要である。

（2）調査に関するインフォームドコンセントとその手順

調査を行うときは、原則として、調査対象者に「○○という目的で調査をしている」と告げるべきである。

（3）調査における秘密保持とその手順

調査者は被調査者から得られた秘密を守る義務がある。何が秘密なのか、どの程度までなら公表していいのかについて調査者と被調査者で理解が異なる場合がある。報告書に面接結果を載せるときには、原稿を事前に見せて了解を得るといった手続きが必要なこともある。

（4）データ収集時の非倫理的な行為

面接や調査票調査の際に、調査者がある選択肢をいいこと、悪いことと意味付けして主観的な設問をしたり、自分が出したいと考えている答えを得られるような質問（誘導的な質問）を作ったりしてはいけない。また、二つ以上解釈ができるようなあいまいな質問をしておいて、その回答を恣意的に解釈してもいけない。面接の際も誘導的な質問をしてはいけない。

3）個人情報保護法
（https://elaws.e-gov.go.jp/search/elawsSearch/elaws_search/lsg0500/detail?lawId=415AC0000000057）

(5) データ管理の倫理的配慮

調査対象者に対し、このような目的で使うと説明してデータを収集したら、そのデータを別の目的に使ってはいけない。

調査対象者から得られたデータを共同研究者と共有をすることの了解を得ていない場合、共同研究者といえどもデータをそのまま見せてはいけない。必ず了解を得る必要がある。

学生がグループで共同調査を行うときも同じである。もし、卒論などで、教員の指導を受けるために教員にデータを見せる可能性があるなら、調査をするときに、「これは卒業研究なので、ゼミの担当教員に見せることがある。」と告げておかなければならない。データをいつまで保存しておくかも大きな問題である。

(高原正之)

参考文献

- 大谷信介 他著（2013）『新・社会調査へのアプローチ―論理と方法―』（ミネルヴァ書房）
- 南風原朝和（2002）『心理統計学の基礎　統合的理解のために』（有斐閣）
- 工藤保則 他編（2010）『質的調査の方法　都市・文化・メディアの感じ方』（法律文化社）
- 岸政彦 他編（2016）『質的社会調査の方法　他者の合理性の理解社会学』（有斐閣）
- 戈木クレイグヒル滋子（2016）『グラウンデッド・セオリー・アプローチ　改訂版　理論を生みだすまで』（新曜社）
- 川喜田次郎（2017）『発想法　改版』（中央公論新社）
- 小田博（2010）『エスノグラフィー入門　〈現場〉を質的研究する』（春秋社）
- 岸政彦 他編（2016）『質的社会調査の方法　他者の合理性の理解社会学』（有斐閣）
- B.Glaser,A.Strauss 木下康仁訳（1988）『死のアウェアネス理論と看護　死の認識と終末期ケア』（医学書院、原著1965年）

社会調査の方法と手順

第12章で示したように、住民のニーズや課題の把握、政策実施後の実態の把握など公共政策において社会調査は重要である。社会調査の基本的な考え方は、第12章で示しているので、ここでは、実際に社会調査を行うときの具体的な手順と注意点を述べることとする。図表１は、社会調査とりわけ、量的調査を行う際の手順を示したものである。量的調査・質的調査の区分、質的調査については第12章を参照してほしい。

図表１　調査の流れ

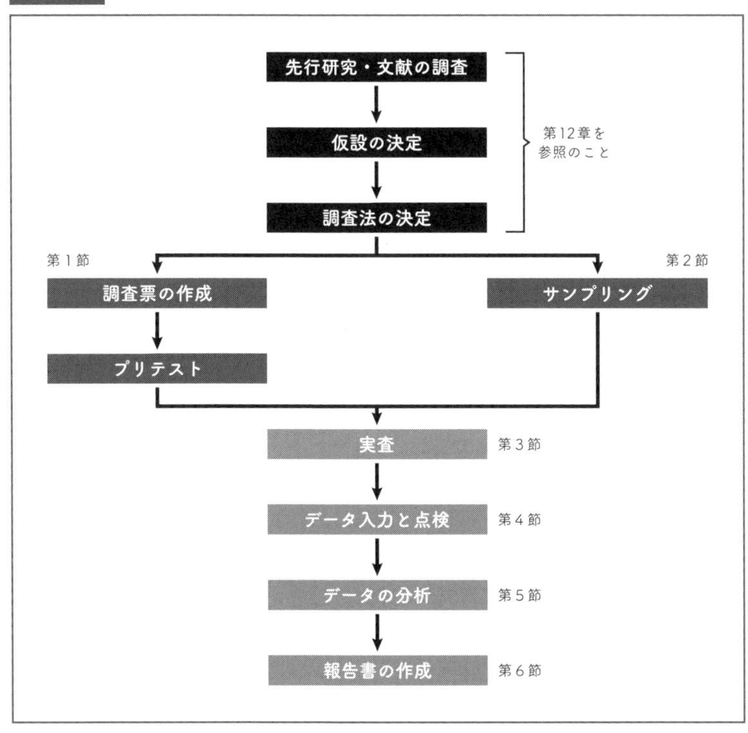

調査の準備段階である、先行研究の調査、仮説の決定、調査方法の決定は、第12章を参考に行うこととし、この章では、それ以降の過程を扱う。第１節では、調査票の作成、第２節ではサンプリングの原理と方法、第３節では実査、第４節では調査票が返ってからの作業、第５節では分析、第６節では調査報告書の作成について扱う。

１．調査票の作成

１－１．調査票作成段階での作業

はじめに調査票の作成段階で行う作業を確認しておく。

調査の目的、調査対象、調査方法を決めたのち、調査票の具体的な作成に入る。この作業ができていないと、それ以降の作業がむだになるので注意が必要である。図表２は、調査票の作成からプリテスト、印刷・フォーム作成、点検までの流れ図である。

（1）調査枠組みの決定

仮説に基づき、独立変数と従属変数を決める。さらに調査票の構造を決める。

（2）調査項目の概要決定

独立変数にかかわる項目、従属変数にかかわる項目、基本属性に関する項目など調査項目の概要を決定する。

（3）具体的な調査項目の決定

（2）で決めた調査項目の大枠に沿って、それを細分化し、小さな調査項目を決めていく。たとえば、基本属性に関する項目として、性別、年齢、居住地というようにリストアップする。独立変数・従属変数にかかわる項目では、それぞれ一つの項目だけで測定しようとした場合、その項目の無回答が多かったり、関連が見られなかった場合にそれ以上分析ができなくなってしまう。そのため、一つの変数について複数の側面から聞くように項目を作る

図表2　調査票作成からプリテスト、調査票完成までの流れ

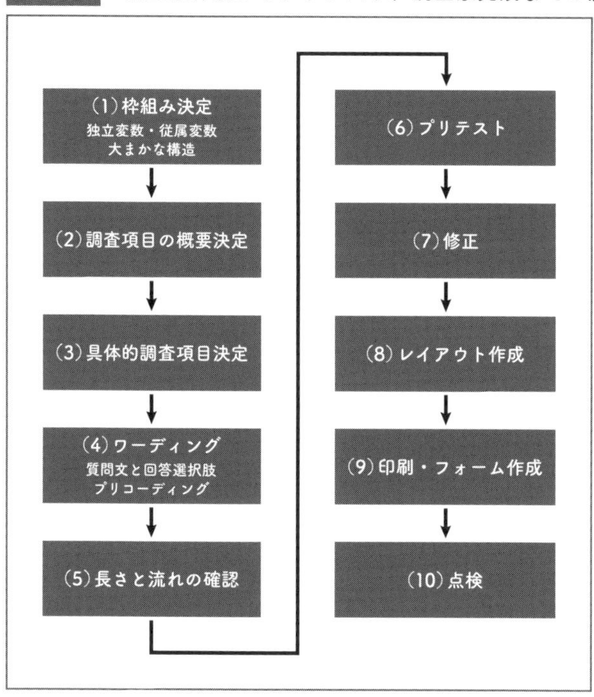

とよい。またそれぞれの項目に対し、どのような分析を行うかも考えておくとよい。

(4) ワーディング（いい回し）

(3) で決まったそれぞれの項目に対し、質問文・回答選択肢を作る。質問項目を文章にすること、できあがったいい回しをワーディングとよぶ。質問文・回答選択肢は、既存の調査との関連性を重視するならば、そこで用いられているものを使う必要がある。そのような調査がなければ、あとで行う分析から、どのような尺度[1]とするか決めたうえで、質問文・回答選択肢を作ることになる。質問文・回答選択肢作成上の注意点は後述する。またこの段

1）尺度には、カテゴリカルデータとして名義尺度・順序尺度、量的データとして間隔尺度・比例尺度がある。尺度についてくわしくは、大谷他編（2013）p.130

階からデータ化することを考え、入力する形を考えておく必要がある。これをプリコーディングという。これについては1－5.（5）を参照のこと。

（5）質問の流れや長さの調整

項目ごとの質問文と回答選択肢ができたら、並べる順番を考える。個人のプライバシーにかかわる質問は後のほうへという原則はあるが、ある程度関連する質問はまとめ、ワーディングもそれに合わせて調整する必要がある。

また、すべての聞きたい項目を入れて作った場合、調査票が何ページにも及ぶ膨大なものになってしまうことがある。調査方法によって、所要時間は異なるが、10～15分を超えると負担感が増す。長すぎる調査票では、途中で回答を放棄されたり、回答してくれても信頼できないものになってしまうことがある。長さについては注意が必要である。

（6）プリテスト

できあがった調査票を用いて、プリテスト（予備調査）を行う。プリテストとは事前に、少人数に対し、試験的に行う調査のことである。ワーディングが適切か、質問の流れに支障がないか検討する。最近では、フォームスやグーグルフォームなどのツールが手軽に利用できるので、本調査は紙で行うとしても、プリテストでは、そうしたツールを利用してもよい。

（7）修正

プリテストの結果、無回答が多い項目やその他が多すぎる項目は、質問がわかりにくかったり、選択肢が不適切な場合があるので再検討する。プリテストで出た意見も踏まえて、調査票の修正を行う。

（8）レイアウト

質問文と選択肢ができたら、質問以外の部分も含めて、調査票のレイアウトを行う。調査票は、調査方法によって、質問文以外に、調査のタイトル、実施主体やその連絡先、依頼文、お礼の言葉などが必要な場合がある。それらも含めてレイアウトを行う。

(9) 印刷またはフォーム作成

調査を紙で行う場合は、印刷が必要になる。Webで行う場合は、そうしたフォームを作成する。

(10)点検

出来上がった調査票は、調査前に必ず点検を行う。印刷ミスがあっても、調査前ならば対応できることが多いので、点検は重要である。

以上、調査票作成の流れを説明した。次に、その中で特に重要な質問文の作り方、回答選択肢の作り方についてくわしく説明する。

1－2．ワーディングの注意点

ワーディングでは、だれでもが同じ意味に理解できること、信頼のおける回答が得られること、回答者を誘導しないことに注意する必要がある。

一般的な注意点としては、以下の３つがある。

①あいまいな言葉や抽象的な言葉を使わない。
　例：グルメや心の健康など

②難しい言葉を使わない。
　例：IOT、ICT、コンピューター・リテラシーなどの専門用語

③心理的に抵抗をもたらす言葉やステレオタイプな言葉を使わない。
　例：狂信的、過激派、「新興宗教」「天下り」

1－3．誘導的な質問

質問には誘導的な効果を持つ形式がある。ここではよく知られている誘導的な形式について説明する。

(1) 威光暗示効果

権威のある人が言っていることを示してから意見を聞くと、その権威ある

人の意見に個人の意見が影響される。これを威光暗示効果という。

例：厚生労働省は、喫煙と肺がんの因果関係を示していますが、あなたは市民に禁煙教育をするべきだと思いますか

(2) 黙従傾向

どのような質問に対しても「はい」「そう思う」と答えてしまう傾向のこと。これは常に問題になるわけではないが、社会的に論争になっている点への賛否を聞きたい場合は、賛否両方の意見を出して、あなたの考えはどちらに近いかとたずねる工夫が必要である。

(3) キャリーオーバー効果

質問の並べ方によって回答が影響されることがあるが、その中でもよく知られているのがキャリーオーバー効果である。キャリーオーバー効果とは、前に置かれた質問の内容が後に置かれた質問の回答に影響を与えることをいう。

たとえば、「TPPの成立により、関税が安くなり、輸入農産物が安くなることを知っていますか？」など具体的な政策内容を知っているか確認したのち、その政策への意見を聞くと、前の質問内容によって回答は影響を受けるので、最初に政策への意見を聞いたのち、内容について聞くなど、順番に注意する必要がある。

1－4．質問文の形式

次に、質問文を作るときに検討する必要がある形式について述べる。

まず、質問文を作るときに、一つの質問に複数の質問事項をいれないように気をつけなければならない。これをダブルバーレル質問という。

例1：あなたは、女性がお酒を飲んだり、たばこを吸ったりするのをどう思いますか？

1．やめたほうがいい　　2．特に問題ない

この質問では、「お酒を飲むこと」はいいが、「たばこを吸うこと」はやめた方がいいと考える回答者は答えられなくなってしまう。

例２：あなたは、危険ドラッグは周りの人に被害があるのでやめた方がいいと思いますか？

これは、「危険ドラッグ」はやめたほうが良いと思う人でも、「本人の健康」など別の理由でそう考える人が答えにくくなってしまう。
また質問にはいくつかのタイプがあるので、使い分ける必要がある。

①一般的質問と個人的質問を使い分ける

同じようなことを聞くとしても一般的質問と個人的質問では違いが生じる。

例：（一般的質問）
環境保護のため、プラスティック製品の利用を減らすべきだと思いますか
（個人的質問）
あなたは、エコバックを利用していますか

②意識を聞くのか行動を聞くのかを考える

③平常の行動（ユージュアルステータス）を聞くのか、特定の日時の行動（アクチュアルステータス）をきくのか

例：ユージュアル：あなたは、サークルに参加していますか
アクチュアル：あなたは、先週サークルの活動に参加しましたか

平常の行動を聞くと日によって行動が違う人の回答は信頼性が下がり、特定の日を聞くとその日の特殊な事情によって信頼性が下がる。質問内容によって、どちらの影響が大きいか検討する必要がある。

④フィルター質問とサブクエスチョンを上手に利用する

質問によっては、対象者を該当者と非該当者に分け、該当する人だけにさらにくわしく質問する必要が出てくる。対象者を該当する人としない人に分ける質問がフィルター質問で、該当する人だけが答える質問がサブク

エスチョンである。

例：あなたは、コンタクトレンズを使ったことがありますか？

1．はい　　　2．いいえ

サブクエスチョンは、フィルター質問で該当した人に再度たずねる。

1．で、はいと答えた方におうかがいします。

それは、どのようなタイプですか？

1－5．回答・選択肢の作り方

まず質問に対する回答の形式を決める必要がある。

回答には、自由回答方式と選択肢方式がある。自由回答方式は、回答者の状況を多面的にとらえることができるが、回答者の心理的負担が大きくなるという欠点がある。量的調査ではあらかじめ選択肢を設けることが不可能な場合などに採用される。

選択肢方式の場合は、次のような点に注意する必要がある。

(1) 選択肢は相互に排他的で網羅的に作る

選択肢は、内容に重複があってはいけない。これを相互に排他的という。また想定されるすべての回答が選択肢として事前に用意されてなければならない。これを網羅的という。網羅的に作ることが難しい場合には、「その他(具体的に)」など自由回答方式を含んだ回答カテゴリーを用いることがある。しかし、これを採用したとしても、事前に十分選択肢について吟味する必要があることはいうまでもない。

(2) 選択肢の数に注意

選択肢は、あまり多すぎると回答者の負担になる。網羅的であることは重要だが、あまりに多すぎると、すべて読まれないで回答される可能性も出てくる。選択肢の中には、ほとんど選ばれないものも出てくるので、プリテストなどを利用し、選択肢数を抑える工夫が必要である。

(3) 選択肢の方式を決める

選択肢方式では、回答を一つだけとする単一回答（単数回答）、あてはまるものすべてを選ぶ複数回答、複数選べるが選択の個数に制限を求める制限連記法がある。制限連記法は、「３つまで選んでください。」「最も当てはまるもから順に３つ選んでください」といったものを指す。
回答者の負担からすれば、できるかぎり単一回答のほうが望ましいが、どうしても必要な場合は、負担を考慮して利用する必要がある。

(4)「わからない」無回答の扱い

どのような回答形式でも、その質問に答えたくない、わからないという人がいる。そういう人に対する選択肢を作るかどうか検討する必要がある。特にインターネットを利用した調査では、回答しないと先に進めないよう設定する場合も多い。この場合は、選択肢がないと回答をあきらめるか、適当に答えるしかなくなってしまうので、特に注意が必要である。

(5) プリコーディング

今日では、量的調査は電子データ化し、コンピューターを用いて処理することがほとんどである。選択肢を作成する時点で、コーディングを意識する必要がある。データをどのような数値として入力するか決めることが、コーディングである。選択肢の構成とそれに対応する数字（コード）を決めるのであるが、この時点でできるところまで決めておくとよい。調査実施前にコーディングを行うことを、プリコーディングと呼ぶ。自由回答欄などのコード化は調査票が返ってきてからしか行えないが、選択肢のコード化は、この段階で考え、同じような形式の選択肢はコード体系を同じにするなど事前に検討しておく。また、回答すべきなのに、回答していない無回答とフィルター質問によって、回答しなくてよい項目である非該当を分ける。無回答コード（たとえば9や99）とその項目に非該当者がいる場合は非該当コード（たとえば88や98）のリストも作っておくとよい。これによって、調査票が返ってからの作業が速やかになり、間違いも減らすことができる。

インターネット調査では、自由回答以外は調査票を作成した時点で、コーディングも終わったことになるので、より一層注意が必要である。アフター・コーディングについては、第4節で扱う。

1－6．質問の流れとレイアウト

質問文と回答選択肢がすべてできあがったら、質問の順番を考える。この時原則として、以下の点に注意する。

①答えやすい質問を前に、プライベートなことなどやや立ち入った質問は後ろの方へ

②関連する事柄や、回答形式が似ているものは近くに集める。

③フィルター質問では、対象者が間違えないように工夫する

④誘導的な順番にならないようにする。

回答者が答えやすい質問の順番を決めたうえで、さらにレイアウトによっても回答しやすく、誤解しにくい工夫が必要である。フォントを変えたり、強調文字にしたり、下線を引くなど見やすく、答えやすく、間違いがおこりにくいものを作るように心がけたい。

2．サンプリングの原理と方法

ここでは、まずサンプリングとは何か、サンプリングの原理、実際のサンプリングの方法、注意点について述べる。

2－1．サンプリングとは何か

多数の事例について扱う量的調査では、その対象となる集団全体を調査する場合と（全数調査）と一部のみを取り出して調査する場合（標本調査）がある。全数調査か標本調査かの決定は、調査対象となる母集団の大きさ、調査にかけ

図表3　サンプルと母集団の関係

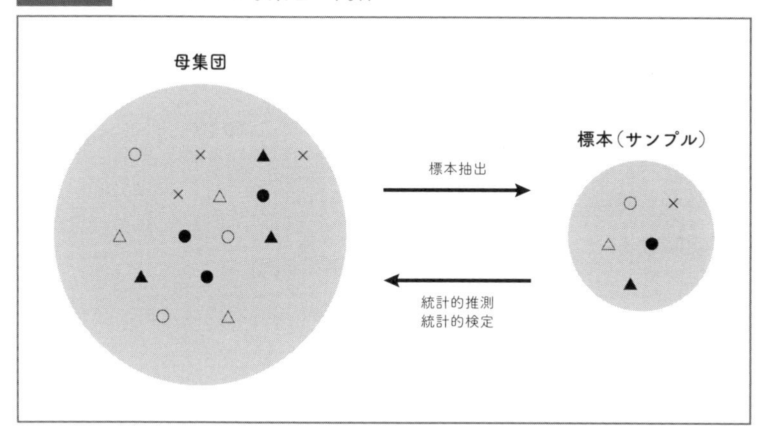

られる時間や費用で決まってくる。

標本調査を行う場合は、選びだされた一部の対象者を標本=サンプルとよぶが、この標本を用いて、対象となる集団（母集団）全体の回答傾向を推測するわけであるから、標本の抽出＝サンプリングは重要である。

2－2．サンプリングの原理

サンプリングは母集団を代表するようなサンプルを選び出す方法であるが、統計理論に支えられた確率標本抽出法が最も科学的で優れているといわれている。確率抽出法は無作為抽出法（ランダム・サンプリング）とも呼ばれる。これは、母集団を構成するすべてのサンプルが同じ確率で選び出されるような方法のことである。

母集団には様々な値があるが、よく混ざり合った状態で選ぶ必要がある。このよく混ざり合った状態というのが、すべてが同じ確率で選ばれるような状態のことである。無作為（ランダム）に抽出された標本の分布は、理論的に正規分布をとるという特徴があり、その正規分布に関する統計学的な知識を応用して、抽出の際の誤差を理論的に一定の幅をもって確定できるからである[2)]。

2）ここではくわしくふれない。サンプリングの原理についてわかりやすく書かれたものとして、大谷他編（2013）第5章参照のこと

2－3．サンプリングの方法

それでは無作為に抽出するとは具体的にどのような作業なのだろうか。ここでは、具体的な作業について説明する。

まず名簿があるかどうかで作業は異なる。公益性がある場合は選挙人名簿や住民基本台帳を利用することができる。また大学や企業の部署など全員の名簿が利用できる場合もある。そのような場合は、その名簿から、無作為に標本を選ぶことが必要になる。

まず名簿を用いた方法を説明する。

(1) 単純無作為抽出法

名簿に1番から順に番号をつけ、標本の数だけ乱数表を引く、サイコロを振る、乱数発生プログラムを利用するなどして行う。この方法は全く無作為抽出であり、精度が高い。しかし、実際の作業で考えてみると、標本数500では、500回サイコロを振ることになり、時間も手間もかかりすぎる。たとえ乱数発生プログラムを利用したとしても、乱数として出力した番号をもとに対象者を名簿から拾い出す作業は大変である。また、日本国民を母集団とした場合など、完全にランダムとすると標本が日本中に散らばることになり、面接調査では訪問しきれない事態が起こる。こうした問題点を解決する必要が出てくる。

(2) 系統抽出法（等間隔抽出法）

単純無作為抽出法の問題点のうち、抽出作業の時間、手間にかかわる問題を解決するための方法として考え出されたのが、系統抽出法（等間隔抽出法）である。この方法では、名簿に載っている人全員に番号をつける必要はない。全体数と必要とされるサンプル数から、抽出間隔を求め、最初のサンプルだけをくじや乱数表を用いて決め、その後は計算した間隔ごとに標本を抽出する方法である。

たとえば、1000人から100人抽出するとしたら、1000÷100で間隔は、10人おき。最初のサンプルは乱数表で決める。もし８番からと決まったとしたら、８番目の次は18番目というように計算した間隔ごとに抽出する方法である。

これは、作業として単純無作為抽出法より容易であるが、名簿自体に周期的な特徴がないかは確認しておく必要がある。

(3) 多段抽出法

単純無作為抽出法の2つめの問題として、サンプルが広範な地域に広がると、実際の調査で困難が生じる場合がある。こうした場合、まず全体の範囲の中から、第１段目に市町村を抽出し、第２段階でその市町村内での標本抽出を行うというものである。このように、抽出を複数回に分けて行うものを多段抽出法という。ただし、その場合第1段階の抽出の際に、人口比による抽出の確率を変えないと確率抽出法とは言えないので注意が必要である[3)]。また単純無作為抽出に比べ誤差が大きくなる。

(4) 層化抽出法、層化多段抽出法

これまでの方法は、抽出作業や実査の行いやすさを求めて考え出された方法であるが、層化抽出法は、層化という作業によって精度を高めることを目的としている。たとえば、大学で各学部のデータをとりたい場合、学部の人数に合わせて、標本数を決めたほうが、完全にランダムに選ぶよりも母集団の構成を正確に反映する。

実際、NHKが行う全国規模の世論調査などでは、まず層化を行い、次に２段階でサンプリングを行うという層化多段抽出法が取られている。たとえば、地域を大都市、中小都市、郡部とわけて、それぞれの層の大きさの比率で地点をサンプリングする。さらに、選ばれた地点内でランダムにサンプリングを行うというようなものである。

以上が名簿を用いた方法であるが、これ以外に名簿を用いない方法もある。RDD法（ランダム・ディジット・ダイアリング）は、現存する局番からコンピューターでランダムに数字を組み合わせて番号を作り、電話をかけて調査する方法

3）このことについてのくわしい説明は、大谷他（2013）pp.159-162

である。この方式だと電話帳などの名簿に名前がない人も対象にすることができるので、各新聞社ともこの方式を用いている。さらに近年携帯電話の普及により、固定電話を持たない人が増えてきているため、携帯電話に対しても電話をかける方式になってきている。

2－4．インターネット調査とサンプリング

今日、フォームスやグーグルフォームなどのツールが手軽に使えるようになり、だれでも簡単にあまり予算をかけずにデータを集めることが可能となってきている。また、調査会社による多くの調査もインターネットを介した方法になってきている。しかし、サンプリングという観点からから見ると、こうしたインターネットを利用した調査は､無作為抽出が実現しているとはいいがたい。

調査会社によるインターネットを利用した調査では募集に自発的に応じたモニターを大量に確保していて、対象となる層をモニターの属性情報をもとに抽出し、調査を依頼する。こうしたモニターが母集団を代表しているかを保証することはできない[4)]。したがって、母集団における分布を知りたい場合はこのようなモニターを利用したアンケート調査は適切ではない。インターネットを利用して調査を行う場合は、標本の偏りについて意識しておく必要がある。

ただし、自治体などで行う調査で、サンプリングを行い、調査票を配布したのち、回答をwebか郵送かを選んで行うような場合は、この限りではない。

3．実査

ここでは、郵送法と個別面談法について概要と注意するべき点を簡単に述べる。他に郵送留め置き法がある。調査票を先に郵送し、回収を調査員が行うものであるが、注意点は郵送法、個別面談法を参考にしてほしい。

3－1．郵送法

郵送法とは、郵便を用いて、調査法の配布・回収を行う方法である。この方

4）インターネット調査の位置づけについては、轟・杉野編（2017）pp.123-127.
またR. Tourangeau et al. 大隅他訳　pp.15-45

法は、個別面談法に比べ、コストは低く、プライベートな質問もしやすいが、複雑な質問がしにくく、回答者の本人確認がしにくいという特徴がある。具体的手順としては、事前予告状を送付したのち、調査票と依頼状を送付する。事前予告状は、これから調査票を送ることを知らせ、調査の重要性を説明し、協力を依頼する手紙である。送った方が返送率は高まるので、可能であれば送ったほうがよい。

次に、依頼状と調査票を送付する。この際、返信用封筒を封入することを忘れてはならない。返信用封筒には、返信先の住所をあらかじめ記入・印刷し、必要な料金の切手も貼っておく。また、事前予告状の時点で調査拒否の連絡があった対象者に調査票を送らないようにする配慮も必要である。

さらに、回収率が低い場合、督促状を送ることもある。

3－2．個別面談法

個別面談法は、対象者を訪問し、調査票の質問を読み上げて、調査員が回答を記入する方法である。この方法では、複雑な質問もしやすく、回答者の本人確認ができるが、調査員の人件費、交通費などコストがかかる。具体的な手順としては、調査員を確保し、調査員マニュアルを作成し、調査員のトレーニングを行ったのち、実査に入る。確保した調査員が調査に慣れていない場合は、手順だけでなく、服装や言葉遣いなど細かい点もていねいに説明しておく必要がある。また実査中も、きめ細かく相談できる体制を整え、問題を共有することでメイキングといわれる調査データの捏造が起こらないよう注意していく必要がある。

4．調査票が返ってきたら

本節では調査票が返ってきてからの手順について説明する。作業の手順は図の通りである。

4－1．エディティング

紙の調査票で行う調査の場合は、調査票が回収されたら、1票ずつ確認して、

図表4　調査票が返ってきてからの手順

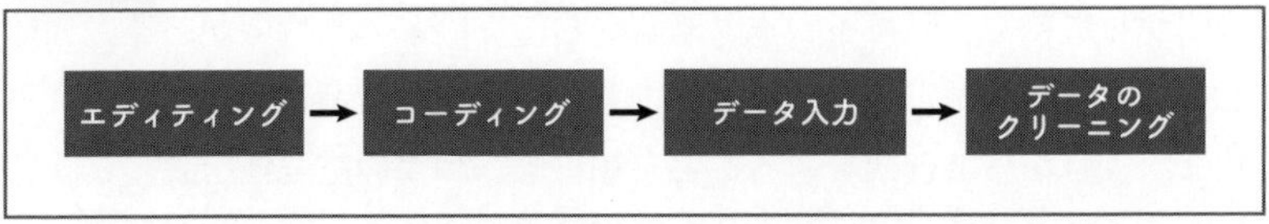

エディティング → コーディング → データ入力 → データのクリーニング

IDをつける。記入漏れや、不完全な回答、回答する対象ではない（非該当である）のに、回答しているなどを確認する。個別面談法や留め置き法の場合、回収後すぐであれば、再調査を行うこともできる。またこの時点で、余裕がある場合は、調査票をコピーし、原本はそのまま残して、以降の作業をコピーで行うこともある。

また明らかにおかしい回答を発見した場合はチェックする。たとえば、年齢よりも勤続年数が高いとか、子どもの年齢が本人の年齢より高い場合である。複数人で作業を行う場合はもちろんのこと、一人で行う場合も、そうしたチェックがケースごとで違ってしまわないように、対応の基準を決めて、リストアップしておくとよい。そのように決めた手順に従って、チェックした項目を無効とする、無回答とするなど対応する。

4－2．コーディング

データをどのように入力するか決めることが、コーディングである。

調査票の調査でも調査票作成時にできる部分はコーディングしておくことが望ましいし、Web利用の場合は、コーディングも行うことになるので、コーディングの大部分は調査票設計の時点で終わっていることになる。

調査票が返ってきたてからのコーディングは、記述してもらった回答をもとにして、再分類する場合や新たに回答カテゴリーを作る場合である。これをアフター・コーディングという。

具体的に、再分類の例としては、回答者に職業をくわしく書いてもらい、それをもとに職業コードを割り当てるものがあげられる。

新たに回答カテゴリーを作る場合は、自由回答について、共通するキーワードを洗い出し、それをもとに新しくカテゴリーを作る。

またこの時点で、無回答・非該当のコードも再度確認しておく必要がある。

図表５　入力データの例（エクセルの場合）

ID	grade	sex	q01	q02	q301	q302
1	1	1	1	1	1	1
2	1	2	2	1	0	1
3	2	1	1	1	1	1
4	2	2	3	2	0	1
5	3	1	2	2	0	1
6	3	2	3	1	0	0
7	4	1	1	2	0	0
8	4	9	3	1	0	0

Sex　ID8の9は、無回答の例。q301、q302は複数回答時の入力例

４－３．データの入力

コーディングが終わったら、データを入力する。コーディングがきちんとできていれば、ここは単純な作業である。基本的には、すべての調査票にIDをつけているので、IDを最初に入れたうえで、調査票の項目の順番に沿って入力する。その質問に答えなくていい人は非該当として、あらかじめ決めたコード（たとえば88や98）を入力する。また答えるべきであるが答えていない無回答も区別して別のコード（たとえば９や99）を入力する。

図表５は、入力後イメージである。通常、１行目は変数名、１列目にはIDを入れる。それぞれの調査票のデータは、１行に入れる。複数回答の場合は、いくつか方法があるが、代表的な方法として、選択肢分変数名を付け、項目が選ばれていれば１、選ばれていなければ０を入れるものがあげられる。

４－４．データのクリーニング

入力が終わったデータは、クリーニングを行う。

紙の調査票の場合は、エディティングの段階で明らかにおかしい回答や、信頼のおけない調査票のチェックはすんでいるが、データの入力ミスが起きやす

いので、この段階でもチェックする。

Webを利用しての調査ではこれ以前の段階が終わった状態のデータが出てくる。コーディングは、調査票作成時に終了しているし、回答者が入力したデータがそのままくるので、データ入力作業はなく、入力ミスもない。しかし、この段階で、データに矛盾がないかチェックする必要がある。

入力ミスのチェックは、少数であれば元データを読み上げて確認する読み合わせの方法をとることもできる。他に人員や予算が許せば、複数の人が同じデータを入力し、クロスチェックすることもできる。

大量の場合は、無回答、非該当も含め度数分布表を作成する方法がある。これによって、本来ないはずのコードが入力されていないか確認することができる。しかし、入力ミスで選択肢2を入力するべきところ、誤って1と入力してしまった場合は、この方法では見つけられない。

また、この段階で、紙で行った場合もWEBで行った場合もデータに論理的な矛盾がないかチェックする必要がある。また、身長が300cmであるとか、年齢が130歳であるなど極端に高い数値データは度数分布表を作成することで発見できる。Web上で、回答者が直接回答する場合に、タイプミスや虚偽の入力を行うこともあるので、極端な値については、その扱いを検討する必要がある。さらに、無職なのに、勤務先を答えているなど、2つの項目で明らかに矛盾するようなケースは、クロス集計を行うことで発見することができる。これは、データクリーニングのための集計であり、これによって、修正や削除した後のデータを用いて分析を行うことになる。

5．データの分析

本節では、データの分析について述べる。データには、カテゴリカルデータと量的データがある。カテゴリカルデータは、性別や出身地など数値でなくカテゴリーで表されるデータである。量的データは、これに対し、身長や年齢など数量であらわされるデータである。カテゴリカルデータと量的データでは、分析の際に行えることが異なる。データを分析する際に注意が必要である。

5－1．単純集計

まず、最初に項目ごとの単純集計を行う項目が、カテゴリカルデータの場合は度数分布表を作成する。

度数分布表には相対度数（%）も表示し、順序が成り立つ場合は累積相対度数も表示するとよい。

項目が量的データの場合は、代表値（平均値、中央値、最頻値）、分散、標準偏差などを求める。またデータによっては、適当な階級を作り、度数分布表を作ることもある。

5－2．2項目間（2変数間）の関係の分析―カテゴリカルデータ

それぞれの項目の単純集計を行ったのちは、2つの項目間の関係を見ていくことになる。その方法は、様々ありデータの種類（尺度）によって行えるかどうかが決まってくる[5)]。ここでは、よく行われるものを中心に取り上げることにする。

(1) クロス分析

カテゴリーデータ間の関係を示す際によく用いられる。量的データを、いくつかの階級に区分して行うこともある。一般には、独立変数を表側に置くことが多い。

表には、実数だけをのせる場合もあるが、図表6のように相対度数もあわせてのせることも多い。その場合は、行における％（行％)、列における％(列％)、総数に対する各セルの％がとれる。どの相対度数なのか注意する必要がある。

また、あまりにも度数が少ないカテゴリーはまとめることができる、これをリコードという。

(2) エラボレーション

標本数が多い場合は、もう一つ別の変数を加えてクロス集計を行うことも

5）変数の種類と分析方法については轟・杉野編（2017）pp.180-181.

図表6　クロス集計表（行％表示と列％表示）

		起床時間が一定	起床時間が一定ではない	計
高校生	度数	180	20	200
	行％	90	10	100
大学生	度数	60	140	200
	行％	30	70	100

		起床時間が一定	起床時間が一定ではない
高校生	度数	180	20
	列％	75	12.5
大学生	度数	60	140
	列％	25	87.5
計		240	160
		100	100

ある。これをエラボレーションという[6]。

（3）クロス表の連関の指標―独立性検定

こうしたクロス表で読み取れる連関が存在することを確かめるには、統計的検定を行う。クロス表の連関の指標には複数あるが、ここではカイ二乗値を用いた独立性検定を紹介する。

最初に自分が立てた仮説に対し、関係を否定する帰無仮説をたてる。帰無仮説が正しいとの前提で、期待度数と実現度数からカイ二乗値を求める[7]。表を用いて自由度（クロス表のセルの数から決まる）と危険率（有意水準）[8]から、棄却値をさがす。計算で出たカイ二乗値とこの棄却値を比べ、計算値が大きければ、帰無仮説は棄却できる。すなわち、もとの仮説がいえるということになる。

5－3．2変数間（2項目間）の関係分析　量的データ

2つの量的データ間の関係を見る場合には、散布図を描き、相関係数を算出

6）エラボレーションの詳細は、大谷他（2013）pp.225-227　太郎丸（2005）第6章参照のこと
7）ここでは検定の手順だけにふれる。くわしい計算式、カイ二乗分布の表については、大谷他（2013）pp.218-225参照のこと。またカイ二乗検定についてわかりやすく書いたものとしては、向後・富永（2007）第３章があげられる。
8）危険率とは、帰無仮説が誤っているとの判断が誤りである確率のことで、社会調査では通常５％とすることが多い

図表7　散布図—月平均気温とアイスクリーム販売額

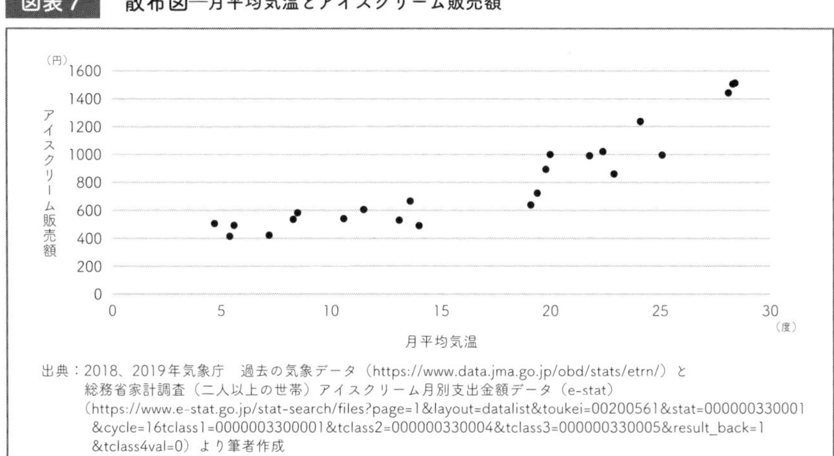

出典：2018、2019年気象庁　過去の気象データ（https://www.data.jma.go.jp/obd/stats/etrn/）と総務省家計調査（二人以上の世帯）アイスクリーム月別支出金額データ（e-stat）（https://www.e-stat.go.jp/stat-search/files?page=1&layout=datalist&toukei=00200561&stat=000000330001&cycle=16tclass1=000000330001&tclass2=000000330004&tclass3=000000330005&result_back=1&tclass4val=0）より筆者作成

するという分析が行われることが多い。図表7は散布図の例である。現在は、エクセルなど表計算ソフトを用いて容易に作成できるので、まず散布図を作って、全体の傾向を把握する。

しかし、散布図から見られる関係は主観的になりやすいので、相関関係の強弱を数値で示した相関係数を算出する。

よく使われるのはピアソンの相関係数である[9]。相関係数は＋1～から－1の間の値をとる。そして0より大きければ正の相関、0より小さければ負の相関があるという。相関の強さは一律には言えないが、目安として次のような関係があげられる[10]。

$0 \leqq |r| \leqq 0.2$　ほとんど相関がない
$0.2 < |r| \leqq 0.4$　弱い相関がある
$0.4 < |r| \leqq 0.7$　中程度の相関がある
$0.7 < |r| \leqq 1.0$　強い相関がある

9）ピアソンの積率相関係数は、変数xと変数yでは、$\dfrac{x\text{と}y\text{の共分散}}{x\text{の標準偏差} \times y\text{の標準偏差}}$ で求められる。

10）轟・杉野編（2017）pp.182-184

さらに、そこから回帰分析や重回帰分析を行うこともある[11)]。

6．調査報告書の作成

調査は時間と手間がかかり、協力者も必要である。そのため、結果を公表することで、社会に還元していく必要がある。

結果の報告は、紙ベースの報告書の場合とWebサイトでの公表がある。どちらにしても詳細な報告書を作ることも多いのでその作成について述べる。

6－1．報告書の全体の構成

報告書には、次の三つの項目をのせておく必要がある。

（1）調査の目的・方法・実施体制　（2）調査結果　（3）調査票・単純集計などの資料提示である。それぞれ簡単に説明する。

（1）調査の目的・方法・実施体制

調査を行った目的、調査主体、調査時期、調査方法、母集団と調査対象者、サンプリングの方法、調査対象者数、回収数、回収率、調査協力関係者、報告書執筆者、問い合わせ先を書いておく。

（2）調査結果

ここが最も重要な部分である。概要・主要な傾向の分析・結論からなる。重要なデータについては、図表を用いて、明確でわかりやすく述べる必要がある。図表については、6－2．で述べる。

（3）調査票・単純集計などの資料提示

単純集計、調査票、コード表、その他の資料（調査依頼文や調査参加者一覧など）。

11）ここでは、多変量解析の種類、手順についてふれない。くわしくは、太郎丸（2005）第8章～第11章参照のこと。回帰分析、重回帰分析についてわかりやすく書いたものとしては、向後・富永2009があげられる。

6－2．図表の作成

報告書は、文章だけでなく、図表を用いることが重要である。報告書では、詳細な分析に関するクロス表や、グラフを利用する。

(1) クロス表の作成

クロス表は、読みやすさを考え、行%のみとし、セルの%をのせないとこともある。また、すべてのクロス表をのせるのではなく、特徴的なものに絞るなど、分量との兼ね合いで選択する。

(2) グラフの作成

グラフには、棒グラフ。円グラフ、帯グラフなどがある。それぞれのグラフの特性を踏まえ、適宜利用すると効果的である。

6－3．報告書の配布・公表

報告書の作成は、資金提供者に対しては義務であるが、調査協力者に対して送付できる場合は、送付することが望ましい。

6－4．終了後のデータの管理

社会調査終了後も一定期間は、調査のデータは保存しておく。複数人で行う場合は、だれがどのように保管しておくか決めておく必要がある。一定期間終了後は、調査原票は廃棄するが、その際は、シュレッダーにかける、焼却処分するなど、個人情報に注意して、きちんと廃棄しなければならない。

（田島恵美）

参考文献

- Earl Babbie（2001）The Practice of Social Research ,Wadworth / Thomson Learning（渡辺總子監訳（2003）『社会調査法１』（培風館））
- 向後千春・富永敦子（2007）『統計学がわかる』（技術評論社）
- 向後千春・富永敦子（2009）『統計学がわかる　回帰分析・因子分析編』（技術評論社）
- 大谷信介・木下英二・後藤範章・小松洋 編著（2013）『新・社会調査へのアプローチ』（ミネルヴァ書房）
- Matthew J. Salganik（2018）Bit By Bit, Princeton University Press（瀬川裕貴・常松淳・阪本拓人・大林真也 訳（2019）『ビット・バイ・ビット　デジタル社会調査入門』（有斐閣））
- 森岡清志 編著（2007）『ガイドブック社会調査　第２版』（日本評論社）
- Roger Tourangeau ,Frederick G.Conrad ,and Mick P.Couper（2013）The Science of Web Surveys, Oxford University Press,（大隅昇・鳰真紀子・井田潤治・小野裕亮 訳（2019）『ウェブ調査の科学』（朝倉書店））
- 盛山和夫（2004）『社会調査法入門』（有斐閣ブックス）
- 太郎丸博（2005）『人文・社会科学のためのカテゴリカル・データ解析入門』（ナカニシヤ出版）
- 轟亮・杉野勇 編（2017）『入門・社会調査法［第３版］』（法律文化社）
- 涌井良幸・涌井貞美（2011）『多変量解析がわかる』（技術評論社）

終章 公共政策学の新たな視点の醸成を目指して

1. 公共政策のさまざまな容貌

本書『公共政策基礎ゼミナール』は、これまので公共政策学という研究分野の範囲を拡大し、新たな視点から再構築しようという試みを世に問うたものである。大正大学に社会共生学部公共政策学科が2020年4月に新設され、その設立に立ち会うこととなった教員によるそれぞれの専門領域から公共政策にアプローチしたものが本書であり、大正大学が考える公共政策学の入門書として上梓し、その評価を学内外に開いて問い直し続けていこうとした取り組みの第一弾である。

全13章にわたる『公共政策基礎ゼミナール』と題された本書を手に取って見た読者には、大正大学が考えている公共政策には、実に多くのテーマや切り口、そして注目すべき点があり、各章を読むことによってそれぞれの公共政策の特徴やその運営のあり方についての概要を理解することができる、と考える。特に公共政策学というものに着目した場合、第1章で首藤が「公共政策学」とは「公共的問題を解決するために、解決の方向性と具体的手段を導き出し実施する過程、およびその公共的問題に関する諸要素を取り扱う科学」であると述べているように、問題や課題と強い親和性を持つ学問であるということがわかる。その公共政策は、地方自治体やそこで働く公務員、そして行政を保管するNGOなどが企画し実践するアクターとして重要である。そしてそれらの公共政策の受益者は多岐にわたるもので、例えば外国人労働者や福祉を必要とする人々などは、一般的に弱者であることから特に日常的に公共政策が注目する対象者となる。そして立案される公共政策にはさまざまな分野、例えば文化政策、メディア・情報発信政策、環境政策、自然保護政策、観光政策、医療政策、教育政策などがあり、ひとびとが関わるあらゆる領域にまたがるものであること、そして公共政策を構想する際には、受益者や市民・住民の立場に立つことが必須であることが示されてきた。立案側ではなく市民などの受益者の立場を尊重した公共政策としていくためには、社会調査をつうじて実態やニーズを把握することが重要であり、それにはさまざまな調査法が採用さえ得る、ということについても本書を通じて知ることができたと思う。

そこで終章にあたって、公共政策をめぐり、改めて押さえておかなければならないことについての議論を整理しておきたい。それには、社会の中で「共生」を達成することの意義と、英語でいうところのパブリックの訳語である「公共」のふたつを改めて取り上げる。どちらにも「共」という字が使われてはいるものの、内包する意味には大きな違いがある。それぞれの言葉が意味することについて、以下で再確認をしておきたい。

2.「共生」と「公共」の重要性

「共生」とは、元来は生物学上で誕生し用いられてきた概念であり、それは複数の異種生物が相互関係を持ちながら同じ場に生活する現象を指すものである。その概念が次第に人間社会にも適用されるようになり、社会の中の人と人、人と自然との関係においても相互作用を持ちながら同じ場で暮らすことを「共生」という言葉で理解し、判断するようになってきた。この「社会」の中における「共生」という言葉が持つ意味について、確認してみると以下の通りとなろう。

共生ということが社会的な私たちの中でも必要とされる用語になったということは、果たして共生とはいえない状況が存在していてその状況を打破することが求められるようになったからである。その共生ではない状況とは、社会の中で二分化もしくは多分化が発生していることで、その状況によって困難を抱えざるを得ず、したがってその状況を克服するための哲学として「共生」について考えていこうということになった、ということでる。それゆえ共生という考え方には、寛容とか共存という言葉の意味を含めていることになる。しかしあえて「生きる」という漢字をこの言葉の中に用いていることから、生きている生命体に対して限りない愛情と信頼を寄せ、その生命体がそれ自体生命ある限り発展しつづけていけるために必要な相互関係を確保するために、「共に」ということばで「生きる」という言葉を形容していると読み取ることができる。

今の社会の中で生きづらさを抱えている人にとっては、共生という理念は必要とする助けを求める際に依拠するキーワードとなるし、現在の環境の中で生存が危ぶまれるようになっている野生生物にとっては、例え共生という人間の言葉を理解することができなくても、生息環境の破壊等が進むことを代わりに押し返してもらえる力強い言葉となる。したがって共生の概念は、生命体に対する敬意、というとてつもなく大事な前提に基づく行動指針なのである。よって、共生を求めているのが誰であるかを社会の中に見いだすとすれば、それはひとりひとりの市民/住民であるのは当然であるし、また人類を支えくれる生物多様性の恵みをもたらす生き物でもある。共生を求め、そして共生が求められるような場において、生命に対する特別なまなざしを持つことが極めて重要となってくる。この点についてきちんと踏まえておかないと、共生というかけ声は全く無意味なものになってしまうことになるので、特に注意が必要である。

続いて「公共」について考えてみよう。公共は、外国語のPubicの翻訳語として明治期に導入された言葉である。西洋社会のパブリックの概念と、日本という土壌の中で醸成されてきた公共とはおそらく少し位相が異なる場合があるだろう。狭義には、公（おおやけ）とか自治体とか国、もしくは社会全体といったものが想像されるかもしれない。しかし注意してみれば、個人とか私といった原子的な存在がまずあって、それらをすっかりと包含する「社会」と密接な関係を持つのが、この「公共」という言葉である。よって個と公共は対立するのではなく、個をも含めた社会のあり方が「公共」なのである。

日本国憲法の第12条、第13条、第22条、第29条において、いわゆる基本的人権の制約要件として「公共の福祉」という言葉が出てきているが、そのことを踏まえても「公共」という考え方は日本の国造りの重要なキーワードのひとつとされてきたことはいうまでもない。しかも2018年（平成30年）7月の高等学校学習指導要領の改訂で、公民の中の「現代社会」が「公共」へと改廃され、この「公共」は高等学校のカリキュラムで必修科目となることから、現代においても「公共」が諸問題を分析したり解決したりする方策を考える際に極めて重要な観点となってきていて、それを高等学校教育でも重視するような社会になってきている、と認識することができる。

以上、「共生」と「公共」という用語について、ごく簡単に整理しておいたが、もちろんこのような概念的な整理では現場で物事を考え動かしていくには不十分である。さまざまな関連文献にあたって、さらに多くの切り口で、共生と公共に取り組むための準備が進み、公共政策を考える力を自分のものとしていくことが期待される。

3.「橋の思想」

公共政策は、あらゆる場、あらゆる機会に機能し実施されるわけであるが、実際に何かしらの公共政策が行われるとして、それがどのような性格のものであるかについて読み取る能力を獲得することは市民にとってとりわけ重要なことである。つまりその公共政策が、本当にそこに暮らしている市民にとって必要かつ重要なものであるか、その公共政策が行われることによって市民はエンパワーメント、すなわち力を獲得することができるのか、ということにつながるからである。そこで、フランツ・ファノンの「橋の思想」から、これからの公共政策のあるべき姿を考えてみたい。

ファノンとは、アルジェリア独立運動を理論的に支えた医師であり、いくつかの著作があるが、ファノンはその著作のひとつで「橋の思想」とよばれる以下の考え方を提示している。

> 「ひとつの橋の建設がもしそこに働く人びとの意識を豊かにしないものならば、橋は建設されぬがよい。市民は従前どおり、泳ぐか渡し船に乗るかして、川を渡っていれば良い。橋は、空から降って湧くものであってはならない、社会の全景にデウス・エクス・マキーナ〔救いの神〕によって押しつけられるものであってはならない。そうではなくて、市民の筋肉と頭脳とから生まれるべきものだ。(中略)市民の砂漠のごとき頭脳の中に技術が浸透し、この橋が細部においても全体としても市民によって考え直され、計画され、引き受けられるようにすべきなのだ。市民は橋をわがものにせねばならない。」

ファノンのこの言葉は、そもそも市民の意識を豊かにしないような橋は建設されるべきではない、という思想を提示しているのであり、たとえ橋それ自体は確実に市民の生活にとって必要で便利なものであったとしても、それが誰かからただ一方的に与えられるようなものであるとしたら、市民はそれを拒否すべきである。その橋の建設に際して市民が主体となるような計画と実行が担保されなければならないからである、ということを明示的に主張する内容である。ファノンの言うとおりだとすると、もし市民がエンパワーメントされないような橋の建設が計画されているのであれば、そこには絶対的に何かが欠けているので正しい公共事業ではない、公共事業としては成立しない、ということになる。このことについてあらゆる公共政策の考え方に引きつけて考えれば、市民は公共政策に実際的かつ本質的な「参加」を果たしていくことを事業主体に求めていくべきであり、また市民はただ公共政策を与えられるだけの存在であるべきではなく、市民が主体体的にそれに参加するようにしていかなければならない、そうでないと本当の市民というものには成長できない、という考え方を導き出すことができる。

このファノンの「橋の思想」について、例として経済面に関する政策、具体的には所得向上政策を指向するとすれば、「所得向上が所得を得る人々の意識を豊かにしないものならば、所得は向上しないのが良い。いままでどおりの所得で、変わらぬ生活を続けていけば良い。所得は空から降ってくるものでも誰かから与えられるものでもない。そうではなくて、所得向上が本当に人々の経済的ニーズと所得向上に向けた工夫から生まれるものであるべきだ。」ということになろう。つまり公共政策は、市民の力によって単に支えられるだけでなく、その計画段階から評価の段階に至るまで市民参加が確保され、市民のニーズが取り上げられてはじめて本質的なものとなり、それが結果として市民に力を与えることができるものになる、というものであるべきなのだ。

4.「共生」と「公共」に橋を架ける試みを求めて

いみじくもファノンが重視した、いわゆる市民へのエンパワーメントの必要性という基本的な立場を、公共政策の立案と実行に際して重要視するのであれば、私たちは社会における共生という理念を市民のための公共政策に直結させることができる。つまり共生と公共に橋を架けることができるようになるのである。この「橋」はもちろんメタファーであるが、ファノンが「橋の思想」で語ったように、本当に市民が必要とし、かつ必要性だけにとどまらずそれが成立するプロセスにおいて市民が新たな力や知恵を獲得できるようなダイナミズムのあり方を模索し確実にそれを担保することで、ようやく人々の中に現実的な共生といわれる状態が達成される。しかもそこに公共的な価値が含まれるようになるのである。

架けられる橋は、誰を見据えるかということがさらに重要となる。そこで次にロールズの正義論に注目する。ロールズが『正義論』の第二原則で指摘した主張である「最も不遇な人々の最大の便益に資するように」社会的・経済的不平等が編成されるべき、ということを踏まえれば、これこそが共生と公共に架ける橋を示す考え方である。ロールズが言いたいことは、自由社会において共生といわれる状態を達成しようとするに際して何らかの公共政策が志向されるが、その際には社会における弱者や底辺にいる人々が最も利益を得られるように考慮しなければならない、ということである。この「最も不遇な人々」の視点に立たなければ、例えば政治的に力を持っている人々だとか、経済的に豊かな人々だとか、そういった階層の人に向けた公共政策であっては決して共生は達成することができない。最も注目されるべきは、その公共政策によって救われるとかエンパワーメントを得ることができる弱者や疎外されているといわれるような人々の立場であり、そのような人々の立場に立つことに尽きるのである。そもそも「共生」には、先にも指摘したとおりすでに二分化もしくは多分化されてしまっている状況が存在することが透けて見え、いわばその状態を克服しようとする指向性が共生の意味に込められている。よって共生を達成する公共政策では、二分化もしくは多分化されたセクターの中の最も弱いセクターや立場にある人々（場合によってそれらは動物や植物などとなる）の立場を特に重視する、という姿勢を持つことが必要なのである。

5．おわりに

本書の各章は、一見脈絡がないように並んでいると思われるかもしれない。

しかし本書で取り上げてきたテーマや話題を、この最も不遇な人々（もしくは自然の事物）の立場を想定して、共生と公共とをつなげるような探索をしながら読んでみることによって、公共政策についての新たなアイデア、具体的なアイデアを見いだすことができるかもしれないと考える。その作業は、それぞれの読者が把持している興味に即してそれぞれの読者で取り組んでもらいたい。そういう取り組みを繰り返し練習もしくは稽古していくことで、公共政策を学ぶ人が獲得しなければならないセンスを得ることにつながる。

最後になったが、大正大学社会共生学部公共政策学科の設立を記念して本書を刊行したいという教員一同の願いを理解し、全面的な協力をしていただいた大正大学出版会に、心からの御礼を申し上げたい。

（高橋正弘）

参考文献

- フランツ・ファノン（1996）『地に呪われたる者』（みすず書房、鈴木道彦ほか訳）
- ジョン・ロールズ（2010）『正義論改訂版』（紀伊國屋書店、川本隆史・福間聡・神島裕子訳）

執筆者紹介（執筆順）

首藤　正治（すどう　まさはる）　はじめに　第1章

現在、大正大学副学長、地域構想研究所副所長、社会共生学部公共政策学科教授

■主著

『君、市長にならないか？』、鉱脈社、2017年

尾西　雅博（おにし　まさひろ）　第2章

現在、大正大学社会共生学部公共政策学科　教授

■主著

『逐条国家公務員法（全訂版）』（共編著）、学陽書房、2015年

『公務員制度改革—米・英・独・仏の動向を踏まえて—』（共著）、学陽書房、2008年

塚崎　裕子（つかさき　ゆうこ）　第3章

現在、大正大学社会共生学部公共政策学科　教授

■主著

『外国人専門職・技術職の雇用問題—職業キャリアの観点から』、明石書店、2008年

「キャリアによる国内人口移動の違いと世代効果」『人口問題研究』第76巻第3号、国立社会保障・人口問題研究所、2020年

鵜川　晃（うかわ　こう）　第4章

現在、大正大学社会共生学部公共政策学科　准教授

■主著

「越境する文化と身体記憶—ベトナム系住民女性の出産のナラティブから—」『こころと文化』15号2巻、2016年

「難民・難民認定申請者では」『あなたにもできる外国人へのこころの支援』（共著）、岩崎学術出版、2016年

髙瀬　顕功（たかせ　あきのり）　第5章

現在、大正大学社会共生学部公共政策学科　専任講師

■主著

「地域資源としての寺社・教会の可能性 —川崎市宗教施設調査より—」『コミュニティソーシャルワーク 25号』、日本地域福祉研究所、2020年

「浄土宗青年僧侶による復興支援とそれを支える力」『東日本大震災後の宗教とコミュニティ』（共著）、ハーベスト社、2019年

北郷　裕美（きたごう　ひろみ）　第6章

現在、大正大学社会共生学部公共政策学科　教授

■主著

『コミュニティFMの可能性：公共性・地域・コミュニケーション』、青弓社、2015年

『新・公共経営論:事例から学ぶ市民社会のカタチ』（共著）、ミネルヴァ書房、2020年

道下　洋夫（みちした　ひろお）　第7章

現在、大正大学社会共生学部公共政策学科　准教授

■主著

「ベトナムの医療・福祉の現状と考察」『The Journal of JAHMC 平成28年2月号』、公益社団日本医業経営コンサルタント協会、2016年

「ベトナム医療の現状と展望」『帝京大学短期大学紀要 平成30年度』、2018年

村橋　克則（むらはし　かつのり）　第8章

現在、大正大学社会共生学部公共政策学科　教授

■主著

『リクルートOBのすごいまちづくり２』（共著）CAPエンタテインメント、2020年

本田　裕子（ほんだ　ゆうこ）　第9章

現在、大正大学社会共生学部公共政策学科　准教授

■主著

『生物多様性のブランド化戦略─豊岡コウノトリ育むお米にみる成功モデル』（分担執筆）、筑波書房、2013年

『野生復帰されるコウノトリとの共生を考える─「強いられた共生」から「地域のもの」へ』（単著）、原人舎、2008年

古田　尚也（ふるた　なおや）　第10章

現在、大正大学地域構想研究所・公共政策学科教授、IUCN（国際自然保護連合）日本連絡事務所コーディネーター

■主著

『実践版！グリーンインフラ』（共著）、日経BP、2020年

『シリーズ環境政策の新地平８　環境を担う人と組織』（共著）、岩波書店、2015年

高橋　正弘（たかはし　まさひろ）　第11章　終章

現在、大正大学社会共生学部長、公共政策学科　教授

■主著

『環境教育政策の制度化研究』、風間書房、2013年

『現代環境教育入門』（共編）、筑波書房、2009年

高原　正之（たかはら　まさゆき）　第12章

現在、大正大学社会共生学部公共政策学科　教授

■主著

「わが国の医療統計体系について」『厚生の指標』第56巻第15号pp.1-7、2009年

「解雇規制は本当に日本の就業率を下げているのか？」『日本労働研究雑誌』2017年特別号pp.61-68、2017年

田島　恵美（たじま　えみ）　第13章

現在、大正大学社会共生学部公共政策学科　准教授

■主著

『社会調査法』第５章（翻訳）渡部聡子監訳、培風館、2003年（原著、Earl Babbie ,The Practice of Social Research ,9th ed.Wadworth,2001）

「混合研究法におけるウェブ調査利用の可能性と限界」『大正大学研究紀要』第106号、2021年

公共政策基礎ゼミナール

2021 年 4 月 3 日初版発行

編　者　高橋正弘・首藤正治

発行者　髙橋秀裕

発行所　大正大学出版会

住所　東京都豊島区西巣鴨 3-20-1

電話　03-3918-7311（代）

制作・編集　株式会社ティー・マップ

（大正大学事業法人）

印刷・製本　藤原印刷株式会社

ISBN978-4-909099-56-3